全国各类高等院校食品加工工艺专业“十三五”规划与创新系列教材

食品营养与检测学

主　编　王彩霞
副主编　杜继龙　何　鹏

中国商业出版社

图书在版编目(CIP)数据

食品营养与检测学 / 王彩霞主编. —北京 :
中国商业出版社, 2016.9

ISBN 978 -7 -5044 -9311 -8

Ⅰ. ①食… Ⅱ. ①王… Ⅲ. ①食品营养 - 高等
职业教育 - 教材②食品检验 - 高等职业教育 - 教材
Ⅳ. ①R151.3②TS207

中国版本图书馆 CIP 数据核字(2016)第 026227 号

责任编辑:蔡凯

中国商业出版社出版发行
010 -63180647 www.c -cbook.com
(100053 北京广安门内报国寺 1 号)
新华书店总店北京发行所经销
涿州市华建印刷有限公司印刷

* * * * *

开本:787 ×1092 毫米 1/16 印张:18 字数:380 千字
2016 年 9 月第 1 版 2016 年 9 月第 1 次印刷
定价:45.00 元

* * * *

前　言

食品营养与检测学是经济林果类、食品类、园艺类、园林类以及食品环境工程类专业必修的课程。全书包括：概述；营养学基础；特殊生理条件下人群的营养与膳食；各类食品的营养价值；营养相关疾病的预防与控制；营养素供给量与平衡膳食；食品营养保健与食物新资源的开发利用；食物营养成分检测。实验实训主要集中在第七章食物营养成分检测内容中，主要包括食品样品的采集与制备，食物中水分的测定，食物中总氮的测定，食物中脂肪的测定，食物中糖类的测定，食物中葡萄糖的测定，食物中还原糖的测定，食物中抗坏血酸的测定，总抗坏血酸的测定，总抗坏血酸曲的测定，速原型抗坏血酸曲的测定(2,6－二氯酚靛酚滴定法)，食物中维生素 B_2 的测定，高效液相色谱(HPLC)法测定食物中维生素 A、E，食物中钙、铁、锌的测定，食物中钙的测定，食物中铁、锌的测定，膳食调查结果计算与评价，食谱编制及营养配餐等多项内容。全书构思创新，图文并茂，直观易懂，突出实践，便于操作。

食品营养学的基本理论和基本检测技术是食品专业、烹饪专业以及相关专业学生和科研人员、工程技术人员的必修课程。本书是根据高职高专食品工程专业人才培养目标编写的，本书适用于高等职业院校的学生，以及经济林果类、食品类、园艺类、园林类和食品环境工程类、生物技术类专业的读者群。也可以作为中等职业学校及相关专业学生和其他相关专业科研、技术人员的参考书。

几位多年从事营养学教学、科研和检验工作的高校教师参与了本书的编写，力求根据学生的专业特点和基础知识背景，从应用的角度，较系统地阐述营养学的基本理论和技能。

本书主编由甘肃林业职业技术学院园林系王彩霞教授担任，副主编由甘肃林业职业技术学院资源环境工程系杜继龙讲师、何鹏讲师担任。其编写分工为：王彩霞教授编写了概述、第 6 章、第 7 章、附录 1、附录 2、参考文献；杜继龙讲师编写了第 3 章、第 4 章、第 5 章；何鹏讲师编写了第 1 章、第 2 章。

本书编写过程中，征求过一些高职高专食品和烹饪专业教师的意见和建议，也曾在甘肃林业职业技术学院的食品检测专业教学中试用，并根据这些师生的建议做了修改。对此，深表谢意。

由于作者水平有限、经验不足，加之时间仓促，不妥之处在所难免，敬请广大读者批评指正。

编者

2016 年 9 月

目　录

概　　述

一、营养学基本概念

“民以食为天”，说明食品与人体健康和生存的关系密切。人们每天摄取的各种食物是维持机体新陈代谢和保持正常生命活动以及生产劳动的最基本条件，人体通过摄取、消化、吸收和利用食物中的营养素来维持其生命活动。营养是人类摄取食物满足自身生理需要的生物学过程。

根据我国《食品卫生法》的规定，食品是指各种供人食用或饮用的成品或原料，以及按照传统既是食品又是药品的物品，但是不包括以治疗为目的的物品。食物中具有营养作用的有效成分称为营养素。营养素分为六大类：糖类、脂肪、蛋白质、维生素、矿物质和水。近年来，由于膳食纤维在食品保健中的重要作用，有人将其称之为第七种营养素。根据营养素能否在体内合成或由其他物质转变而来，又分别把营养素分为必需营养素和非必需营养素。目前已知有40～45种人体必需营养素，并且存在于食品中。从营养学和食品科学或食品加工的角度来说，应尽量使这些营养素不受破坏。

机体的合理营养是通过平衡膳食来实现的，但是由于没有一种天然食物含有人体需要的全部营养素，因此，多样化的天然食物是实现平衡膳食的物质基础，而强化食品则是实现合理营养的补充措施。

营养学是研究人体营养规律及其改善措施的科学。所谓人体营养规律，包括人体在一般生活条件下和特殊生理条件下，或者在特殊环境条件下的营养规律。所谓改善措施包括纯生物学的措施和社会性的措施；同时还包括措施实施的根据与采取措施后的效果评价。

营养学与生理学、生物化学、食品化学、病理学、药物学、临床医学、预防医学、农业科学、食品科学、烹饪科学、食品卫生学、心理学、经济学及食品的商品学等都有密切的关系，其中生物化学是饮食和营养学科最直接的基础。由于社会文化发展不同，营养问题还可能与某些人的宗教、信仰等有关。

有关营养的基本概念如下：

▲营养（nutrition）：指人体摄取食物后，在体内消化和吸收营养素，以维持生长发育、组织更新和处于健康状态的总过程。

▲营养素(nutrients):指具有营养功能的物质，包括蛋白质、脂类、碳水化合物、维生素、矿物质、水等6大类。研究表明，人体至少需要40多种营养素，其中包括9种必需氨基酸、2种必需脂肪酸、14种维生素、6种大量元素、8种微量元素、1种糖类(葡萄糖)和水。有一些营养素人体可能需要，但尚未确定。有一些营养物质如牛磺酸、肉碱在婴幼儿体内不能合成。此外，还有一些非营养物质，如膳食纤维，虽不作为营养素，但却是人体所必需的。

▲营养学(nutrition or nutriology):是研究人体营养规律的一门学科。随着营养科学的发展，出现了许多营养学分支学科，例如：

(1) 人类(基础)营养学(human nutrition) 主要研究各种营养素以及人体在不同生理状态和特殊环境条件下的营养过程及对营养素的需要。

(2) 临床(医学)营养学(clinical nutrition) 主要研究营养与疾病的关系，人体在病理条件下对营养素的需要及满足这种需要的措施。通过这些措施，对疾病有辅助疗效，促进身体康复。

(3) 食品营养学(food nutrition) 主要研究食物、营养与人体生长发育和健康的关系，以及提高食品营养价值的措施。

▲营养价值(nutritional value):指食物中营养素及能量满足人体需要的程度。

▲营养不良(malnutrition):指由于一种或一种以上营养素的缺乏或过剩所造成的机体健康异常或疾病状态。

▲膳食营养素参考摄入量(DRIs, dietary reference intakes):指一组每日平均膳食营养素摄入量的参考值，包括4项内容指标(图1)：

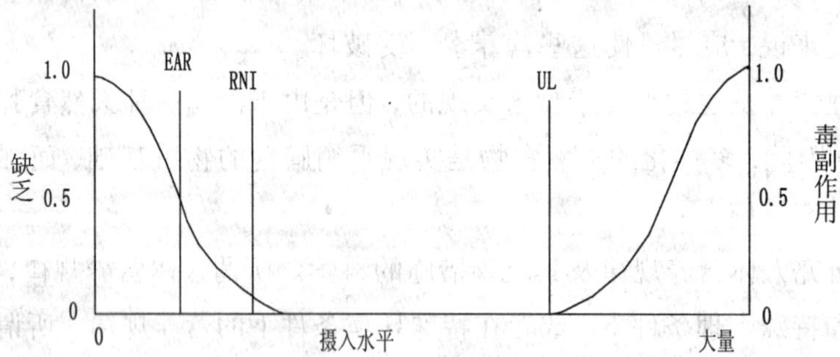

图1 营养素摄入不足和过多的危险性图解

(1) 平均需要量(EAR, estimated average requirements)指满足某一特定性年龄及生理状况群体中50%个体需要量的摄入水平。

(2) 推荐摄入量(RNI, recommended nutrient intakes；相当于RDA, recommended dietary allowances)指满足某一特定性别、年龄及生理状况群体中97%～98%个体需要量的摄入水平。如果需求量呈正态分布时，则RNI = EAR + 2SD标准差，如果EAR的变量不足以计算SD时，可假设10% EAR = 1SD，则RDA = 1.2 EAR。

(3) 适宜摄入量(AI, adequate intakes)　指通过观察或实验获得的健康人群对某种营养素的摄入量。一般大于 EAR，也可能大于 RNI，但小于 UL。AI 不一定是一个理想摄入量。在个体需要量的研究资料不足，不能计算 EAR，也不好求得 RNI 时，可设定 AI 来代替 RNI。

(4) 可耐受最高摄入量(UL, tolerable upper intake levels)指某一生理阶段和性别人群，几乎对所有个体健康都无任何副作用和危险的平均每日营养素最高摄入量。目的是为了限制膳食和来自强化食物及膳食补充剂的某一营养素的总摄入量，以防止该营养素引起的不良作用。

二、营养科学发展概况

营养学源远流长。我国从有文字记载的历史年代开始就有了关于营养学的论述。早在 2000 多年前，我国《黄帝内经・素问》中就有"五谷为养，五果为助，五畜为益，五菜为充"等膳食与养生的记载，精辟地、纲领性地向人们提示了饮食的要义，是世界上最早最全面的饮食指南，迄今仍为西方学者所注意，对人们的饮食营养仍有指导意义。南朝齐梁时期陶弘景(公元 493 年提出了以肝补血、补肝明目的见解。东晋葛洪(公元 300 年)在《肘后备急方》中记载了用海藻酒治疗甲状腺肿。我国古代还有"医食同源"的重要思想，滋补与食疗历史悠久。先后有几十部关于食物本草与食疗本草类的食物药理学著作。例如，明代李时珍《本草纲目》在对人体大量观察和实践取得珍贵经验的基础上，记载了 350 多种药食两用的动植物，并区分为寒、凉、温、热、有毒和无毒等性质，对指导人们营养与食疗有重要价值。明代姚可成在 1520 年编成《食物本草》一书，列出 1 017 种食物，并以中医的观点逐一加以描述，分别加以归类，这在世界历史上处于前列地位。但是，限于历史背景和实验科学技术落后，后来西方营养科学研究超前于我国。

19 世纪是自然科学崛起阶段，能量守恒定律与燃烧理论(呼吸是氧化燃烧)相继被发现，推动了生理学、生物化学的发展，在此基础上，产生了现代营养学，侧重从生物科学和基础医学的角度研究营养与机体之间的一般规律。从 19 世纪中叶开始，人们逐渐认识到蛋白质、脂肪、碳水化合物、矿物质对人体健康的重要性，并将其列为人体营养素。以后连续发现新的维生素，并研究不同维生素的生理作用、缺乏症及临床治疗等，推动了现代营养学的发展。对微量元素的大量研究始于 20 世纪 30 年代。1931 年发现人的斑釉牙与饮水中氟含量过多有关。此后 40 年间，陆续发现铜、锰、硒、锌、钼等多种微量元素为人体所必需，并得以确认。

近几十年来，营养学无论是在宏观方面，还是在微观方面，研究更加深入，发展更加迅速，出现了许多营养学的分支学科和领域，营养知识信息大量积累。

(1) 基础营养　近 10 余年来，基础营养研究又取得了许多新进展，如膳食纤维的生理作用及其预防某些疾病的重要性逐渐被认识；多不饱和脂肪酸特别是 n－3 系列的 α－亚麻酸及其在体内形成的二十碳五烯酸和二十二碳六烯酸的生理作用逐渐被揭示，α-亚麻酸已被许多学者认为是人体必需的营养素；叶酸、维生素 B_{12}、维生素 B_6 与出生缺陷及心血管疾病病因关联的研究已深入到分子水平；维生素 E、维生素 C、β-胡萝卜素及微量元素硒、锌、铜等在体内的抗氧化作用及其机制的研究已成为当前十分普遍的热点。

(2) 公共营养　第二次世界大战以后，社会性的营养工作不断加强。在世界卫生组织(WHO)与联合国粮农组织(FAO)的努力下，加强了营养工作的宏观调控作用，提出了一些新概念，如营养检测(nutritional surweillance)、营养政策(nutrition policy)、投入与效益评估(assessment of and benefit)等，逐步形成了公共(社区)营养学或社会营养学(social nutrition)，更加重视如何使广大人民群众得到实惠。有的国家制定颁发了有关社会营养的法律、法规，有的国家在会议中成立了主管营养工作的委员会，或在政府里成立了主管公共营养的机构。为了指导公民合理地选取搭配食物，世界多国制定了膳食指南(dietary guidelines)和营养素每日推荐供给量(RNI 或 RDA)。膳食指南和 RNI 的内容与指标随着营养的研究进展而不断修改与调整。20 世纪 90 年代后，欧美各国相继具有预防营养缺乏病的作用，而且由于方某些慢性病和延缓衰老的作用；在考虑摄入营养素作用的同时，应考虑摄入安全性。鉴于此，美国学者提出了膳食营养素参考摄入量(DRIs)的概念，在 RDA 的基础上，增加了适宜摄入量(AI)和摄入量高限(UL)。其概念现为各国所接受。1992 年在罗马召开了有 159 个国家政府领导人参加的世界营养大会，会上发布了《世界营养宣言》和《营养行动计划》，召开各国政府保障食品供应，控制营养缺乏病，加强宣传教育，并制定国家营养行动计划。

(3)营养与健康　营养与健康的关系成为现代营养学的一项重要内容。越来越多的研究表明，一些重要慢性病(癌症、心脑血管病、糖尿病等)与膳食营养关系十分密切，膳食营养因素是这些疾病的重要成分，或者是预防和治疗这些疾病的重要手段。如高盐可引起高血压；蔬菜和水果对多种癌症有预防作用；叶酸、维生素 B_6 和维生素 B_{12}、同型半胱氨酸(homocysteine)与冠心病有重要关系等。另外一些研究表明癌症、高血压、冠心病、糖尿病乃至骨质疏松症等的发生和发展都与一些共同的膳食因素。所以，世界卫生组织强调在社会中采用改善膳食和适当体活动为主的干预政策来防治多种慢性病。这些方面的研究还在不断发展。

(4)营养与基因表达　营养因素与遗传因素的互相作用是营养研究的一个新的热点。从理论上讲，每一种人类主要慢性疾病都有其特异的易感基因。人体内特异性疾病基因的存在对于决定个体对某种疾病的易感性有重要的影响。包括膳食因素在内的环境因素则对于特异性疾病基因的表达有重要作用。一些实例说明，遗传基因不是一成不变的。从疾病预防的策略考虑，首先是要防治疾病因素得到表达，其次是通过较长期的努力，减少人群中疾病特异性基因的存在。目前，营养因素与基因相互关系的研究还刚刚起步，还没有足够的结果可用于指导实践。不过，从长远的观点看，营养学能为疾病控制做出贡献。

（5）食物中活性成分　这是目前营养学研究较活跃的领域。有些流行病学观察的结果难以用营养素来解释，如蔬菜、水果对癌症的抵抗作用。越来越多的动物实验结果表明，食物中许多非营养素成分具有重要的功能。目前研究较多的成分有：茶叶中的茶多酚、茶色素，蔬菜中的类胡萝卜素及异硫氰酸盐，蔬菜和水果中的酚酸类，大蒜中的含硫化物，大豆中的异黄酮（isoflavones），魔芋中的葡甘聚糖，香菇、枸杞、灵芝中的多糖，红曲中的红曲色素等。这些成分中的多数具有不同程度的抗氧化作用和免疫调节作用，对心血管病和某些癌症具有一定的预防和辅助治疗作用。值得注意的是，这方面的研究往往难以划清食品和药品的界限，因而加强管理是十分必要的。

（6）营养与农业　营养素来自食物，食物源自农业。1949—1999 年的 50 年间，世界各主要国家的谷物产量均有较大幅度增长，除日本外，无论是单产还是总产均增长一至数倍。世界肉类总产量由 1961 年的 7144 万吨，增加到 1998 年的 21 620 万吨，增长 2 倍多。1961—1994 年世界肉类生产增长速度高于谷物生产增长速度，人均肉类产量增长速度高于人均谷物产量增长速度。其他农产品也有较大幅度增长。正由于如此，尽管此间世界人均耕地年增加量仅为 0.2%，而人口年增加量却为 1.6% 的不协调情况下，世界食物供求仍达到基本平衡，食物结构得到改善，营养不良的人口呈下降趋势。这是农业发展对人类营养的巨大贡献。不过，目前全世界患营养不良症的比例还较高，尤其在经济不发达、贫困、高人口增长率的国家和地区更为严重。

（7）食物营养　除研究食物中营养素和非营养素的结构、性质、生理功能等内容外，还大量研究了各类食物的营养价值、各营养成分在食品加工储藏中的变化及防止损失的措施、食品的营养强化以及食品新资源的开发。尤其是对食品的营养强化，许多国家十分重视。美国 FDA 于 1941 年底提出了第一个强化面粉的标准，后来强化食品层出不穷。今天，美国大约有 92% 以上的早餐谷类食物进行了强化。日本的强化食品种类繁多，分别有适用于普通人、病人和一些特殊人群食用的强化食品，并有严格的标准。欧洲各国在 20 世纪 50 年代，先后对食品强化建立了政府的监督、管理体制。有些国家还法定对某些主食品强制添加一定的营养素，如英国规定面粉中至少应加入维生素 B_1（2.0g/kg）和烟酸（16.5mg/kg），人造奶油中必须添加维生素 A 和维生素 D。我国在 20 世纪 50 年代初研制出婴儿强化食品，之后品种逐步增多，在预防一些营养缺乏症方面起到了一定的作用，尤其是碘强化食盐，取得了显著的成效。但强化食品品种仍然数量偏少，质量有待提高，国家在监督管理方面还较薄弱。

三、食品营养与检测学的研究内容及在食品科学中的地位

食品营养检测学就是研究食物及其检测与人体健康关系的一门科学。

食品营养学是从生物学的角度研究机体对营养的需求，同时又有很强的社会实践性。所以本学科的研究内容，主要包括人体在一般条件下对各种营养素的需要（营养学基础），

在特殊生理条件或特殊环境条件下的营养需求，各类食品的营养价值，加工烹调和贮存过程对食物营养素的影响，营养与一些慢性疾病的防治，食品中各种营养素的检测，食品强化，食品保健，食品新资源开发利用，营养调查和营养检测等内容。

食品营养检测学与食品科学或食品工艺学关系密切。可以认为，营养学是研究食品对人体健康的影响，或者是人体以最有益于健康的方式来利用食品的科学。对于从事食品科学或食品加工的人员来说，则应更多地关注食品加工过程对营养素的影响，尽量减少食品加工、烹饪、贮存过程中营养素的损失，保存并进一步提高食品的营养价值。

第 1 章　营养学基础

1.1 蛋白质

1.1.1 蛋白质的组成和分类

蛋白质是人体细胞的结构和功能不可缺少的复杂有机化合物，没有蛋白质就没有生命。在食品中，蛋白质除了保证食品的营养价值外，还影响食品的色、香、味及质构等特征。

蛋白质主要由碳、氢、氧和氮组成，部分蛋白质还含有硫、磷。

在植物中，蛋白质大多集中在生长旺盛部分，特别是叶和种子。植物能够利用太阳把空气和土壤中比较简单的无机化合物，如二氧化碳、水、氮和硫合成自身蛋白质。因此，植物和一些能够合成这些物质的细菌是所有蛋白质的最初来源。

在动物体内，蛋白质的分布比在植物体内广泛得多，机体蛋白质是很多结构和防护组织，如骨骼、韧带、头发、指甲、皮肤和软组织的主要成分。除了细菌在反刍动物的瘤胃中作用外，动物，包括人类都缺乏从简单无机物合成自身蛋白质的能力，而必须依靠植物和其他动物作为膳食蛋白质的来源。因此，人类膳食中必须含有一定数量的蛋白质。

蛋白质是由氨基酸组成的高分子化合物，相对分子质量相差很大，结构相当复杂，但经过水解以后，最终的产物都是 20 多种氨基酸，氨基酸是组成蛋白质的基本单位。

1.1.2 蛋白质的功能

1. 蛋白质的营养学意义

（1）构成机体，建造或修补、更新组织　食物中蛋白质最主要的作用是供给人体合成蛋白质所需要的氨基酸，由于糖类和脂肪只含碳、氢、氧，不含氮，所以蛋白质是人体中唯一的氮来源，这是糖类和脂肪不能代替的作用。

成人体内蛋白质约占总体重的 16.3%，亦即一个体重 60kg 的人约有 9kg 蛋白质。人体蛋白质处在不断合成与分解的动态过程中，每天约有3%的蛋白质参与更新，但不同年龄的人体内蛋白质合成率不同，新生儿、婴儿合成率高。摄入蛋白质经消化吸收后，成人主要用于组织蛋白更新；婴幼儿、青少年、孕妇、乳母除维持组织蛋白质等外，还要合成新组织。食物只有提供含必需氨基酸种类齐全、数量充足、比例适宜的蛋白质，才能保证机体的生长和发育。

(2) 生命的重要物质基础　蛋白质是人体一切细胞、组织的重要组成成分，生命现象总是和蛋白质同时存在的。如新陈代谢中的化学变化绝大多数是借助酶的催化作用迅速进行的；激素对机体的繁殖、生长、发育及适应内外环境变化具有重要作用；氧在血液中的运输就是靠血红蛋白完成的；机体的一切机械活动及各脏器的主要生理功能的完成，如肢体的运动、心脏的跳动、胃肠运动、肺的呼吸等都是靠肌肉中肌纤凝蛋白的收缩与舒张来实现的；机体免疫物质的合成需要蛋白质；蛋白质是两性物质，能与酸或碱进行化学反应，维持血液酸碱平衡；核蛋白及其相应的核酸是遗传的物质基础。

(3) 氧化供应能量　蛋白质在体内的主要功能并非供给能量，但它也是一种能源物质，特别是当糖类与脂肪供给量不足时，蛋白质可代之供能。每克蛋白质在体内氧化供能约16.7kg(4kcal)。通常蛋白质的供能是由体内旧的或已破损的组织细胞中蛋白质分解，以及由食物中一些不符合机体需要的或摄入量过多的蛋白质燃烧时所放出的，人体每天所需要的能量约有11%～14%来自蛋白质。

需要指出的是，利用蛋白质作为热能来源是不经济和不科学的，一方面，它使膳食中的蛋白质不能被有效地合成人体组织蛋白质，甚至不能维持人体组织蛋白质的平衡而需要消耗组织蛋白；另一方面，氨基酸在分解放出热能过程中，首先经脱氨基作用产生的有毒产物氨需经肝脏的代谢作用将其转化成尿素和尿酸从尿中排出，因此，氨基酸的分解、排泄，将给肝、肾等器官增加负担。假如人体每天膳食中含有充足的糖类和脂肪用以提供能量，则膳食中的蛋白质就可以不被用以热能消耗，从而发挥其构成机体、修补组织和调节生理功能的作用，肝、肾等器官也不会因为过多氨基酸的分解而负担过重。

2. 蛋白质在食品加工中的作用

蛋白质可赋予食品良好的感官形状和重要的功能特性。例如，肉类成熟后持水性和嫩度增加，大大提高了肉的可口性。蛋白质有起泡性，如鸡蛋清蛋白就具有良好的起泡能力，在食品加工中常被用于糕点和冰淇淋的生产。

作为高分子物质，蛋白质有乳化、增稠性能，不同蛋白质的乳化力不同。由乳酪蛋白制成的酪蛋白酸钠具有很好的乳化、增稠性能，尤其是其热稳定性强。如酪蛋白酸钠可用于做椰子汁或应用于午餐罐头等食品的生产，虽经120℃高温杀菌1h亦无不良影响。

小麦中的面筋蛋白质吸水胀润后在面团中形成坚实的面筋网，并具有特殊的黏性和延展性等。它们在食品加工时使面包、面条、饼干具有各种重要、独特的性质。

1.1.3 蛋白质的需要量与氮平衡

机体对蛋白质的需要量，通常以氮平衡(nitrogen balance)来测试。在一定时间内(24h)若摄入的氮与排出的氮相等，称之为氮平衡;若摄入的氮大于排出的氮，则称为正氮平衡，反之为负氮平衡。因此，氮平衡是反映体内蛋白质代谢情况的一种表示方法，实际上是指蛋白质摄取量与排出量之间的对比关系。由于直接测定食物中和体内消耗的蛋白质有很多困难，各种食物蛋白质的含氮量相当接近(约占16%)，一般食物中的含氮物质又大部分是蛋白质，所以常用测含氮量的方法间接了解蛋白质的平衡情况。

氮平衡的表示方法为

$$摄入氮 = 尿氮 + 粪氮 + 通过皮肤或其他途径排出的氮$$

尿氮主要包括尿素、氨、尿酸及肌酐等，其中尿素氮与膳食中蛋白质有关，而肌酐则不受膳食氮影响。粪氮包括食物中未被吸收的氮、肠道分泌物及肠道脱落细胞中的氮。皮肤排出氮包括表皮细胞、毛发、指甲、分泌物中的氮，其他途径排出的氮指月经、射精等丧失的部分。

机体在完全不摄入蛋白质的情况下，体内蛋白质仍在分解与合成，只是处在负氮平衡状态，这种状态持续几天后，氮的排出将维持在一个较低恒定水平。此时通过尿、粪及皮肤等一切途径损失的氮，是机体不可避免要消耗的氮，称为必要的氮损失，一般成人按每千克体重计[54mg/(kg·d)]，成人体重按65 kg计，则每日从尿、粪、皮肤等途径损失的氮约为65×54=3510(mg)，折合成蛋白质约为22g蛋白质。实际上成人摄入22g食物蛋白质还不足以维持以上氮平衡，因为食物蛋白质的组成与人体蛋白质的组成不完全相同，再加上消化率的影响，根据实验成人每日约需进食45g蛋白质才能补偿机体蛋白质的分解损失。

1.1.4 氨基酸与必需氨基酸

人体蛋白质由20种α-氨基酸按不同组合构成，并已确定8种氨基酸在人体内不能合成或合成速度不能满足机体的需要，必须从食物中补充。这些氨基酸称为必需氨基酸(EAA)，它们是亮氨酸、异亮氨酸、赖氨酸、蛋氨酸、苯丙氨酸、苏氨酸、色氨酸和缬氨酸。另有组氨酸为婴儿所必需。近来有人证明组氨酸也是成人必需氨基酸。

非必需氨基酸并非机体不需要，它们都是蛋白质的构成材料，并且必须以某种方式提供，只是因为体内能自行合成，或可由其他氨基酸转变而来，可以不必由食物供给。非必需氨基酸通常有13种:甘氨酸、丙氨酸、丝氨酸、胱氨酸、半胱氨酸、天冬氨酸、天冬酰胺、谷氨酸、谷氨酰胺、酪氨酸、精氨酸、脯氨酸和羟脯氨酸。

在必需氨基酸中，蛋氨酸在体内可以合成胱氨酸，故胱氨酸可节约蛋氨酸，同样，苯丙氨酸可以合成酪氨酸，故酪氨酸亦可节约苯丙氨酸。因此，当膳食中胱氨酸及酪氨酸的含量丰富时，体内即不必耗用蛋氨酸和苯丙氨酸来合成这两种非必需氨基酸，从而减少机体对蛋氨酸和苯丙氨酸的需要量。因此，人们将胱氨酸和酪氨酸称为“半必需氨基酸”。

食物蛋白质被机体利用的程度取决于组成食物的蛋白质必需氨基酸含量和相互比例。这种蛋白质中各种必需氨基酸的构成比例即为氨基酸模式。

当膳食中蛋白质所提供的必需氨基酸的数量和比例与人体组织蛋白的氨基酸构成比例相近时，食物蛋白质才能达到最高的利用率，如果食物蛋白质中一种或几种必需氨基酸含量偏低，则合成人体组织蛋白时，只能进行到这一氨基酸用完为止，其他氨基酸虽然含量丰富，其利用率也受到限制。同理，当膳食中蛋白质所提供的某种氨基酸的数量过多，而降低在结构上与其近似的其他氨基酸的利用。所以，一种食物蛋白质必须同时具备种类齐全、数量充足、比例适当的必需氨基酸，才具有较高的营养价值。

氨基酸模式的计算方法是将该种蛋白质中的色氨酸含量定为1，分别计算出其他必需氨基酸的相应比值，这一系列的比值就是该种蛋白质氨基酸模式。见表1-1。

表1-1　几种中国食物和人体蛋白质氨基酸模式

氨基酸	人体	全鸡蛋	鸡蛋白	牛奶	瘦猪肉	牛肉	大豆	面粉	大米
异亮氨酸	4.0	2.5	3.3	3.0	3.4	3.2	3.0	2.3	2.5
亮氨酸	7.0	4.0	5.6	6.4	6.3	5.6	5.1	4.4	5.1
赖氨酸	5.5	3.1	4.3	5.4	5.7	5.8	4.4	1.5	2.3
蛋氨酸+半胱氨酸	3.5	2.3	3.9	2.4	2.5	2.8	1.7	2.7	2.4
苯丙氨酸+酪氨酸	6.0	3.6	6.3	6.1	6.0	4.9	6.4	5.1	5.8
苏氨酸	4.0	2.1	2.7	2.7	3.5	3.0	2.7	1.8	2.3
缬氨酸	5.0	2.5	4.0	3.5	3.9	3.2	3.5	2.7	3.4
色氨酸	1.0	1.0	1.0	1.0	1.0	1.0	1.0	1.0	1.0

食物中蛋白质消化吸收后的必需氨基酸模式越接近人体需要模式，其实际被利用的效价就越高，营养价值也越高。鸡蛋和人奶的氨基酸很接近人体需要量，故通常将这类蛋白质称为参考蛋白质。当某种蛋白质中某种或几种必需氨基酸缺乏或不足时，则合成组织蛋白质受到限制，这些氨基酸称为限制性氨基酸，按缺乏程度依次为第一、第二、第三限制氨基酸等。例如，谷类(小麦、大麦、大米、玉米)的第一限制性氨基酸为赖氨酸，小麦、大麦、大米的第二限制性氨基酸为苏氨酸，豆类的限制性氨基酸为蛋氨酸，见表1-2。若不同食物适当混合食用，可使食物中的蛋白质相互补偿，使之比值接近人体需要模式，以提高蛋白质的营养价值，这种现象称为蛋白质的互补作用。

表 1-2　几种食物蛋白质的限制性氨基酸

食物	第一限制性氨基酸	第二限制性氨基酸	第三限制性氨基酸
小麦	赖氨酸	苏氨酸	缬氨酸
大米	赖氨酸	苏氨酸	缬氨酸
玉米	赖氨酸	色氨酸	苏氨酸
花生	蛋氨酸	色氨酸	苏氨酸
大豆	蛋氨酸	色氨酸	苏氨酸

1.1.5 食物蛋白质质量评价

对蛋白质质量作出正确的评价，有利于食品品质的鉴定、指导膳食蛋白质营养、开发和利用各种食物蛋白质资源。衡量蛋白质质量的优劣，主要以人体摄入后的效果即生物利用率为依据，同时要考虑含量。因为一种蛋白质尽管被机体消化、吸收及利用程度很高，但如果含量太少，其应有的作用则无法充分发挥。

1. 蛋白质含量

食物蛋白质的含量多少尽管不能决定一种食物蛋白质营养价值的高低，但在具体评价食物蛋白质营养价值时，蛋白质含量是评价食物蛋白质营养价值的基础。食物蛋白质的测量通常是用凯氏定氮法测定其总氮量，然后再换算成蛋白质含量。蛋白质平均含氮为16%，故食物总氮量乘以6.25(100/16)就是蛋白质的含量。不过各种食物蛋白质中含氮量略有差别，为准确换算各种食物中蛋白质含量，可参看表1-3。

表 1-3　常用食物蛋白质的换算系数

食品	蛋白换算系数	食品	蛋白换算系数
大米	5.95	花生	5.46
全小麦	5.83	棉籽	5.30
大豆	5.71	奶	6.38
芝麻	5.30	蛋	6.25
玉米	6.25	肉	6.25

此总氮量内可包含有嘌呤、嘧啶、游离氨基酸、维生素、肌酸、肌酐和氨基糖等。肉类氮中一部分是游离氨基酸和肽；鱼类除此之外还含有挥发性碱基氮和甲基氨基化合物。海产软骨鱼类可能还含有尿素。由于这些非氨基酸和非肽氮的营养学意义有许多还不清楚，所以分析食物的含氮量有很重要的意义。

2. 蛋白质的消化率

蛋白质的消化率是指该食物蛋白质被消化酶分解、吸收的程度。消化率越高，被机体利用的可能性越大。常用机体吸收氮与食物氮的比值表示。

$$蛋白质消化率=\frac{吸收氮}{食物氮}\times 100\%$$

食物蛋白质在人体内消化率的高低，是评价食物蛋白质营养价值的一个重要方面。食物蛋白质的消化率用该蛋白质中被消化、吸收的氮量与蛋白质的含氮总量的比值表示。这可有表观消化率(AD)和真消化率(TD)之不同。

粪中蛋白质绝大部分来自未消化吸收的食物氮，但也包括消化道脱落的肠黏膜细胞和代谢废物中的氮，以及极少量肠道微生物的氮，后两者称为粪代谢氮。粪代谢氮是在人体进食足够热量但完全不摄取蛋白质的情况下在粪便中测得的。如在测定中不计粪代谢氮时，所得的结果称为表观消化率，反之为真消化率。

$$蛋白质表观消化率=\frac{食物氮-粪氮}{食物氮}$$

$$蛋白真消化率=\frac{食物氮-(粪氮-粪氮谢氮)}{食物氮}$$

由于表观消化率比真消化率数值低，用于估计蛋白质的营养价值的估计偏低，具有较大的安全系数，而且测定方便易行，所以常用表观消化率表示蛋白质的消化率。

蛋白质的消化率受人体和食物两方面因素的影响，前者如全身状态、消化功能、饮食习惯等；后者主要有食物纤维素、烹调加工方式等。例如，大豆整粒进食时蛋白质消化率仅约60%，加工为豆腐，可提高到90%；在一般烹调加工方法下，奶类蛋白质的消化率为97%~98%；肉类蛋白质为92%~94%；蛋类蛋白质为98%；米饭与面制品蛋白质为80%左右。一般动物性蛋白质较植物性蛋白质消化率高。

3. 蛋白质的利用率

蛋白质的利用率指食物蛋白质被消化吸收后在体内被利用的程度，主要测定指标如下：

(1) 蛋白质生物价(BV)　是反映食物蛋白质被吸收后的储留程度即利用程度的指标。

$$BV=\frac{氮贮留量}{氮吸收量}\times 100\%$$

$$氮储留量=氮吸收量-(尿氮-尿内源氮)$$

尿内源氮为机体不摄取蛋白质时尿中所含的氮，主要来源于组织蛋白质分解。

常见食物蛋白质的生物价见表1-4。

表 1-4 常见食物蛋白质的生物价

蛋白质	生物价%	蛋白质	生物价%
鸡蛋白	83	生大豆	57
鸡蛋黄	96	熟大豆	64
脱脂牛奶	85	蚕豆	58
鱼	83	白面	52
牛肉	76	小米	57
猪肉	74	玉米	60
大米	77	花生	59
小麦	67	土豆	67

（2）蛋白质净利用率（NPU） 蛋白质净利用率反映了摄入蛋白质被实际利用的程度，即机体利用的蛋白质占食物中蛋白质的百分比，它包含了食物蛋白质的消化和利用两个方面，因此更全面。

$$NPU = \frac{\text{氮贮留量}}{\text{食物氮}} \times 100\%$$

（NPU 实际为生物价与消化率的乘积。）

（3）蛋白质功效比（PER） 测定生长发育中的幼小动物摄入 1g 蛋白质所增加的体重（g），表示蛋白质被机体利用的程度。一般用雄性断奶大鼠，用含 10% 蛋白质饲喂 28 天，然后计算相当于 1g 蛋白质所增加体重（g）。

$$PER = \frac{\text{动物增加体重(g)}}{\text{摄入蛋白质(g)}}$$

为了方便测定结果的相互比较，常用酪蛋白作为对照组进行测定，结果将求得的 PER 换算为以同时试验的参考酪蛋白组动物 PER 为 2.5 时的待测蛋白质的 PER 值。也有用实测 PER 相当于参考酪蛋白组 PER 的百分数来表示。PER 指标已被美国公职分析化学家协会（AOAC）推荐为评价食物蛋白质营养价值的必测指标，其他国家也都在广泛使用。

（4）蛋白质净比值（NPR） 受试动物摄入 lg 蛋白质增加体重加上对照组动物失重与蛋白质消耗量的比值。

$$NPR = \frac{\text{实验动物增重(g)} + \text{对照动物失重(g)}}{\text{实验动物蛋白质消耗量(g)}} \times 100\%$$

本法对照组动物喂无蛋白质饲料，实验组蛋白质水平为 10%，饲养 7～10 天，记录增加体重与降低体重（g）。

（5）相对蛋白质价值（RPV） 将几种待测蛋白质，以不同水平喂正在生长发育的动物（常为大鼠，将其生长速度与蛋白质剂量作回归曲线，求出曲线斜率。利用率越高，斜率越大，一般以乳白蛋白的斜率为 100 作参考标准，可求出各种蛋白质的相对蛋白质价值。

$$PPV = \frac{\text{某蛋白质测得的回归斜率}}{\text{乳蛋白测得的回归斜率}} \times 100\%$$

本法以不同蛋白质水平给人或动物食用，将其结果建立直线回归方程，求其斜率与氮平衡水平线间之截距，可以求得一个指数，优质蛋白的指数较小。

(6)氨基酸评分(AAS)

$$ASS=\frac{被测蛋白质每克氮(或蛋白质)中氨基酸(mg)}{理想模式或参考蛋白质中氨基酸量(mg)}$$

一般测定食物中易缺乏氨基酸，特别是赖氨酸、含硫氨酸、苏氨酸和色氨酸。例如，食物中赖氨酸在每克氮中为150mg，而理想模式中为340mg(见表1-5)，则氨基酸评分为150/340=0.44(或44%)，按此法含硫氨基酸为1.09、苏氨酸为0.75、色氨酸为1.10，赖氨酸最低，为第一限制性氨基酸。如将三种蛋白质混合，谷类占67份，豆类占22份，牛奶占11份，按上法计算出限制性氨基酸为苏氨酸，其评分为0.88(或88%)，豆类及奶粉限制性氨基酸为含硫氨基酸，分别评分为18%及83%，可见混合膳食可提高氨基酸的得分，见表1-6。

表1-5　每克氨基酸的评分理想模式

氨基酸	mg/g氮
异亮氨酸	250
亮氨酸	440
赖氨酸	340
蛋氨酸+胱氨酸	220
苯丙氨酸+酪氨酸	330
苏氨酸	250
色氨酸	60
缬氨酸	310
总计	2200

表1-6　混合三种膳食蛋白质氨基酸评分

蛋白质来源	蛋白质氨基酸含量%				氨基酸评分
	赖氨酸	含硫氨酸	苏氨酸	苏氨酸	(限制性氨基酸)
FAO/WHO	5.5	3.5	4.0	1.0	100
谷类	2.4	3.8	3.0	1.1	44(赖氨酸)
豆类	7.4	2.4	4.4	1.4	18(含硫氨酸)
奶粉	8.0	2.4	3.7	1.3	83(含硫氨酸)
混合蛋白质(谷67豆22奶11)	5.1	3.2	3.7	1.2	88(苏氨酸)

1.1.6 蛋白质在食品加工和贮存中的变化

蛋白质是由氨基酸组成的高分子化合物，在食品加工过程中易发生理化性质的改变，同时还提供发泡(蛋糕)、乳化(冰淇淋)和凝胶(皮冻)等功能。在烹饪过程中,蛋白质最重要的变化是变性和水解。

1. 蛋白质的热变性

当蛋白质受热或其他理化因素作用下,蛋白质分子内部原有的高度规则性的排列发生变化,从而导致蛋白质若干理化性质的改变,这种现象称为蛋白质的热变性。

(1)提高蛋白质的消化率　由于蛋白质的变性使肽链展开,使消化酶易于作用,增加了食物的消化吸收率。如生鸡蛋的消化吸收率只有50%,熟鸡蛋的消化吸收率可达98%以上。

(2)破坏食物中的嫌忌成分　破坏食物中天然存在的有毒蛋白质、酶和抑制剂等,例如,通过加热可以破坏生大豆中含有的抗胰蛋白酶、红细胞凝集素和其他有害物质,同时提高大豆蛋白质的消化率和其中含硫氨基酸的利用率。又如,生鸡蛋中含有抗生物素蛋白,长期食用生鸡蛋可导致生物素缺乏,若经加热煮熟就可使抗生物素蛋白破坏。

(3)杀菌和灭酶　高温加热可以破坏酶的活力,杀灭或抑制繁殖型微生物,一方面避免了由于微生物污染所导致的疾病,同时还可以减少生物体内自身酶的活性,从而可有效地保持蔬菜原有的绿色。

2. 其他因素引起的蛋白质变性

除加热外,空气中的氧气、紫外线的照射、机械作用、溶液渗透压、有机溶剂、重金属等因素都可以引起蛋白质分子空间构象的改变的而发生蛋白质变性。

如用搅蛋器或筷子不停地搅打鸡蛋清,使鸡蛋清起泡成型,这就是机械作用使蛋清中白蛋白变性所致。有机溶剂乙醇、有机酸等能破坏蛋白质的胶体性质而使蛋白质沉淀,同时引起变性,如用酒精消毒灭菌,可使微生物因蛋白质的变性而失去活性。

蛋白质可以与重金属离子结合成盐而沉淀。当蛋白质溶液的pH稍高于等电点时,具有较多的净负电荷,易与重金属离子结合成盐,使蛋白质失去生理活性,这就导致重金属中毒。

3. 蛋白质的水解

凝固变性的蛋白质若在水中继续加热,将有一部分逐渐水解,生成蛋白胨、肽等中间产物,这些多肽类物质进一步水解,最后分解成各种氨基酸,带来食物良好的风味。如用中火或小火炖肉或制汤。肉汁或汤汁格外细嫩鲜美。

4. 氨基酸的破坏

当蛋白质受热过高或加热时间过长,食物会发生严重脱水,菜肴质地会变得又老又绵,影响了食品的口感,同时使食品蛋白质中的部分氨基酸被破坏,发生褐变,这个过程最容易损失的是赖氨酸、胱氨酸,降低了食品蛋白质的营养价值,同时还可能产生对人体有害的物质。

5. 食物的风味

肌肉蛋白质中65%为肌球蛋白和肌动蛋白，肌球蛋白能溶于稀盐溶液，这些盐溶蛋白类似胶凝剂，加热后可形成凝胶，赋予食品良好的弹性，如香肠。

冷水煮肉，肉中一些蛋白质和含氮有机物溶解于汤中，汤味鲜，肉味较差；若用沸水煮肉，肉块表面蛋白质迅速凝固，从而保护了肉内容物不溶出，则肉味鲜。汤味较差。

要注意的是，变性后蛋白质持水性较弱，食品在加工时，如温度过高，时间过长，蛋白质中的结合水受到破坏，使蛋白质硬度增加，风味变劣。因此，为保持肉类食品的嫩度，可以先在肉表面用淀粉挂糊，淀粉受热糊化后形成一层膜，可减少肉中水分的损失，如软炸里脊。

1.1.7 膳食蛋白质来源及供给量

蛋白质广泛地存在于动植物食品中。含蛋白质数量多、利用率高的食物有肉类（10%~20%），奶类（鲜奶1.5%~4%，奶粉25%~27%），蛋黄（12%~14%），干豆类（20%~24%），［其中大豆36.3%，硬果类如花生、葵花籽、莲子等（15%~25%）］。谷类（6%~10%）、薯类（2%~3%）含蛋白质较低。我国目前以谷类为主食，故谷类蛋白质仍是我国居民膳食蛋白质的重要来源。

此外，酵母蛋白、昆虫蛋白、食用菌蛋白、藻类蛋白等都可以作为蛋白质的新资源，这些食物除蛋白质含量高外，还含有多种必需脂肪酸、维生素等其他营养素，应大力开展蛋白质新资源的开发和利用。

从安全性和消化吸收率等因素考虑，成人按0.8g/（kg·d）摄入蛋白质为宜。但考虑到我国居民膳食结构是以植物为主，所以成人蛋白质的摄入量为1.16g/（kg·d）。按能量计算，一般食物蛋白质供给量，成人占膳食总热量的10%~12%为宜，儿童、青少年以12%~14%为宜。

1.2 脂 质

1.2.1 脂质的组成和分类

脂质是一大类具有重要生物学作用的化合物，包括中性脂肪与类脂两类。它们都具有脂溶性。不但能溶解于有机溶剂，并且可溶解其他脂溶性物质，如脂溶性维生素。脂质物质都不溶于水。脂肪是在食物中产生热能最高的一种营养素。

1. 中性脂肪

中性脂肪（通常所说的脂肪）由1分子甘油与3分子脂肪酸组成，也叫甘油三酯，主要是脂肪与油，由碳、氢、氧三种元素构成。若构成甘油三酯的三个脂肪酸相同，则称为单纯甘油酯，否则称为混合甘油酯。

中性脂肪主要储存于皮下结缔组织、腹腔大网膜、肠系膜等处的脂肪组织中，又称为贮存脂肪(stored fat)，如皮下脂肪等。这类脂肪是体内过剩能量的一种贮存形式。当机体摄入能量少。或在消耗、饥饿、活动量增大时，可动用供能；而当长期摄入能量过多，活动过少时可使贮存脂肪增多。这类脂肪因营养状态、机体活动等影响而增减，变动较大，故又称为动脂(variable fat)。因人的脂肪组织多分布于腹腔、皮下、肌肉纤维间，故这类脂肪有保护脏器、组织和关节的作用。

2. 类脂

类脂种类很多，其中重要的有：① 磷脂；② 糖脂；③ 固醇类、脂蛋白等。类脂组成的元素除碳、氢、氧外，还有氮、磷、硫。磷脂含有磷酸及氮化合物，如卵磷脂、脑磷脂、神经磷脂；糖脂含有糖类及氮化合物，如脑苷脂类。

类脂约占总脂量5%，是组织细胞的基本成分。如细胞膜是由磷脂、糖脂和胆固醇等组成的类脂层；脑髓及神经组织含有磷脂与糖脂；一些固醇则是制造体内固醇类激素的必需物质。类脂在体内相当稳定，不受营养状况及机体活动影响，故称为定脂(fixed fat)。其中磷脂不仅是生物膜的主要成分，而且对脂肪的吸收、转运起重要作用；胆固醇是体内重要的固醇类物质，既是细胞膜的重要成分，又是类固醇激素、维生素D及胆汁酸的前体。

类脂具有很重要的生物学意义，但是在营养上，其重要性不如中性脂肪。营养上最重要的是脂肪酸。

1.2.2 脂质的功能

1. 脂质的营养学意义

(1) 提供机体所需要的热能　脂肪是膳食中浓缩的能源，1g脂肪在体内可以产生37.6 kJ(9 kcal)热能，比等量蛋白质与糖类产生的热能大1倍多。

(2) 延迟胃的排空，增加饱腹感　食物脂肪进入十二指肠，刺激产生肠抑胃素，反射引起胃肠蠕动减慢，从而抑制胃的排空。

(3) 保护机体，滋润皮肤　脂肪本身不易导热，可以起到隔热、保温、支持和保护机体与内脏器官的作用。同时，脂肪在皮下适量储存，可滋润皮肤，增加皮肤弹性，延缓皮肤衰老。

类脂中的磷脂、胆固醇是构成细胞膜的重要成分，胆固醇还是合成类固醇激素的重要前体物质。

(4) 油脂是脂溶性维生素的重要来源之一，并促进脂溶性维生素的吸收　如鱼肝油、奶油含丰富的维生素A、维生素D；玉米油、麦胚油、芝麻油、豆油等都富含维生素E。另外，脂质能促进胆汁的分泌，有利于脂溶性维生素的消化吸收。

(5) 食物中脂肪尤其是植物性脂肪是必需脂肪酸的重要来源

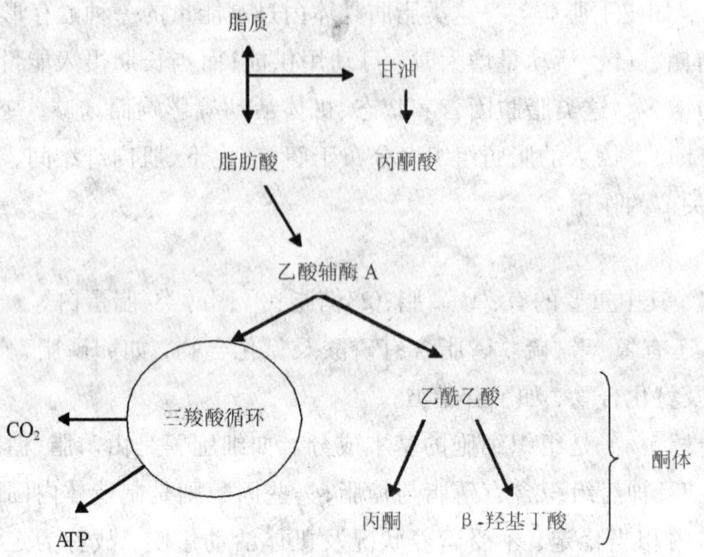

图 1－1　脂质代谢示意图

2. 脂质在食品加工中的作用

利用食用油脂沸点高、良好的导热性及加热后容易得到相对稳定的温度等物理特性，可以使烹调速度加快，让某些质地鲜嫩的原料在加热过程中减少水分及营养素损失。

食物中含有酯、酚、醇等有机物质，在加热烹调制作时，有部分物质散发在空气中，或进入汤内，形成特有的香味。例如，动物性原料中含有丰富的含氮有机物、无机盐及水分，若与水共同加热，这些物质就会进入汤中；若改用高温油炸，可使肉的表面温度很快达到120℃以上，这时蛋白质凝固快，肉体表面形成一层结实的膜，可减少肉中可溶性物质的流失，突出了原料原有的风味和香味，保持菜肴一定的形态和造型。

不同油脂具有不同的色泽，如大豆油、菜籽油含有叶黄素而呈黄色，奶油中含有胡萝卜素而带有微黄色。在食品加工烹饪过程中，除油脂本身色泽对食品的影响外，原料中的蛋白质、淀粉、糖类等物质受高温作用也可发生分解变色，使加工后的食品具有一定的色泽，滋润光亮，可增进人们的食欲。

脂肪在受热、酸、碱、酶的作用下可以发生部分水解，生成脂肪酸和甘油，有利于人体的消化，并使汤汁具有肉香味。当脂肪酸遇到料酒等调味品时，乙醇与脂肪酸发生酯化反应，生成具有芳香的酯类。

1.2.3 脂肪酸及必需脂肪酸

1. 脂肪酸

在全部脂质物质中，从营养价值上讲，最重要的是脂肪酸（表 1－7）。脂肪酸根据碳链中双键数目多少又分为三类。

表 1-7　常见的脂肪酸

名称	代号
丁酸	C4:0
己酸	C6:0
辛酸	C8:0
癸酸	C10:0
月桂酸	C12:0
肉豆蔻酸	C14:0
棕榈酸	C16:0
棕榈油酸	C16:1, n-7, 顺式
硬脂酸	C18:0
油酸	C18:1, n-9, 顺式
反油酸	C18:1, n-9, 反式
亚油酸	C18:2, n-6, 9, 全为顺式
α-亚麻酸	C18:3, n-3, 6, 9, 全为顺式
γ-亚麻酸	C18:3, n-6, 9, 12, 全为顺式
花生酸	C20:0
花生四烯酸	C20:4, n-6, 9, 12, 15, 全为顺式
二十碳五烯酸	C20:5, n-3, 6, 9, 12, 15, 全为顺式
芥子酸	C22:1, n-9, 顺式
二十二碳五烯酸鲱鱼酸	C22:5, n-3, 6, 9, 12, 15, 全为顺式
二十二碳六烯酸	C22:6, n-3, 6, 9, 12, 15, 18, 全为顺式
二十四碳单烯酸	C24:1, n-9, 顺式

(1)饱和脂肪酸:分子中不含双键，多存在于动物脂肪中。如硬脂酸、软脂酸等。

(2)单不饱和脂肪酸:分子中含一个双键，油酸(18:1, n-9)是普通的单不饱和脂肪酸。

(3)多不饱和脂肪酸:分子中含两个或两个以上双键，以鱼油及植物种子中含量较多，最普通的是亚油酸(18:2, n-6)、亚麻酸(18:3, n-3)。

饱和脂肪酸中，碳原子数小于10者，在常温下为液态，称为低级脂肪酸或挥发性脂肪酸;碳原子数大于10者，常温下为固态，称为固体脂肪酸。随着脂肪酸碳链的增长，熔点增高，不易消化的性质亦增加。而不饱和脂肪酸因引入双键可大大降低熔点。

此外脂肪酸还可按碳链长短分为四类:

(1)短链脂肪酸:C_4-C_8，主要存在于乳脂及某些棕榈油中。

(2)中链脂肪酸:$C_{10}-C_{14}$，存在于某些种子油(如椰子油)中。

(3)长链脂肪酸:$C_{16}-C_{18}$，是脂质中主要的脂肪酸。

(4)超长链脂肪酸：C_{20}以上，一般存在于海产品油脂中，如二十碳五烯酸(20∶5，n－3，EPA)及二十二碳六烯酸(2∶6，n－3，DHA)。

脂肪酸还可根据是否必须从食物中摄取又分为必需脂肪酸(EFA)和非必需脂肪酸两类。

2. 必需脂肪酸

(1)概念　必需脂肪酸是指人体不可缺少而自身又不能合成，或合成速度不能满足机体需要，必须通过食物供给的脂肪酸。

n－6系列中的亚油酸和n－3系列中的。α－亚麻酸是人体必需的两种脂肪酸。事实上，n－3和n－6系列中许多脂肪酸，如花生四烯酸、二十碳五烯酸、二十二碳六烯酸等都是人体不可缺少的脂肪酸，但人体可以利用亚油酸和α－亚麻酸来合成这些脂肪酸。机体在利用该两种必需脂肪酸合成同系列的其他多不饱和脂肪酸时，使用同一系列酶，由于竞争抑制作用，使体内合成速度较为缓慢，因此，若能从食物中直接获得这些脂肪酸是最有效的途径。

(2)必需脂肪酸的生理功能

① 必需脂肪酸是组织细胞的组成成分，特别是参与线粒体及细胞膜磷脂的合成。必需脂肪酸缺乏可导致线粒体肿胀，细胞膜结构与功能的改变，膜通透性、脆性增加。

② 必需脂肪酸与脂质代谢关系密切，体内胆固醇要与脂肪酸结合才能在体内转运并进行正常代谢。必需脂肪酸缺乏，胆固醇转运受阻，不能进行正常代谢，在体内沉积而导致疾病。

③ 动物精子形成与必需脂肪酸有关，膳食中长期缺乏必需脂肪酸，动物可出现不孕症，受精过程也发生障碍。动物实验证明，必需脂肪酸缺乏动物生长发育受阻。

④ 必需脂肪酸是合成前列腺素必需的前体，膳食中缺乏亚油酸，组织形成前列腺素功能减退。

⑤ 必需脂肪酸对X射线引起的一些皮肤损害有保护作用。机理可能是损伤组织的修复过程，新生组织的生长需要必需脂肪酸。

(3)必需脂肪酸的食物来源　由于多不饱和脂肪酸摄入过多，也可以使体内氧化物、过氧化物增多，同样对机体造成危害。

必需脂肪酸最好的食物来源是植物油。特别是棉油、豆油、玉米油、芝麻油等。在动物油中，禽类的必需脂肪酸比猪油中含量高，猪油高于牛羊油。在动物肉类中，亚油酸含量内脏中高于肌肉，瘦肉中高于肥肉，家禽肉高于家畜肉。见表1－8。

表 1－8　几种食物中亚油酸含量(占总脂肪百分比)

名称	亚油酸含量%	名称	亚油酸含量%
棉油	55.6	猪肉(瘦)	13.6
豆油	52.2	猪肉(肥)	8.1
玉米胚油	47.8	牛肉	5.8
芝麻油	43.7	羊肉	9.2
花生油	37.6	鸡肉	24.2
菜油	14.2	鸭肉	22.4
茶油	7.4	猪心	24.4
猪油	6.3	猪肾	16.8
牛油	3.9	猪肝	15.0
羊油	2.0	猪肠	14.9
鸡油	24.7	羊心	13.4
鸭油	19.5	鱼肉	20.9
黄油	3.6	鲤鱼	16.4

成人每日供给必需脂肪酸的量达到总热量的3%即可满足机体的需要，婴儿对必需脂肪酸的需要量比成人高，易缺乏必需脂肪酸。表现为生长缓慢，生殖功能障碍，肝、肾、神经和视觉方面的多种疾病以及皮肤湿疹、干燥、脱屑等。这些症状可通过食用含亚油酸丰富的食品而得到缓解。

1.2.4 膳食中脂肪营养价值评价

1. 脂肪的消化率

食物脂肪的消化率与其熔点有密切关系，熔点在50℃以上的比较不易消化吸收，熔点接近体温或低于体温的则消化率较高。但熔点又与所含不饱和脂肪酸有关，不饱和脂肪酸多者熔点较低。表1－9是常见食用动物脂肪与植物油的熔点与消化率。

2. 必需脂肪酸的含量

含必需脂肪酸较高的油脂营养价值较高。植物油中亚油酸含量高于动物脂肪，故营养价值高于动物脂肪。但椰子油例外，其脂肪酸内不饱和键很少，亚油酸含量很低。一般含不饱和脂肪键多的油脂含必需脂肪酸较高。因此，动物脂肪含不饱和脂肪酸低于植物油，所含必需脂肪酸量也低。

3. 脂溶性维生素含量

一般脂溶性维生素含量高的脂肪，营养价值也高，动物贮存脂肪几乎不含维生素。肝脏中脂溶性维生素A、维生素D丰富，特别是某些海产鱼肝脏脂肪中含量更高。奶、蛋脂肪中维生素A、维生素D亦较丰富，植物油中含丰富的维生素E，特别是谷类种子的胚油(如麦胚油)维生素E更多。

表1-9　常见食用动物脂肪与植物油的熔点及消化率

脂 质	熔点/℃	消化率/%
羊 脂	44～55	81
牛 脂	42～50	89
猪 脂	36～50	94
奶 脂	28～36	98
椰子油	28～33	98
花生油	温度下液体状	98
菜 油	温度下液体状	99
棉籽油	温度下液体状	98
豆 油	温度下液体状	91
茶 油	温度下液体状	98
橄榄油	温度下液体状	98
麻 油	温度下液体状	98
葵花籽油	温度下液体状	96.5

1.2.5 脂质在食品加工和贮存中的变化

脂肪在食品加工中的作用主要表现在成型及风味特色上，但同时脂肪也会发生一些不利于人体健康的变化，严重影响了加工原料的营养价值。

1. 脂肪在高温下的热分解

油炸是食品加工中常用的方法。在高温下，脂肪先发生部分水解，当温度升高到300℃以上时，分子间开始脱水，缩合成相对分子质量较大的醚型化合物。当油温达到350～360℃时，则可分解成酮类和醛类物质，同时生成多种形式的聚合物，它们都有一定的毒性。油脂在高温条件下，脂溶性维生素和必需脂肪酸易被氧化破坏，使油脂的营养价值降低。

另外，甘油在高温下脱水生成丙烯醛，丙烯醛是具有挥发性和强烈辛辣气味的物质，对人的鼻腔、眼黏膜有强烈的刺激作用。油加热到发烟点温度时，会冒出油烟，油烟中很重要的成分就是丙烯醛。

因此，烹饪时最好将油温控制在180～220℃，以减少有害物质的生成。对已经变色、变味的油脂，不能再使用，且尽量避免反复使用油脂。

2. 油脂的氧化酸败

脂对空气中的氧极为敏感，尤其是不饱和脂肪酸，能自动氧化生成具有不良气味的醛类、酮类和低分子有机酸类，这些物质是油脂哈喇味的主要来源，同时对人体具有毒害作用。有人用氧化酸败的油脂食物喂大鼠，结果大鼠生长缓慢、生长停止或死亡。因此，氧化酸败的油脂不能食用。

不饱和脂肪酸更易氧化分解，所以日常食用较多的植物油时宜同时食用具有抗氧化作用的物质，如维生素E、维生素C、维生素A、绿茶等。

3. 油脂的氢化

油脂的氢化是指通过化学反应在不饱和脂肪酸的双键上加氢，使脂肪酸饱和程度的增加。氢化后的液体植物油变成白色或淡黄色无臭无味的固体油，可用于生产人造黄油、起酥油等。氢化油又称硬化油，一般的植物油都可作为氢化油的原料，如大豆油、花生油、芝麻油、菜籽油、葵花籽油及椰子油等。

液体植物油经过氢化后，不含多不饱和脂肪酸，油脂的稠度可适当增加，它的起酥性、乳化性、可塑性和黏稠度都优于一般油脂，是理想的焙烤食品原料，同时氢化油具有储存期长，易于运输等优点。

1.2.6 膳食脂质来源与脂肪的供给量

膳食脂质的主要来源包括烹调用油脂及食物本身含有的脂质。食用动物性脂肪主要有猪油、牛脂、羊脂、肥肉、奶脂、蛋类等；植物油主要有菜油、大豆油、麻油、花生油及芝麻油等。常见食物的油脂含量见表1－10。

表1－10　　一些食物的油脂含量

食物	油脂含量%	食物	油脂含量%
花生	39.2	瘦猪肉	28.8
黄豆	18.4	瘦牛肉	19.1
玉米	4.3	瘦羊肉	13.6
葵花籽	51.1	兔肉	0.9
核桃仁	63.0	鸡肉	2.5
杏仁	49.6	鸭肉	7.5
松子	63.3	鹅肉	11.2
芝麻	61.7	鸡蛋	11.6
小米	3.5	蛋黄	30.0
白面	1.8	土豆	0.8

含磷脂丰富的食品有蛋黄、瘦肉、脑、肝及肾等。肉类、脑、内脏、蛋黄及奶油等食品也含有较高的胆固醇，特别是蛋黄、蟹黄、脑。

1. 膳食脂肪的供给量

因生产情况、气候条件、饮食习惯的不同，各类人群脂肪摄入量差别很大。实验及流行病学调查发现摄入脂肪过高与肥胖、高血压、冠心病、胆石症、乳腺癌的高发率有关。又考虑到提供必需脂肪酸、脂溶性维生素以及提供热能、饱腹等因素，我国营养学会推荐脂肪摄入量应占总热量的20%～30%为宜。

2. 必需脂肪酸的供给量

摄入的脂肪中应有足够的必需脂肪酸。通过对动物和人体的研究表明，必需脂肪酸应不少于总能量的3%，这在以植物油为主烹调和加工的食品中是易于得到满足的。所以，一般很少发现成人患必需脂肪酸缺乏症。

3. 多不饱和脂肪酸与饱和脂肪酸的比例

有研究已经指出，膳食中增加多不饱和脂肪酸如亚油酸、亚麻酸和花生四烯酸的量，同时减少饱和脂肪酸时，会促进血液中胆固醇中等程度的下降，并且有降低血液凝固的趋势。当摄入的饱和脂肪酸增高时，增加了血液胆固醇的水平，而当亚油酸增加时，就会阻止这个作用。但当膳食中多不饱和脂肪酸的水平高时，体内过氧化物的形成被认为对人体健康有多种不利影响。考虑到多不饱和脂肪酸的高摄入量可能出现的危害，因此膳食中多不饱和脂肪酸和饱和脂肪酸应保持适宜的比例，一般推荐饱和脂肪酸、多不饱和脂肪酸与单不饱和脂肪酸之比为1∶1∶1为宜。

1.3 糖类

1.3.1 糖类的组成和分类

糖类(carbohydrates)是由碳、氢、氧三种元素组成的一大类化合物。它是植物利用太阳能进行光合作用的主要产物，植物利用太阳能将二氧化碳和水转化为糖类分子。人和动物不能像植物那样“生产”糖类，因此人和动物要从食物中摄取糖类作为热能来源。糖类是地球上所有动物的食物链始端，也是人类赖以生存繁衍的物质基础。

糖类被定义为：有至少一个羰基和两个以上羟基组成的化合物或其缩合物及某些衍生物的总称，或当水解时能产生多羟基的醛或多羟基的酮的物质及其衍生物。自然界普遍存在的糖类类型见表1-11。

表1-11 糖类分类

单糖		低聚糖			多糖		
戊糖	己糖	二糖	三糖	四糖	戊聚糖	己聚糖	混合多糖
$C_5H_{10}O_5$	$C_6H_{12}O_6$	$C_{12}H_{22}O_{11}$	$C_{18}H_{32}O_{16}$	$C_{24}H_{42}O_{21}$	$(C_5H_8O_4)n$	$(C_6H_{10}O_5)n$	
阿拉伯糖	葡萄糖	蔗糖	麦芽丙糖	麦芽丁糖	木聚糖	纤维素	琼脂
核糖	果糖	乳糖	棉子糖			糖原	果胶
木糖	半乳糖	麦芽糖				淀粉	半纤维素
	甘露糖	海藻糖					
单糖衍生物：糖醇、氨基糖、糖酸							

根据分子结构可分为单糖、低聚糖及多糖。

依其功能基团可分为醛糖和酮糖。

依其是否被机体吸收分为功能性糖和非功能性糖。

1. 单糖

这类糖由3~7个碳原子组成，有丙糖、丁糖、戊糖、己糖、庚糖，以己糖为主。

(1) 葡萄糖　葡萄糖可由淀粉、乳糖、蔗糖水解产生，但主要来自淀粉水解。

葡萄糖是具有右旋性和还原性的醛糖，是人类空腹时唯一游离存在的六碳糖，也是机体吸收利用最好的单糖。葡萄糖是体内主要的供能物质。有些器官实际上完全依靠葡萄糖供能。例如，大脑每日要耗100~120g葡萄糖。饥饿时人体内以糖原贮存的糖类很快耗尽，脂肪组织的解脂作用增加，尽管心脏、肌肉可利用脂肪酸为燃料，也可利用由肝脏产生的酮体，但是，大脑所需要的葡萄糖必须由能转变为糖的氨基酸（生糖氨基酸）提供，且大脑只有在人体处在长期绝对饥饿时才能适应这一变化。此外，肾髓质、肺组织及红细胞等也必须依靠葡萄糖供能。机体血糖（血中葡萄糖）浓度相对恒定（0.8~1.2g/L）对于保证上述组织能源供应具有重要意义。

(2) 果糖　果糖多存在于水果和蜂蜜中，蜂蜜中含量最高，但机体的果糖主要是由肠道的双糖酶将蔗糖分解为葡萄糖与果糖而来。吸收时部分果糖在肠黏膜细胞转化成葡萄糖与乳酸。肝脏是实际利用果糖的唯一器官，它可将果糖迅速转化，故血液中果糖浓度很低。

果糖代谢可不受胰岛素制约，故糖尿病患者可食用果糖。

果糖甜度很高，是通常糖类中最甜的物质。因此果糖是食品工业中重要的甜味物质。有关糖的甜度见表1-12。

表1-12　**食糖相对甜度**

食糖	相对甜度	食糖	相对甜度
蔗糖	100	麦芽糖	40
果糖	175	半乳糖	32
转化糖	130	乳糖	20
葡萄糖	70	山梨醇	54
甘露醇	40	木糖醇	90

(3) 半乳糖　半乳糖在自然界几乎不单独存在。乳糖经消化后分解成一分子葡萄糖和一分子半乳糖。半乳糖为稍具甜味的白色晶体，吸收后在肝脏内转变为肝糖原，然后分解为葡萄糖被机体利用。另外，它是神经组织的重要成分。

2. 低聚糖

(1) 能被消化、吸收的低聚糖

① 蔗糖　蔗糖广泛存在于植物界的根、茎、叶、花、果实和种子中，尤其甘蔗和甜菜中

含量丰富。它由一分子葡萄糖和一分子果糖构成，按色泽和形状分为白糖、红糖、冰糖和方糖。是食品工业中和日常生活中最重要的含能甜味物。

蔗糖易于发酵，并可产生溶解牙齿珐琅质和矿物质的物质。它在牙垢中某些细菌和酵母作用下，在牙齿上形成一层黏着力很强的不溶性葡聚糖，同时产生作用于牙齿的酸性物质，引起龋齿。因此，黏附到牙齿上的食物和黏性甜食等对牙齿甚为有害，必须保持良好的口腔卫生。长期过多食用蔗糖还与肥胖、糖尿病、心脑血管疾病等高发有关。

② 麦芽糖　麦芽糖主要由淀粉水解而来，由两分子葡萄糖组成，一般植物中含量很小，但种子发芽时可因酶的作用分解淀粉生成，麦芽糖含量较多，动物体内除淀粉水解外，不含麦芽糖。

③ 乳糖　乳糖由一分子葡萄糖和一分子半乳糖组成，是哺乳动物乳汁的主要成分，其含量因动物不同而异。通常人乳约含7%，牛乳和羊乳约含5%。乳糖是婴儿主要的食用糖类物质。但断奶后，肠道中分解乳糖为葡萄糖及半乳糖的乳糖酶活性急剧下降。甚至在某些个体中降至零，因而成人食用大量乳糖不易消化，当摄入牛乳或其他乳制品时，可导致腹痛和渗透性腹泻(乳糖不耐症)。可以通过经常摄入乳糖，使乳糖酶在肠道逐渐形成而加以改善。

乳糖对婴儿的重要意义，在于它能够保持肠道中最合适的菌群数，并能促进钙的吸收，故在婴儿食品中可添加适量乳糖。

(2) 不能被消化、吸收的低聚糖

即功能性低聚糖，低聚糖是由几个单糖构成的聚合物，根据组成糖不同，而有各种名称，如低聚异麦芽糖、低聚果糖、低聚半乳糖、低聚乳果糖、乳酮糖、低聚壳聚糖、低聚木糖、棉子糖、大豆低聚糖等等。低聚糖广泛存在于大豆、甜菜、芦笋、牛蒡、莴苣、魔芋、洋葱、蜂蜜等食品原料中，低聚糖可从天然物中提取，也可用微生物酶法转化或水解法来制造。

低聚糖在食品工业中可用来调节食品甜度、黏稠度、冰淇淋的冻结温度，改善饮料、食品口感调节食品持水性、水活度，控制热处理的褐度，防止淀粉老化等等。

试验表明，食用功能性低聚糖后，大便的总菌量中双歧杆菌可增加数倍到几十倍，低聚糖的保健作用是通过活化双歧杆菌来达到的，同时也由于它本身是一种膳食纤维。

临床研究表明，各种难消化低聚糖都有着同样的整肠功能，通过促进双歧杆菌的生长，对机体产生良好的影响，从而有利于健康和延缓衰老，主要功能表现在：① 肠道腐败细菌受到抑制，腐败产物显著减少。② 双歧杆菌发酵食物中糖类，产生醋酸、丙酸、丁酸和乳酸，促进肠道蠕动，解除便秘，粪便臭味减少。③ 血清中低密度脂蛋白(LDL)降低，高密度脂蛋白(HDL)升高，有利于防止心脑血管疾病。④ 不被口腔突变链球菌利用，不引起蛀牙。⑤ 改善食物中钙的吸收。⑥ 热值低，不引起血糖升高。⑦ 提高人体免疫力，防止癌变发生。

3. 多糖

多糖是由许多单糖分子残基构成的大分子化合物，按是否被人类消化而分为两类。

(1)可被消化、吸收的多糖

① 淀粉　淀粉有直链淀粉与支链淀粉之分，前者是由葡萄糖以α-1，4-糖苷键缩合而成，后者由α-1，4-糖苷键与α-1，6-糖苷键连接而成。它们都是植物的贮存物质，也是人类食物中最重要的供能物质。

淀粉在肠道逐渐水解，这需要一定的时间。因此，机体不会突然出现葡萄糖过量，人们也不会因为食用淀粉而发生饮食性糖尿病。

② 糊精　糊精也是由多个葡萄糖分子构成，分子大小约为淀粉的1/5，食品工业中常用大麦芽为酶源水解淀粉，得到糊精与麦芽糖的混合物，称饴糖。饴糖是甜食品生产的重要糖质原料，食后在体内消化水解为葡萄糖而被利用。

(2)不被消化吸收的多糖

① 纤维素　纤维素是植物的支持组织，存在于所有植物细胞壁中，只是不同植物含量不同而已。最纯的天然纤维素是棉花，其纤维素的含量在90%以上。纤维素也由许多葡萄糖分子组成。它与淀粉不同之处在于，其葡萄糖是以β-1，4-糖苷键连接而成。此外，纤维素常粘连成束，它们彼此以氢键相连。尽管氢键的键能比一般化学键能小得多，但因氢键数量多，故相当牢固，以致在一般食品加工条件下，纤维素不易被破坏(高温、高压、稀硫酸中纤维素可水解为β-葡萄糖)，亦不能被消化道的酶分解，但可被大肠细菌分解。

② 半纤维素　半纤维素与纤维素一道存在于植物细胞壁中，不溶于水，可被稀酸水解。大量存在于植物的木质化部分，如秸秆、种皮、坚果壳、玉米穗轴中。通常把能用17.5% NaOH提取的多糖统称为半纤维素。半纤维素包括很多高分子多糖，它们均不能被人体消化、利用，但可被肠道微生物分解。

③ 木质素　木质素是使植物木质化的物质，如枝、茎等，是植物的支持物质，也存在于细胞壁中。木质素不被人体消化吸收，化学上不属多糖，而是多糖(芳香族)苯丙烷化合物，或称苯丙烷聚合物。

④ 果胶　是植物细胞壁的组成成分，多存在于水果、蔬菜等的软组织中，不能被人体消化、吸收。

⑤ 树胶及海藻胶　树胶又叫植物胶，如植物分泌的阿拉伯胶、种子胶等。来自海藻类的如琼脂等，均属于多糖类物质，不能被人体消化、吸收。

以上几种不被酶消化的物质因可被肠道微生物分解，故有人将它们列为部分可消化纤维物质。

⑥ 抗性淀粉　抗性淀粉(RS)是近年来发展起来的一个新概念。1992年，FAO将抗性淀粉定义为："健康者小肠中不吸收的淀粉及其降解产物。"抗性淀粉在小肠不能被消化吸收，但不消化部分在结肠内被细菌发酵后可重吸收。与不消化的低聚糖和非淀粉多糖相比，抗性淀粉与其有许多相似之处。与纤维素的不同之处是抗性淀粉可百分之百在结肠发

酵和重吸收，不增加粪便量。近年的研究已初步证明，抗性淀粉不能在小肠消化吸收和提供葡萄糖，但它在结肠可被生理性细菌发酵，产生短链脂肪酸和气体。与膳食纤维比较，抗性淀粉对人类健康具有更加广泛的有益作用。

大多数研究者根据淀粉的来源和人体实验结果，把抗性淀粉分为4类。不同类别的抗性淀粉可能对食品风味和特点有着重要意义。

1.3.2 糖类的功能

1. 糖类的营养学意义

(1) 供应能量　糖类是世界上大部分人类获得热能的最经济、最主要、最直接的来源。糖类在体内氧化供能，可及时供能满足机体需要。即使在缺氧条件下，仍能进行部分酵解，供应机体能量:每克糖类可以产生16.7kJ(4kcal)的热能。此外，中枢神经系统只能依靠糖类(葡萄糖)供能了，故糖类对维持神经组织的功能具有重要意义。

(2) 机体组织的构成成分　糖类也是机体重要的组成成分，如构成细胞膜的糖蛋白，构成结缔组织的黏蛋白以及构成神经组织的糖脂，糖类都是不可缺少的组分。此外，核糖与脱氧核糖是遗传物质RNA、DNA的主要成分。

(3) 节约蛋白质　膳食蛋白质摄入以后，以氨基酸形式被吸收，并在体内合成所需蛋白质或其他代谢物，这一过程需要热量。如食物中糖类不足，热能供应不能满足需要，即有部分氨基酸分解用于供给热能。摄入充足的糖类，机体首先利用它提供能量，减少了这一部分蛋白质的消耗，使更多的蛋白质用于组织的建造、修复和再生。这种作用称为糖类对蛋白质的节约作用(protein sparing action)。

(4) 抗生酮作用　脂肪在体内分解代谢时产生的乙酰基必须与草酰乙酸结合进入三羧酸循环才能彻底氧化，而草酰乙酸是由葡萄糖代谢的中间产物。如果糖类摄入不足，草酰乙酸则不足，脂肪不能彻底氧化便生成酮体，过多酮体会造成机体pH下降而出现酸中毒。足量糖类具有这种抗生酮作用(antiketogenesis)。如图1-1所示。

(5) 解毒保肝作用　葡萄糖醛酸是葡萄糖代谢的氧化产物，它能与吗啡、水杨酸、磺胺类药物等相结合，生成葡萄糖醛酸衍生物排出体外而解毒，从而保护了肝脏的功能。动物试验表明，肝糖原不足时其对四氯化碳、酒精、砷等有害物质的解毒作用明显下降。肝糖原储备的前提是糖类的充分供应。

(6) 非淀粉多糖的营养作用　膳食纤维具有螯合胆固醇，减少胆固醇的肝肠循环的作用，因而可以降低体内的胆固醇水平，这被认为是膳食纤维防治高胆固醇血症和动脉粥样硬化等心血管疾病的原因，这一结果已在实验动物(兔子、老鼠)中得到证实。膳食纤维可改善肠道菌群、促进肠蠕动，因此被认为在防止便秘，助于有害物质的及时排出，防止结肠炎和结肠癌方面具有一定的作用。详见下述。

抗性淀粉有膳食纤维的功能。

2. 糖类在食品加工中的作用

糖类化合物结合水的能力和控制食品中水的活性是最重要的功能特性之一，结合水的能力通常称为保湿性。根据这些特性可以确定不同种类食品是需要限制从外界吸入水分或是控制食品中水分的损失。例如糖霜粉可作为前一种情况的例子。另一种情况是控制水的活性，特别需要的是防止水分损失，如糖果蜜饯和焙烤食品，必须添加吸湿性较强的糖，即玉米糖浆、高果糖玉米糖浆或转化糖、糖醇等。

糖类化合物的褐变产物能使食品产生风味，除此以外，它本身还可能具有特殊的风味或者能增强其他的风味；也可以作为甜味增强剂；还可以影响食品的质地，如麦芽酚和异麦芽酚。

食品中的多糖，除纤维素外，都是水溶性的，或者是在水中可分散的。这些多糖在食品中起着不同的作用，例如硬性、松脆性、紧密性、增稠性、黏着性、形成胶凝和产生口感并且使食品具有一定的结构和形状，以及松脆或松软，溶胀或凝胶，或者完全可溶解的特性。

1.3.3 膳食纤维

1. 膳食纤维及其食品

膳食纤维是木质素与不能被人体消化道分泌的消化酶所消化的糖的总称，包括纤维素、半纤维素、木质素和果胶等。膳食纤维以其重要的生理功能经过了30多年的研究和发展，成为发达国家广泛流行的保健食品，并正式将它列为继糖类、蛋白质、脂肪、水、矿物质和维生素之后的“第七大营养素”。专家们一致认为，纤维食品将是21世纪主导食品之一。

2. 膳食纤维营养生理功能

过去，人们在营养方面的问题是如何解决蛋白质以及维生素的摄入不足；而现在，主要的问题是如何防止因营养过剩而造成的肥胖、高血脂等症状。膳食纤维摄入的不足可导致多种疾病，因此，膳食纤维在预防疾病中具有很大的作用。

（1）吸水通便

膳食纤维虽然在体内不被消化吸收，但能刺激消化液分泌和促进肠道蠕动，缩短食物通过肠道时间，有利于消化、吸收和排便。特别是果胶在体内吸水以后形成一种胶胨，使体积膨胀，从而增加粪便的体积和质量，使粪便变软，有利于粪使从机体排出。

若膳食纤维过少，将产生便秘；过多又将过度刺激肠黏膜，也不利于消化吸收。膳食纤维刺激肠蠕动的因素很多，本身的体积，肠道微生物丛分解半纤维素及混杂多糖所产生的低级挥发酸和其他产物，以及糖类本身的吸湿性，都是刺激肠蠕动的因素。

（2）改善菌群，防止肠道病变

膳食过于精细，食物纤维含量低是导致很多结肠疾病发病的重要原因。因为脂肪和过精膳食可以使肠内厌氧细菌大量繁殖，这些细菌能使肠道中的胆碱、胆固醇及其代谢产物进一步分解产生致癌物质。反之，在有充分纤维素存在的情况下，好氧细菌易于生长，厌氧细菌受到抑制，从而减少致癌物质的产生。同时，膳食纤维的充盈作用，使肠道内容物通过肠道，时间缩短，减少促癌物质与结肠黏膜接触时间，防止发生癌变。为此有人称膳食纤维为“清道夫”。

(3)降低血清胆固醇作用

膳食纤维可以整合胆固醇，吸附胆汁酸，降低胆固醇和甘油酯溶解，阻止其消化吸收。胆汁酸是胆固醇的代谢产物，为了补充被膳食纤维吸附而随大便排出体外的那部分胆汁酸，就需要更多胆固醇进行代谢，因此，膳食纤维的补充能有效降低体内胆固醇，防止动脉粥样硬化及冠心病。同时，膳食纤维可减少胆汁酸再吸收量，改变食物消化速度和消化道分泌物的分泌量，可预防胆结石。

(4)有利于减肥

纤维素易吸水膨胀，且在胃中的排空时间较长，可使人有饱腹感，因而可减少食物的摄入，降低肠内糖的可吸收浓度，减少体内脂肪的沉积，有利于减肥。

(5)有利于调节胰岛素的分泌

膳食纤维为糖尿病患者的理想膳食。西方人糖尿病发病率高，膳食纤维的摄入量过低是一个重要原因。增加膳食中膳食纤维的含量，可以改善末梢组织对胰岛素的感受性，降低对胰岛素的需求，从而达到调节糖尿病患者的血糖水平。各种长期或短期的研究都已证实，高纤维膳食对治疗胰岛素依赖型(1 型)糖尿病患者是有效的，这方面已不存在争议。但对非胰岛素依赖型(Ⅱ型)糖尿病患者来说，情况比较复杂，尚需进一步证实。

(6)其他生理功能

除上所述，膳食纤维的缺乏与阑尾炎、静脉血管曲张、肾结石和膀胱结石、十二指肠溃疡、骨盆静脉石、痔疮、溃疡性结肠炎、胃食道逆流和深静脉管血栓形成等疾病的发病率与发病程度有很大的关系，摄入高纤维膳食可保护机体免遭这些疾病的侵害。另外，膳食纤维可能还有抗乳腺癌的作用。调查发现，那些大量摄入富含膳食纤维食品的妇女与几乎不吃这些食品的妇女相比，似乎很少有患乳腺癌的可能，尽管危险因素相当。目前对此的解释是，膳食纤维可能会减少血液中能诱导乳腺癌的雌性激素的比率。

但须注意的是，患消化不良等疾病的人，则应限制纤维素的摄入。

3.膳食纤维的日推荐量和食物来源

(1)日推荐量

虽然目前尚未提出明确的日推荐量标准，但是有数据表明，每天每千克体重摄入0.045～0.067g 膳食纤维，可保证每天大便一次；有便秘习惯的人每天每千克体重应保证 0.09～0.11g 的膳食纤维。一般认为，正常体重者每天每人必须保证 15～25g 的膳食纤维数量。

(2)食物来源

膳食纤维广泛存在于植物性食物中，如谷类、豆类、蔬菜、水果、根茎类、米糠、麸皮、豌豆壳、苹果、梨、菠萝渣、花生壳中都含有大量的膳食纤维，见表1-13。动物性食物不含膳食纤维，精细加工的植物性食品含纤维很少。

表1-13 富含膳食纤维的食品

食品名称	膳食纤维/%	食品名称	膳食纤维/%	食品名称	膳食纤维/%	食品名称	膳食纤维/%
燕麦片	7.46	菜豆	2.36	芝麻	11.58	猕猴桃	2.65
糙米	2.92	南瓜	2.99	花生	7.66	黑木耳	4.18
荞麦	4.74	笋	2.27	甘薯	2.32	海带	28.58
玉米	2.89	胡萝卜	2.55	杏	8.29	紫菜	29.68
脱脂大豆	15.96	菠菜	2.50	苹果	1.63	干香草	43.41

各种不同品种的膳食纤维其生理功能是不同的，不能认为凡是膳食纤维就具备上述所有的生理功能。例如，水溶性燕麦纤维对降低血清胆固醇效果十分明显，可使冠心病的死亡率减少3%，但水不溶性燕麦纤维的这方面功能就差很多，甚至几乎没有。因此，各研究单位应对自己开发的膳食纤维产品做详细的生物试验后才能确认它是否具有生理活性。有资料说，从一些罕见资源中所提取的纤维粉其生理功能是很差的，尤其是降血糖与血浆胆固醇方面的效果很差。

1.3.4 糖类在食品加工和贮存中的变化

糖类中的淀粉、蔗糖、麦芽糖等不仅是植物性食物的主要营养成分，也是食品中的重要辅料。它们对食品的消化吸收及风味特色有着十分重要的作用。

1. 淀粉在食品加工中的变化

淀粉是人体所需糖类的主要来源，它提供的热能占人体总能量的60%～70%。淀粉也是制作面条、糕点、面包、凉粉、粉丝、粉皮的原料，还是烹饪中上浆、挂糊、勾芡的主要原料。

糊化淀粉即。α-淀粉在室温下冷却，或淀粉凝胶经长时间放置，会变成不透明状生沉淀现象，称为淀粉老化。淀粉老化的最适温度为2～4℃。α-淀粉干燥后可长期保存，成为方便食品，如将其加水，能得到完全糊化的淀粉，可直接食用。淀粉糊化以后变得易于消化，但老化后又难于消化。利用淀粉加热糊化，冷却又老化的特点可制作出粉皮、粉丝等。

烹调中淀粉虽然不像其他调味原料那样有调味作用，但能增加菜肴的鲜嫩，提高菜肴的滋味，对菜肴的色、香、味、形都有很大作用。常用的炸、熘、炒等烹调方法，大多使用旺火热油，鸡、鱼、肉等原料如果不经挂糊、上浆，在旺火热油中，水分会很快蒸发，原料中香味、营养成分也随水分外溢，质地变老。原料若用淀粉挂糊、上浆，受热后立即凝成一层薄膜，使原料不直接与高温油接触，油不易浸入原料内部，水也不易蒸发，不仅能保持原料原有的质地，而且表面色泽光润，形态饱满。

2. 蔗糖在加热过程中的变化

蔗糖本身为无色晶体，加热到150℃即开始熔化，继续加热就形成一种黏稠微黄色的熔化物，烹饪中菜肴挂霜就是利用这一特性，菜肴拔丝也是利用蔗糖加热时物理特性的变化。

当加热温度超过其熔点时或在碱性情况下，糖便被分解产生5-羟甲基糠醛及黑腐质，使糖的颜色加深，吸湿性增强，产生诱人的焦香味。当加热到160℃时，糖分子迅速脱水缩合，形成一种可溶于水的黑色分解产物和一类裂解产物，同时引起酸度增高和色度加深。因此，在高温下长时间熬糖，会使糖的颜色变暗，质量下降。

在焙烤、油炸食品中，焦糖化作用必须控制得当，才能使食物有悦人的色泽和风味。

当蔗糖或其他糖类与含有蛋白质等氨基化合物的食品一起加热，特别是当温度过高时，发生羰氨反应，发生褐变。如果再继续加热，则可发生炭化，具有苦味。

烹调中加糖，除了能增加菜的风味以外，还可以增加菜肴色泽，改变菜肴质地，增加食欲。在腊肉中加糖，能使肉中胶原蛋白质膨胀，使肉组织柔嫩多汁。

3. 麦芽糖(饴糖)在食品加工中的变化

麦芽糖是两分子葡萄糖脱去一分子水的缩合产物，其熔点在102~108℃。由于麦芽糖不含果糖，故在味感上没有蔗糖甜。目前低糖食品都用它作为甜味料。另外，麦芽糖在温度升高时，它的颜色由浅黄→红黄→酱红→焦黑，这一特点可用于给烤鸭上糖色，鸭皮呈酱红色时，鸭子正好成熟。同时，由于不含果糖，烤后食物的相对吸湿性差，可较好地保持酥脆度。

4. 不可消化多糖在食品加工中的变化

纤维素包围在谷类和豆类外层，它能妨碍体内消化酶与食物内营养素的接触，影响营养素的吸收。但是，如果食物经烹调加工后，食物的细胞结构发生变化，部分半纤维素变成可溶性状态，原果胶变成可溶性果胶，增加体内消化酶与植物性食物中营养素接触的机会，从而提高了营养物质的消化率。蔬菜中的果胶质在加热时也可以吸收部分水分而变软，有利于蔬菜的消化吸收。

1.3.5 糖类的食物来源与供给量

膳食蛋白质、脂肪及糖类三者均可供能。但以蛋白质供能既不经济，又增加肝肾负担；脂肪虽产生的热量值高，但氧化不全要生成过量酮体。故糖类应是体内主要的热能物质。糖类也不能摄入过多，因为肝脏可以利用糖类合成脂肪和胆固醇等，以致引起肥胖和高脂血症。中国营养学会推荐我国居民膳食的糖类的摄入量以占总热能的55%~65%为宜。

糖类主要来源有：谷类(70%~75%)、薯类(20%~25%)、豆类(50%~60%)等。豆类中大豆虽少(25%~30%)。

1.4 热能

1.4.1 概述

热能分热量和能量，是机体赖以生存的基础。人及动物为了维持体温，完成各种生理功能和体力活动，必须每天从外界取得一定的物质和热能，能够提供这些热能的营养素叫做产能营养素或“热源质”，即食物中的糖类、脂肪和蛋白质。食物中所有的营养素，也只有糖类、脂肪及蛋白质具有供能作用。它们在体内通过生物氧化释放热量。其中一部分用以维持体温和向外界环境散发（热量）；另一部分以三磷酸腺苷（ATP）形式贮存在高能磷酸键中（能量）。ATP在生理条件下释放出热能供机体各种活动需要，如心脏跳动、血液循环、腺体分泌、物质转运以及各种生物活性物质的合成等。

热能的单位为焦耳（Joule，J），简称焦。1J表示1N的力使1kg的物质移动lm所消耗的热能。过去营养学中以卡（cal）或千卡（kcal）表示热量，1kcal表示1L15℃纯水升高到16℃时所吸收的热量。焦耳与卡的换算关系如下：

1MJ（兆焦）=1000kJ（千焦）=10^6J

1kcal=4.185kJ

1kJ=0.239kcal

1.4.2 食物能值与生理能值

食物能值是食物彻底燃烧时所测定的能值，称为总能值或物理燃烧值。糖类及脂肪彻底燃烧时的最终产物为CO_2和H_2O，蛋白质体外燃烧的最终产物是CO_2、H_2O及氮的氧化物。

生理能值是机体可利用的能值。在三大产能营养素中，糖类及脂肪在体内氧化的最终产物与休外燃烧的结果是一样的，不过考虑到机体对它的消化、吸收情况（如纤维素不能被人类消化），二者的生理能值稍低于体外燃烧能值。

蛋白质的生理能值与体外燃烧能值差别较大。因为蛋白质在体内氧化并不完全，氨基酸等中的氮并未全部氧化成氮氧化物，而有一部分以尿素、尿酸、肌酐等形式从尿中排出。这些含氮有机物在体外燃烧仍能放出5.44kJ（1.3kcal）的热量。

几种供能物质和乙醇在体外燃烧（测热器中）及体内氧化的情况如表1-14所示。

表 1-14　几种营养素和乙醇的食物能值和生理能值

营养素	食物能力	尿损失%	吸收率%	生理能值
蛋白质	23.6kJ(5.65kcal)/g	5.2	92	17kJ(4kcal)/g
脂肪	39.5kJ(9.45kcal)/g	-	95	38kJ(9kcal)/g
糖类	17.2kJ(4.1kcal)/g	-	98	18kJ(4kcal)/g
乙醇	29.7kJ(7kcal)/g	微量	100	30kJ(7kcal)/g

上述物质在体内产生的生理能值又称为生热系数。

因为植物性食品消化率低，其生理能值相应低于动物性食品，尤其是植物蛋白的消化率更低。目前我国居民膳食蛋白质的主要来源是植物性食品，充分认识这一点对估计我国居民膳食蛋白质营养有实际意义。

1.4.3 人体热能消耗

人体热能消耗主要用于三个方面，即维持基础代谢(basal metaboism)，满足食物特殊动力作用及体力活动。

1. 基础代谢

基础代谢是维持人体基本生命活动的热能消耗，即在清醒、空腹(进食后12h)、恒温(18～25℃)、静卧状态下，用以维持体温、心跳、呼吸、细胞内外液中电解质浓度差以及蛋白质等大分子合成的热量消耗。因此，测定基础代谢时应在周围环境温度恒定、饥饿状态、清醒、静卧的情况下进行。

(1)基础代谢率(basal metabolism rate，BMR)

单位时间内人体表面积每平方米所消耗的基础代谢能称为基础代谢率。人体基础代谢率，见表1-15。

基础代谢可根据身高、体重求出体表面积，再按体表面积与该年龄的基础代谢率计算出基础代谢的热量。体表面积可按赵松山1984年提出的公式计算：

体表面积(m^2) = 0.00659H(身高，cm) + 0.0126W(体重，kg) - 0.1603

因此人体一日基础代谢的热能消耗 = BMRX 体表面积(m^2) × 24(h)

Harris 和 Benedict 提出的公式可直接计算24h的基础代谢耗热能(basic energy expenditure，BEE)。

男 BEE = 66.473 0 + 13.75W(kg) + 5.0033H(cm) - 4.675 6 × 年龄(岁)

女 BEE = 655.095 5 + 9.463W(kg) + 1.8496H(cm) - 4.675 6 × 年龄(岁)

粗略估计基础代谢耗热能可按每千克体重每小时男子4.18 kJ(1.0 kcal)[女子3.97kJ(0.95kcal) × 体重(kg) × 24h。

1985年WHO报告提出以安静代谢率(resting metabolism rate，RMR)代替BMR，测定要求全身放松，进食后3～4h进行，此时消化仍在正常进行，这种状态比较接近于人体的休息状态。

表 1-15　　人体每小时基础代谢率

年龄	男		女		年龄	男		女	
岁	kJ/m²	kcal/m²	kJ/m²	kcal/m²	岁	kJ/m²	kcal/m²	kJ/m²	kcal/m²
1	221.8	53.0	221.8	53.0	30	154.3	36.8	146.9	35.1
3	214.6	51.2	214.2	51.2	35	152.7	36.5	146.4	35.0
5	206.3	49.3	202.5	48.4	40	151.9	36.3	146.0	34.9
7	197.9	47.3	200.0	45.4	45	151.5	36.2	144.3	34.5
9	189.1	45.2	179.1	42.8	50	149.8	35.8	139.7	33.9
11	179.9	43.0	175.7	42.0	55	148.1	35.4	139.3	33.3
13	177.0	42.3	168.6	40.3	60	146.0	34.9	136.8	32.7
15	174.9	41.8	158.8	37.9	65	143.9	34.4	134.7	32.2
17	170.7	40.8	151.9	36.3	70	141.4	33.8	132.6	31.7
19	164.0	39.2	148.5	35.5	75	138.9	33.2	132.6	31.7
20	161.5	38.6	147.7	35.3	80	138.1	33.0	129.3	30.9
25	156.9	37.5	147.3	35.2					

(2)影响基础代谢因素

① 体表面积与体型　体表面积越大者散发能量越多，所以同等体重下瘦高者基础代谢高于矮胖者。瘦小的人比矮胖的人相对表面积大，因而基础代谢高于后者；另一方面，肥胖者较多的惰性脂肪组织在代谢中相对耗能低于瘦体质。

② 年龄　婴幼儿生长发育快，基础代谢率高，以后随年龄增加而下降，成人每 10 年基础代谢下降约 2%。

③ 性别　女性比男性基础代谢率约低 5% ~10%，即使相同身高与体重也是如此，原因与女性中瘦体质比例小有关。怀孕期间基础代谢增加率可达到28%左右，这与胎盘、子宫、胎儿发育等有关。

④ 内分泌　许多腺体分泌的激素对细胞代谢起调节作用，如甲状腺、肾上腺等，特别是甲亢时可明显提高基础代谢率。

⑤ 营养与机能状况　在严重饥饿及长期营养不良期间，身体的基础代谢率可降低达 50%。相反，感染及发热性疾病可使基础代谢率大大增加。

⑥ 气候　寒冷地区基础代谢率比温带高 10%左右，而热带居民基础代谢率比温带居民低约 10%。

2. 食物特殊动力作用耗能

食物特殊动力作用(specific dynamic action，SDA)是指人体因为摄食过程引起的额外热量消耗。实验表明，摄食可使热能代谢增加，不同食物增加的热能消耗有差别，摄入糖类时耗热相当与糖类本身产生热能的5% ~6%，脂肪为4% ~5%，蛋白质高达30%。成人混合膳食时，日消耗的此部分热量约600kJ(150kcal)左右，相当于基础代谢率的10%。

关于事物特殊动力作用的机制尚不十分明了，其可能原因是:① 进入消化道的食物引起消化道蠕动，消化腺分泌增加以及吸收过程中热量消耗增加等。② 食物中的热量只有转变为ATP时才能被机体利用，其余的热能直接向外界放出。三种营养素转变为ATP的比例为:糖类和脂肪38% ~40%，蛋白质32% ~34%，故三者的特殊动力作用不同。三种营养素在体内合成亦需要热能，特别是蛋白质的合成要求热能更多。首先激活每分子氨基酸和形成肽链的连接需要2mol的ATP和lmol的GTP;每一核苷酸掺入DNA、mRNA或tRNA也要一个以上的高能磷酸键;每分子氨基酸转运越过细胞膜也要3molATP，这些可能是构成蛋白质代谢中食物特殊动力作用耗能较高的因素。

3. 各种体力活动热能消耗

各种体力活动消耗的热能是热能消耗的主要部分，同时也是个体耗能差别的最大影响因素。显然，劳动强度越大、持续时间越长、工作越不熟练，其所消耗的热能也就越多。中国营养学会2001年将体力活动水平(physical activity level，PAL)分为三级，即轻体力劳动、中等体力劳动、重体力劳动。详见表1－16。

表1－16　中国成人活动水平升级

活动水平	职业工作时间分配	工作内容举例	PAL	
			男	女
轻	75%时间坐或者立， 25%时间站着活动	办公室工作、修理电器钟表、售货员、酒吧服务员、化学实验操作、讲课等	1.55	1.56
中	25%时间坐或者立， 75%时间特殊职业活动	学生日常活动、机车床驾驶、电工安装车窗操作、金工切割、等	1.78	1.64
重	40%时间坐或者立， 60%时间特殊职业活动	非机械化农业劳动、炼钢、舞蹈、体育运动、装卸、采矿等	2.10	1.82

1.4.4 热能食物来源及供给量

人体热能来源主要来自食物中的糖类、脂肪及蛋白质三大营养素。这三种产热物质普遍存在于动植物食物中，但动物食物中的脂肪与蛋白质一般高于植物食物。在植物性食物中，油料含脂肪丰富，粮食则以糖类与植物蛋白为主，大豆则含有丰富的蛋白质与油脂。

热能供应首先要考虑保持热能摄入与消耗的平衡，否则长期热量供应大于消耗，将导致体脂增加。此外三种生热营养素在人体代谢中既有各自特殊生理功能又相互影响，糖类和脂肪之间可以相互转化，它们对蛋白质有节约作用。故三者在总热能中应有一个恰当的比例。在一日总热量中，通常糖类向人体提供的热能较合适的比例为55% ~65%，脂肪为

20% ~30%不等，目前认为，脂肪在膳食中的比例最多不宜超过总热量的30%，蛋白质为12% ~14%。

1.5 水

1.5.1 水的功能

1. 水的营养学意义

水是人体赖以维持最基本生命活动的物质，是所有营养素中最重要的一种。

（1）水是机体的重要组成成分　水是机体内含量最高的成分，成人体重的50% ~70%是水分。当然，体内水分的分布并不一致，若以人体重的平均含水量为60%，则细胞内液为40%，细胞外液为20%（其中血浆5%，组织液15%）。不同的组织器官，含水量差别则更大，肌肉及一些实质器官（如肝、脑、肾等）含水量70% ~80%，皮肤约60% ~70%，血液含水量高达90%。相反骨骼约12% ~15%。此外，体内的水分亦受年龄、性别、肥瘦的影响，新生儿含水量75% ~80%，成年男子约60%，成年女子约50%（女子体脂比例多于男子）。

人体对水的要求比食物更重要，事实证明，一个人绝食1 ~2周不断绝水源仍可生存，但如断水3天或失去体内水分的1/5，生存就受到威胁。所以水被认为是人体最重要的物质。

（2）参与体内物质代谢　水参与体内各种生化反应，如水解反应、水合反应等。

（3）水是体内的主要溶剂　水的溶解力强，食物中的营养素要直接或间接地溶解在水中才能便于消化吸收；细胞内、外液中的各种营养素如单糖、氨基酸、磷脂、水溶性维生素、矿物质及体内分泌的许多激素均需溶于水形成水溶液后才能发挥其生理作用。

（4）水是体内重要的运输工具　水既可将进入体内的多种营养素运送到有关组织器官，同时可通过过排便、排尿、排汗、呼吸等途径将体内代谢废物、毒物以及多余的成分排出体外。

（5）调节体温　水的比热大，lg水温度升高1℃需要热4.2kJ（1kcal），比同等量固体或其他液体体所需的热高，由于体内水分可吸收较多的热而温度变化不大，所以，体温能保持恒定。另一方面水的蒸发热也大，在37℃时，1g水完全蒸发可带走2500kJ（600kcal）的热量。所以人体通过出汗方式，可散发大量的热，从而使体温不致升高。水还是血液的主要成分，人体通过血液循环把物质代谢产生的热迅速均匀地分布到全身各处。因此，在一定条件下，体温不会因外界环境温度的变化或体内代谢的改变而明显波动。

（6）润滑作用　体内各种腔内的液体能够润滑各个器官，以减少相互接触并活动的部位的摩擦和损伤。如泪水润滑眼睛以防止眼睛干燥；唾液及消化液润滑咽喉及消化道而有利于吞咽及消化道蠕动;关节液有利于关节伸屈;胸、腹膜腔的液体使脏器活动自由,减少相互之间的摩擦损伤。

2. 水在食品加工中的作用

水对食品的性状起着很重要的作用,如对食品的鲜度、硬度、流动性、呈味性、保藏和加工等方面都具有重要的影响。另外,水的沸点、冰点及水分活度等重要理化性质对食品加工也有重要的意义。

1.5.2 水的平衡

水在体内不能储存,所以在新陈代谢中,机体要一方面不断地摄入水分,另一方面又要不断排出水分。每天水分摄入的多少主要取决于水分的排出量。水的来源主要有固体食物中的水、液体食物及饮料、代谢水(每克糖类产生 0.60g 水,每克蛋白质产生 0.1g 水,每克脂肪产生 1.07g 水)三个方面。水的去路有三个方面:尿液,粪便中的水及通过皮肤与呼吸道蒸发所失的水。在轻体力活动情况下,成人每日水的代谢大致是平衡的,如表 1-17 所示。

表 1-17　成人水的摄入与排泄

摄入途径	摄入量/mL	排出途径	排出量/mL
固体食物中的水	1000	尿液	1500
液体食物及饮料	1200	粪便	100
代谢水	300	肺、皮肤蒸发	900

此外,人体每日需水分亦可按热能摄入情况估计,一般讲,成人每摄入 4.2kJ(1kcal)热量约需要水 1mL,婴儿则为 1.5mL。

当机体摄入水分减少,或因疾病如呕吐、腹泻、大面积烧伤、大量出汗、过度呼吸等使水分排出增加时,可导致机体不同程度的缺水。严重缺水时,细胞外液处于高渗状态,细胞内液水分外移导致细胞脱水。如果脱水占体重 2% 时,就会感到口渴、尿少;若失水达体重 6% 以上,就会感到乏力、抑制、无尿;当失水达体重 15% 以上,就会烦躁不安、皮肤弹性下降、心跳加快、血压下降,乃至昏迷而死亡。

1.6 矿物质和微量元素

1.6.1 概念

1. 矿物质和微量元素的基本概念

矿物质又称无机盐。人体内除碳、氢、氧、氮主要以有机化合物形式存在外,其余各种元素,无论含量多少,统称为矿物质。

矿物质可以认为是结晶、均匀的无机化学元素,它们来自土壤。植物从土壤中获得矿物质并储存于根、茎、叶中，动物可由食人植物得到矿物质，人体内的矿物质则一部分来自作为食物的动、植物组织，一部分来自饮水、食盐和食品添加剂。

矿物质和有机营养素不同，它们既不能在人体内合成，除排泄外也不能在代谢活动中消失。所以应不断从各类食物中补充。

在目前的检测技术条件下，体内可检出的元素已达70多种，这些元素按对人体健康的影响大致可以分为三类：① 必需元素；② 可能有益或辅助营养元素；③ 有毒元素。在第一类必需元素中，按其在体内的含量不同可分为常量元素与微量元素。二者的具体划分标准目前以体内含量0.01%为界，但也有人认为微量元素应小于0.005%。

目前认为机体有25种元素属必需元素，其中常量元素11种，它们是氢、氧、碳、氮、钙、磷、钾、钠、氯、硫、镁；微量元素14种，它们分别是铁、碘、铜、锰、锌、钴、钼、硒、铬、锡、氟、硅、镍、钒（但锡仍有争议）。

2. 矿物质和微量元素在食品加工和贮存中的变化

一般来说，矿物质和微量元素的化学性质十分稳定，但如果加工烹调方法不当，就会造成损失。如长时间煮制的面条，矿物质几乎全部溶于水中，所以，各类汤中具有丰富的矿物质。

谷类食物中的矿物质主要分布在外层，为此碾磨可使其矿物质的含量减少，磨的越精，矿物质的损失越大。因此在饮食中要注意粗细粮的搭配，以补充矿物质。

烹饪原料中的一些有机酸或有机酸的盐，如草酸、植酸、磷酸等，能与一些金属离子，如锌、钙、铁、镁等结合，形成难溶性化合物，影响这些微量元素的吸收。因此，对于富含草酸、磷酸、植酸、有机酸的原料，应先在沸水中焯一下，去掉有机酸，而后再烹制，可以减少无机盐的损失。

3. 矿物质和微量元素的功能

（1）矿物质和微量元素的营养学意义　摄食后的矿物质与水一道吸收，人体内矿物质的总量不超过体重的4%～5%，但却是机体不可缺少的成分，其主要功能如下。

① 构成机体组织的重要材料。体内矿物质主要存在于骨骼中并起着维持骨骼刚性的作 用。它集中了99%的钙与大量的磷和镁。硫和磷还是蛋白质的组成成分。细胞中普遍含有钾，体液中普遍含有钠。

② 维持细胞的渗透压和机体的酸碱平衡。矿物质与蛋白质一起维持着细胞内外一定的渗透压，对机体水分的分布起重要作用。此外，矿物质中由酸性、碱性离子的适当配合，和碳酸盐、磷酸盐以及蛋白质组成一定的缓冲体系，可维持机体的酸碱平衡。

③ 维持神经肌肉的兴奋性。组织液中的矿物质，特别是具有一定比例的K^+、Na^+、Ca^{2+}、Mg^{2+}等离子对保持神经、肌肉的兴奋性，细胞膜的通透性，以及所有细胞的正常功能有很重要的作用。如K^+和Na^+离子可提高神经、肌肉的兴奋性，而Ca^{2+}和Mg^{2+}离子可降低神经、肌肉的兴奋性。

④ 具有机体的某些特殊生理功能。某些矿物质对机体的特殊生理功能有重要作用，如血红蛋白和细胞色素酶系中的铁，甲状腺中的碘对呼吸、生物氧化和甲状腺素的作用具有特别重要的意义。锌是体内200多种酶的组成成分。

(2) 矿物质和微量元素在食品加工中的作用　矿物质中有很多是重要的食品添加剂，它们对改善食品的感官质量和营养价值有很重要的意义。例如，多种磷酸盐可增加肉制品的持水性和结着性，从而有利于改善其感官性状。氯化钙是豆腐的凝固剂，同时还可防止果蔬制品软化。亚硝酸盐可以腌制肉制品使其呈现鲜红的颜色。此外，儿童、老人和孕妇容易缺钙和缺铁，故常将一定的钙盐和铁盐用于食品强化，以此提高食品的营养价值。

1.6.2 食品中重要的矿物质和微量元素

1. 钙

(1) 概述

钙是机体内含量最多的无机元素。人体内含钙1200~1300g，约占成人体重1.5%~2.0%，其中99%存在于骨骼与牙齿中，主要以羟磷灰石的形式存在，少量为无定型钙，此部分在婴儿期占较大比例，以后随年龄增大而减少。其余1%有一半与柠檬酸整合或与蛋白质结合;另一半则以离子状态存在于软组织、细胞外液及血液中，这一部分称为混溶钙池，这部分钙与骨骼中的钙保持着动态平衡，以维持钙在体内的有关机能。

(2)钙的生理作用

① 构成骨骼及牙齿　钙是骨骼、牙齿的主要成分。骨骼中的钙一直处于不断溶解与沉积的动态平衡之中。即一方面骨骼中的钙不断地从破骨细胞中释放进入混溶钙池;另一方面，混溶钙池中的钙又不断地沉积于成骨细胞中。在机体生长发育阶段，这一代谢方式主要是保证了骨骼的不断发育与成熟，在机体发育成熟之后，这一代谢方式除了不断更新骨质外，更主要是维持血钙浓度的相对恒定。

不同生理状态的人，骨骼的更新速度差别很大，幼儿骨骼生长发育快，约1~2年便更新一次，以后随年龄增长逐渐下降，成年人10~12年更新一次。40~50岁以后，骨钙的吸收大于生成，钙在骨质中含量逐渐下降，每年约减少0.7%，由此易发生骨质疏松现象;且女性早于男性，停经后加速，但体力活动可适当延缓这种过程。

② 维持神经肌肉的活动　这一功能主要由钙混溶池中的离子钙完成。只有钙、镁、钾及钠等离子保持一定比例时，组织才能表现出适当的感应性。已知红细胞、心肌、肝及神经等细胞膜上有钙的结合部位，当钙离子从这些部位释放时，细胞膜的结构和功能发生变化，如对钾、钠等离子的通透性改变。体液中离子钙浓度的变化会引起神经、肌肉相应出现兴奋异常。如血清离子钙含量下降，可使神经、肌肉兴奋性增高，从而引起抽搐。反之则可抑制神经肌肉的兴奋性。

③ 促进体内某些酶的活性　钙对许多参与细胞代谢的酶活性有调节作用。如三磷酸

腺苷酶、琥珀酸脱氢酶、脂肪酶以及一些蛋白分解酶等。

④ 其他　钙还参与血凝过程、激素分泌、维持体液酸碱平衡以及细胞内胶原稳定性等生理功能。

(3) 影响钙吸收的因素　钙主要在小肠上端吸收，钙在肠道的吸收很不完全，一般吸收率约20% ~30%。其吸收比例受膳食成分，体内钙、维生素D的营养状态以及生理状况如生长、妊娠、哺乳、年龄、性别等因素影响。影响钙吸收的因素包括：

① 抑制钙吸收的因素　粮谷类中含较多植酸，某些蔬菜中则含较多的草酸(如菠菜、苋菜、竹笋等)，它们均可降低钙的吸收。膳食纤维通过其醛糖酸残基与钙结合形成不溶性化合物而抑制钙的吸收。脂肪消化不良时，未吸收的脂肪酸尤其是饱和脂肪酸更易与钙结合成钙皂而影响钙的吸收。此外，一些碱性药物，如黄连素、苏打、四环素等也影响钙的吸收。

② 促进钙吸收的因素　乳糖经发酵形成乳酸，降低了肠道内的pH，与钙结合形成低相对分子质量可溶性络合物而利于钙的吸收；膳食中有适量的蛋白质时，钙可与氨基酸结合成可溶性络合物，亦有利于钙的吸收，但是蛋白质摄入过多又会增加尿钙的丢失；酸性环境使钙保持溶解状态，也增加了钙的吸收机会；发酵可使植酸分解，也可提高钙的吸收率；此外，一定剂量的维生素D可促进小肠对钙的吸收。

但应该说明的是，认为补钙剂中一定要有维生素D是不科学的。钙吸收促进剂只是起促进吸收的作用，并不是说缺少它们钙就不吸收。对维生素D及其衍生物来说，它既有助于离子型钙的主动吸收，又有助于机体利用Ca^{2+}而进行的成骨过程。

(4) 血钙水平的代谢调节

① 血钙　血浆中的钙约有350mg，血清钙水平为4.5 ~5.5mmol/L(或90 ~110mg/L)。血钙可分为两类，一类是可扩散钙，另一类是非扩散钙，属于前者的主要是离子钙。此外还有少量不能解离的柠檬酸钙、碳酸氢钙等。可扩散钙能通过毛细血管壁，而非扩散钙与血浆中的蛋白质结合，不能通过毛细血管壁。血钙中发挥生理作用的只有离子钙，钙离子降低可出现手足抽搐。

② 血钙调节　维持血钙的平衡，一方面是为了把从消化道吸收入血液的钙沉积在骨质中以保证骨的钙化；另一方面维持血钙的相对恒定浓度又是保证与钙离子有关的各种生理活动、生化过程的正常进行。所以血钙的调节是钙代谢的重要环节。参与血钙调节的因素主要有维生素D、甲状旁腺素(PTH)及降钙素。

A、维生素D：维生素D既可促进小肠对钙、磷的吸收，也可促进肾近曲小管对钙、磷的重吸收。其作用在小肠，在肾脏则较弱。

B、甲状旁腺素：调节PTH分泌的主要信号就是血钙浓度。当血钙升高时，立即抑制PTH的分泌；当血钙降低时，PTH分泌增加。这一反应十分敏感。

PTH维持血钙水平主要是通过肾、骨的直接作用及小肠的间接作用实现的。PTH对肾作用最快，它促进肾小管重吸收钙，抑制近曲小管重吸收无机磷，使血钙升高，血磷降低。PTH 对骨的作用是通过破骨细胞促进骨盐溶解，大剂量的 PTH 在 2 ~ 3h 内便可使骨盐溶解。PTH 对小肠钙、磷的吸收作用是直接通过 1，25 - $(OH)_2$ - D_3，完成的，因而作用缓慢。

C、降钙素：降钙素的分泌也受血钙水平的调节，血钙水平升高时，降钙素分泌增加，反之则分泌减少，其靶器官也是肾与骨。降钙素对骨的作用主要是抑制破骨细胞活性，从而抑制骨盐溶解，减少骨钙、磷的动员。它对肾的作用是抑制肾小管重吸收钙和磷，对肠道主要是间接抑制 1，25 - $(OH)_2$ - D_3，的合成。

总之，降钙素作用较弱，尤其是当其使血钙降低后，立即可引起 PTH 分泌，所以作用时间短，其意义可能不在于调节血钙、血磷，而在于保护骨的矿化，这对幼儿有一定的重要性。

(5)钙的需要量及食物来源　钙的需要量受若干因素影响。如蛋白质摄入量、气温与出汗量、暴露阳光与紫外线的程度、年龄及生理状况等均对机体对钙的需要有不同程度的影响。

我国居民钙的适宜摄入量(A1)0 ~ 0.5 岁为 300mg/d，0.5 ~ 1 岁为 400mg/d，1 ~ 4 岁为 600mg/d，4 ~ 11 岁为 800mg/d，11 ~ 18 岁为 1000mg/d，18 ~ 50 岁为 800mg/d，50 岁以后为 1000mg/d，早、中、晚孕妇分别为 800mg/d、1000mg/d、1200mg/d，怀孕后期为 1500mg/d，乳母为 1200mg/d，儿童为 800 ~ 1000mg/d。钙的可耐受最高摄入量(UL)为 2000mg/d。

钙的食物来源应考虑两个因素，即含钙量及吸收利用率。乳及其制品含钙丰富，吸收率也高，是婴儿最理想的钙来源。水产品中小虾皮含钙特多，其次海带、豆及豆制品、油料种子，芝麻酱、绿色蔬菜也含钙较多。不同类型食物中钙、磷含量和某些食物钙利用率分别见表 1 - 18、表 1 - 19。

表 1 - 18　不同类型食物钙、磷含量(mg/100g)

食品	钙	磷	食品	钙	磷	食品	钙	磷
瘦猪肉	11	177	黄豆	307	571	雪里蕻	235	64
牛肉	6	170	花生	71	399	芹菜	160	61
鸡肉	11	190	葵花籽	45	354	金针菜	73	69
带鱼	55	210	人奶	34	15	海带	1177	216
鸡蛋	55	210	牛奶	120	93	木耳	357	201
粳米	10	200	大白菜	41	31	鱼松	3970	2270
标准粉	38	260	小白菜	163	48	豆腐(北)	277	54

表 1－19 某些食物钙利用率

食物	利用率	食物	利用率
牛奶	87	胡萝卜	65
甘蓝	76	芝麻	46
白菜	73	菠菜	14

2. 磷

(1)磷在体内含量仅次于钙，约650～700g，是体重的1%左右，位居第六。占体内无机盐总量的四分之一。其中85%～90%的磷与钙结合以羟基磷灰石形式存在于骨骼及牙齿中，其余10%～15%与蛋白质、脂肪、糖及其他有机物结合，分布于几乎所有的组织细胞中，其中一半左右在肌肉中。

(2) 生理作用

① 构成骨骼、牙齿及软组织的重要成分　磷与钙结合成难溶性盐，在骨骼及牙齿的发育矿化中起着十分重要的作用。骨形成过程中，2g钙需要1g磷，与钙不同的是，它又是所有软组织细胞膜及核酸的组成成分。在软组织及细胞膜的磷，大部分以有机磷的形式存在，少部分以磷蛋白、磷脂形式存在，骨骼中的磷则大部分是无机正磷酸盐，少部分以不同形式的磷酸盐离子状态存在。

② 调节热能代谢　机体代谢中，葡萄糖－6－磷酸酯和丙糖磷酸酯是葡萄糖热能代谢的重要中间产物；热能的贮存均是以高能磷酸键的形式存在，这是细胞内化学能的主要来源。

③ 酶的重要成分　体内许多酶如焦磷酸硫胺素，磷酸吡哆醛，辅酶Ⅰ、Ⅱ等辅酶或辅基均需磷参加。

④ 物质活化　葡萄糖代谢，先要经磷酸活化变为6－磷酸葡萄糖，才能进行反应；脂肪不溶于水，需先在血液中磷酸化，使之更多地溶于水，才能进行反应。

⑤ 磷酸盐还参与调节酸碱平衡。

(3) 吸收与排泄

① 吸收：食物中的磷比钙容易被人体吸收，其吸收率随食物中磷的增加而减少。磷的吸收部位在小肠，混合膳食时吸收率达60%～70%，牛奶喂养的婴儿吸收率约65%～75%，人乳喂养时达85%～90%。但从绝对吸收量看，仍以含磷多的食品为高。

促进磷吸收的因素主要是$1,25-(OH)_2-D_3$，影响磷吸收的因素有食物中的植酸，阳离子Ca^{2+}、Mg^{2+}等。

② 排出：磷主要从肾排出。机体主要通过甲状旁腺素抑制肾小管对磷的吸收与排泄，调节血中磷浓度以维持体内磷的平衡。

(4) 缺乏与过量　一般情况下，食物中磷远比钙广泛、丰富，故不会缺乏。磷缺乏者多为大量使用抗酸药或禁食者。磷酸盐过量可引起低血钙症，导致神经兴奋性增强，手足抽搐和惊厥。

(5)需要量与食物来源　磷的需要量随年龄增加而下降，另外与蛋白质摄入量、热能代谢有关。我国居民膳食磷的适宜摄入量(A1)成人为700mg/d，可耐受最高摄入量(UI)为3000mg/d。几乎所有的食物均含有磷，蛋类、瘦肉、鱼类、干酪及动物肝、肾的磷含量都很丰富，而且容易吸收。植物性食物中海带、芝麻酱、花生、坚果及粮谷含量也比较丰富。

3. 铁

(1) 概述　铁是机体必需微量元素中含量最多的一种，人体总量约3～5g，体内铁有功能铁和贮存铁两种存在形式，前者约占总铁的70%～75%，主要存在于血红蛋白、肌红蛋白以及含铁酶(细胞色素氧化酶、过氧化物酶、过氧化氢酶等)和运载铁中；后者约占总铁的25%～30%，它们以铁蛋白和含铁血黄素的形式存在于肝、脾与骨髓中。

(2) 生理作用　在体内，铁作为血红蛋白、肌红蛋白的组成成分参与 O_2 及 CO_2 的运送，又作为细胞色素以及某些呼吸酶的组成成分参与组织呼吸和生物氧化；铁与红细胞的形成和成熟有关，铁在骨髓造血组织中，进入幼红细胞内与卟啉结合形成正铁血红素，后者与球蛋白结合成血红蛋白，缺铁时，血红蛋白合成不足，红细胞寿命缩短，自身溶血增加；此外，铁还参与许多其他重要功能，如催化β－胡萝卜素转化为维生素A，抗体的产生，嘌呤与胶原的合成，脂质从血液中转运以及药物在肝中解毒等。

(3) 吸收与代谢

① 吸收　铁的吸收部位在小肠，其吸收率取决于铁在食品中的存在形式。铁在食物中的存在形式主要有两类：

A、植物性食品的铁，即非血红素铁　指与蛋白质、氨基酸和其他有机分子络合，以 $Fe(OH)_3$ 络合物的形式存在于食物中的铁，这种形式的铁必须在胃酸作用下与有机物分开，并还原为 Fe^{2+} 才能被吸收，因此影响它吸收的因素很多。

B、动物性食品的铁，即非血红素铁　指与血红蛋白及肌红蛋白的卟啉结合的铁，它以卟啉铁形式直接被肠黏膜细胞吸收，然后在肠黏膜细胞内分离出铁并与脱铁蛋白结合成铁蛋白，所以这种铁不受上述多种因素的影响。

② 影响铁吸收的因素　人群营养调查结果证明我国居民膳食中铁的总摄入量并不低，但是铁缺乏的现象还较普遍存在，其主要原因是由于影响机体对铁的吸收的因素较多，从而使摄入铁不能很好利用。机体对铁的吸收利用与年龄、体重、体表面积、热能摄入量、机体状态、食物中铁存在形式及干扰因素、体内铁储存量等因素有关。

A、抑制铁吸收的因素：a. 粮食、蔬菜中的植酸盐、草酸盐等可与铁形成不溶性铁盐抑制铁的吸收。如大米铁的吸收率仅有1%，黑豆、玉米为3%，小麦为5%。b. 蛋黄中含有卵黄高磷蛋白，干扰铁吸收，铁吸收率仅为3%。c. 此外胃酸缺乏或过多服用抗酸性胃药物，使胃内pH升高，亦不利于 Fe^{2+} 的释放，阻碍铁的吸收。

B、促进铁吸收的因素：a. 肉因子或肉鱼禽因子(MFP)，即存在于肉、鱼等食品中的动物细胞蛋白质(各种肉、鱼、禽)，可促进铁的吸收，但机理尚不清楚。b. 半胱氨酸、核黄素、维生素C等则可与铁结合而促进铁的吸收。血红蛋白中的铁吸收率为25%，动物油、肝脏为22%，鱼为11%，维生素C可与Fe^{2+}络合形成可溶性状态，有利于铁的吸收。

C、铁的吸收与机体对铁的需要量和贮存量有关，若贮存多时，则吸收少，反之则吸收增加。相对而言，血红素铁吸收明显高于非血红素铁，但平时膳食铁是以非血红素铁为主的(占90%~95%)，故不能忽视影响因素。

首先，食品中的铁在胃酸作用下释放出Fe^{2+}或由Fe^{3+}转化成Fe^{2+}后，与肠中的维生素C、某些氨基酸形成络合物，这种络合物即使在肠道碱性环境下也处于溶解状态，有利于吸收。吸收入肠道黏膜细胞中的铁首先与脱铁蛋白结合，形成贮存形式的铁蛋白并保留在黏膜细胞中。当机体需要铁时，铁从铁蛋白中释放出来，与运铁蛋白结合进入血液循环，将铁运至需铁组织。失去铁的脱铁蛋白又与肠道新吸收的铁结合，再次形成铁蛋白，当肠黏膜细胞中的铁蛋白量增加乃至达到饱和时，铁吸收相应下降，最后停止。吸收后多余的铁以铁蛋白的方式贮存于肝、脾、骨髓细胞中，机体需要铁时，贮存铁释放出来，如供骨髓造血利用。

铁的排出途径主要有消化道、泌尿道上皮细胞脱落、崩解。此外排尿，出汗，呼吸等亦排出少量铁。另外，月经、分娩失血、胎盘等也是铁损失的途径。

(4) 铁缺乏与缺铁性贫血　膳食中铁含量不足是缺铁的主要原因。此外，各种胃肠道疾病使铁吸收障碍，食物中干扰铁吸收的因素使铁利用率下降，失血以及机体对铁的需要量增加(如怀孕)等均可导致机体缺铁。

缺铁分以下三个阶段：

1. 第一阶段为铁减少期　此期贮存铁减少，血清铁蛋白浓度下降，无临床症状。

2. 第二阶段为红细胞生成缺铁期　此期除血清铁蛋白下降外，血清铁(与运铁蛋白结合的铁)也下降，铁结合力升高(即运铁蛋白的饱和度下降)，游离原卟啉浓度上升，但血红蛋白尚未降到贫血标准。

3. 第三阶段为缺铁性贫血期　主要表现血红蛋白(Hb)及红细胞压积(PCV)下降，红细胞淡染、大小不一，并出现缺铁性贫血的症状，如脸色苍白，工作效率降低，学习能力下降，冷漠呆板；儿童易烦躁，抗感染力下降。此外常有自述心慌、气短、头晕、眼花、精力不集中等。

(5) 供给量与食物来源　根据我国目前居民膳食结构，中国营养学会建议铁的AI为：成年男子15mg/d，成年女子20mg/d，早、中、晚期孕妇分别为15mg/d、25mg/d、35mg/d，乳母25mg/d，UL成人为50mg/d。

膳食铁良好来源为动物肝脏、动物全血、畜禽、肉类、鱼等，牛奶是贫铁食品，蔬菜及一般粮食含铁不高且利用率低。见表1-20。

表 1-20　含铁较高的食物(单位为 mg/100g)

食物	含量	食物	含量	食物	含量
鸭血	30.5	蛏子	33.6	藕粉	41.8
鸡血	25.0	哈蜊	22.0	黑芝麻	22.7
沙鸡	24.8	刺蛄	14.5	鸡蛋黄粉	10.6
鸭肝	23.1	发菜	99.3	地衣(水浸)	21.1
猪肝	22.6	红薯	235.1	冬菜	11.4
蚌肉	50.0	冬菇带鱼	10.5	苜蓿	9.7

4. 碘

(1) 概述　人体内含碘 20~50mg，其中甲状腺中含碘最多，约 8~10mg，其中甲状腺素(T_4)占 16.2%，三碘甲状腺氨酸(T_3)占 33.4%，一碘酪氨酸(MIT)占 32.7%，二碘酪氨酸占 33.4%，其他碘化物为 10.1%。血液中的碘主要是蛋白结合碘(PBI 30~60μg/L)，其他组织中的碘浓度亦很低，见表 1-21。

表 1-21　人体部分组织碘含量(鲜组织，μg/g)

名称	样本数	碘含量	名称	样本数	碘含量
脑	10	0.02	淋巴结	6	0.03
肾	8	0.04	肌肉	6	0.01
肝	11	0.2	卵巢	5	0.02
肺	11	0.07	睾丸	6	0.08

(2) 生理作用　碘在体内主要是参与甲状腺素的合成，所以其生理作用是通过甲状腺素实现的。

① 促进生物氧化，参与磷酸化过程　甲状腺素能促进三羧酸循环中的生物氧化过程，使产热增加。甲状腺功能低下的人，由于产热减少、耗氧量少、基础代谢率低而畏寒；相反甲状腺功能亢进(甲亢)的人，由于产热多不耐热。

② 促进糖、脂肪分解代谢　甲状腺素可促进体内糖、脂肪的分解代谢，这是产热增多的基础。甲状腺功能低下时，血中脂质含量增加；反之，甲亢时，可大量消耗体脂及血脂其含量减少。

③ 促进蛋白质合成和神经系统的发育　生理剂量时，甲状腺素可促进蛋白质、核糖核酸、脱氧核糖核酸的合成，进而蛋白质合成增加，这显然与机体的生长发育密切相关。但甲亢时反而使蛋白质，特别是骨骼肌蛋白大量分解，出现负氮平衡。碘对胚胎发育期和 1

岁以内婴儿的中枢神经系统的发育极为重要，新生儿甲状腺功能低下，若在1岁内补适量甲状腺素，则脑功能可恢复。如不及时治疗，以后即使补大量T_3或T_4，也不能使脑功能恢复正常。甲状腺功能低下的幼儿，生长缓慢，骨骼短小，智力低下，称呆小症。

④ 甲状腺素还参与水盐代谢调节，甲状腺素缺乏可引起组织水盐潴留并发黏液性水肿。

⑤ 促进维生素的吸收与利用，如促进尼克酸的吸收利用以及β-胡萝卜素转变成维生素A。

（3）缺乏与过量　碘的缺乏造成甲状腺素合成分泌不足，引起垂体促甲状腺激素分泌增多，刺激甲状腺素增生、肥大。由于环境、食物缺碘造成，常呈地方性，称之为地方性甲状 腺肿。引起甲状腺肿的原因还有：有些食物含有致甲状腺肿物质，如十字花科植物（白菜、萝卜等）含有β-硫代葡萄糖苷等可影响碘的利用；蛋白质不足，钙、锰、氟过高或钴、钼不足对甲状腺素合成也有一定的影响。

碘的缺乏可致呆小症和黏液性水肿已如上述。

碘过量通常发生在高碘地区以及在治疗甲状腺肿等疾病中使用过量的碘剂等情况。我国河北、日照等地居民，曾因饮用深层高碘水，或摄入高碘食物造成甲状腺肿。这类甲状腺肿只要限制高碘事物摄入即可预防。

4. 吸收与代谢　饮食中的碘离子极易被吸收，进入胃肠道1h可吸收大部分，3h可全部吸收，并迅速运至血浆，然后运输至全身。不过只有进入甲状腺的碘，才能合成甲状腺素。

在代谢过程中，甲状腺素分解脱下的碘，一部分可重新利用，通过肾脏及胆汁泌人小肠从大便排出。尿中排出的碘占排出总量的90%，粪中排出的约10%，哺乳妇女从乳汁可排出一定量的碘（70～140μg/L）。

5. 供给量及食物来源　人体对碘的需要量受年龄、性别、发育及营养等因素影响，中国营养学会建议的碘RNI为成人150μg/L，孕妇和乳母为200μg/L，成年人UL为1000/d。

含碘高的食物主要是海产品，碘缺乏地区可采用碘化食盐的方法，即在食盐中加入碘化物或碘酸盐予以预防。加入量可控制在1∶20000～1∶50000。也可用碘化油，即将含碘30%～50%的碘化油用食用油稀释至6～30万倍供食用。常见食物含碘量见表1-22。

表1-22　**常见食物含碘量**　（单位为μg/100g）

食物	含碘量	食物	含碘量	食物	含碘量	食物	含碘量
稻米	1.4	山药	11.6～11.4	海带（干）	24000	带鱼	8.0
小麦	0.7	大白菜	9.8	紫菜（干）	1800	海参（干）	600
小米	0.8	菠菜	8.8	发菜（干）	1180	龙虾（干）	60
玉米	3.3	柿子	12.1	淡菜	1000	蛤	240
大豆	1.5～2.1	鸡蛋	9.7	牛乳	2.8	黄花鱼	12

5. 锌

(1)概述　成人含锌约2～2.5g，主要分布在肌肉、骨骼、皮肤等组织中。就其含量而言，视网膜含量最高，其次是精液及前列腺。血液中的锌，75%～88%在红细胞内，12%～22%在血浆中，3%在白细胞内。红细胞中的锌主要与碳酸酐酶结合，少部分与其他含锌酶结合，血浆锌60%与蛋白质结合，30%与α_2－巨球蛋白结合，约7%与氨基酸（组氨酸、半胱氨酸）结合。红细胞锌是血浆的10倍，而白血球是红血球的25倍。

(2)生理作用

① 酶的组成成分或激活剂　锌是体内许一多酶的组成成分或激活剂，已知有200种酶与锌有关。按目前对酶的分类看，六大类酶（氧化－还原酶、转移酶、水解酶、裂合酶、异构酶、合成酶）中都有含锌的酶，锌在这些酶中有的起催化作用，有的起稳定结构作用，也有的起着调节作用，如醇脱氢酶中有四个锌，其中两个位于活性中心，起催化作用，另外两个与四个—SH相连起维持结构的作用。

② 维持生物膜的完整性　许多细胞膜（精子细胞、白细胞、脑细胞、小肠细胞、肾细胞及肝溶菌体细胞）都有较高浓度的锌。推测膜上的锌主要与膜蛋白的巯基、羧基，磷脂的磷酸根，糖蛋白中唾液酸的羧基结合，从而稳定膜结构，并防止脂质过氧化。

③ 促进生长发育与组织再生　锌参与DNA、RNA及蛋白质的合成及细胞的分裂。缺锌可使实验动物中的总DNA合成和标记胸腺嘧啶融入DNA的速度明显低于对照组，DNA、RNA和蛋白质合成障碍，细胞分裂减少，导致生长停止。缺锌动物的特殊症状是蛋白质合成与代谢发生障碍，缺锌儿童因生长发育受严重影响而出现侏儒症，生长停滞、矮小、组织损伤愈合困难等。

锌参与促黄体激素、促卵泡激素、促性腺激素等的代谢，所以锌对促进儿童性器官和性功能的发育具有重要调节作用。缺锌时性成熟迟缓，第二性征发育障碍，性机能降低，精子减少，睾丸萎缩，月经不调或流产。

④ 提高免疫机能　缺锌时细胞有丝分裂受损，特别是淋巴结、脾脏及胸腺有明显影响，可使胸腺素分泌减少，T、B淋巴细胞大大减少，免疫球蛋白浓度及百分比改变。

⑤ 与胰岛素的活性有关　胰脏对锌代谢比较敏感，β－细胞具有很高的积累、转移和贮存锌的能力，胰岛素本身含有锌。动物试验表明，不缺锌动物静脉注射葡萄糖后，胰岛素的分泌呈双相式（即出现二次升高峰），而缺锌动物胰岛素浓度很少改变。

⑥ 促进维生素A代谢　锌在体内有促进维生素A的合成和构型转化的作用，参与肝中维生素A动员，维持血浆维生素A浓度的恒定，对维持正常暗适应能力有重要作用。锌对维持皮肤健康亦是必要的。

⑦ 改善味觉、促进食欲　锌是与唾液蛋白结合形成味觉素而影响味觉及食欲的。缺锌不易引起味觉以至影响食欲。此外，缺锌导致蛋白质和核酸合成、消化及代谢需要的各种含锌酶活性降低，对味蕾的结构与功能也带来不利影响。

（3）吸收与代谢　锌主要在小肠吸收，吸收率约20% ~30%，进入血液的锌与血浆蛋白α－巨球蛋白等结合，随血液进入门脉循环，分布于全身各组织器官。

影响锌吸收的因素较多，主要有植酸、纤维素及一些矿物元素如钙、铁、铜、锰等。维生素D也能促进锌的吸收。

钙对锌的吸收影响十分明显，实验表明人为增加饲料中的钙（不缺锌），可在短时间内造出缺锌动物模型。铁过多同样抑制锌的吸收。见表1－23。

表1－23　　摄入不同铁、锌的婴儿血锌水平

食物中含量/mg		(Fe＋Zn)/mg	Fe/Zn	血浆锌/($\mu g \cdot L^{-1}$)
Fe	Zn			
2.40	6.50	8.90	0.37/1	793 ±134
19.40	6.18	25.58	3/1	478 ±221

锌的排泄主要是粪便，包括食物中未吸收的锌及来自消化腺分泌和消化道细胞脱落的并未被重复利用的锌。尿中也排出部分锌，这部分受肾功能的影响及肝功能的影响。肾病及肝病均 可使尿锌排出增加。此外，锌也可通过皮肤损失。

（4）缺乏与过量　生长发育期的儿童最易受缺锌的影响，主要表现为生长发育迟滞，垂体调节功能障碍，食欲不振，味觉迟钝甚至丧失；性成熟延迟，第二性征发育障碍，性机能减退，精子产生过少；创伤愈合不良等。此外，肠原性肢端皮炎是一种遗传性疾病，用锌治疗可迅速恢复。

锌过量主要是因为盲目过量补锌或食用锌污染的罐头和饮料所致，可出现低热、腹胀、腹痛、腹泻、恶心、呕吐等症状；过量的锌可干扰铜、铁和其他微量元素的利用，影响中性粒细胞和巨噬细胞的活力，损害免疫功能。

（5）需要量及食物来源　WHO（1977年）按锌吸收20%计算，推荐的供给量为：1 ~10岁8mg/d；男性11 ~17岁14mg/d，大于18岁11mg/d；女性10 ~13岁13mg/d，14岁以上11mg/d；妊娠妇女15mg/d；乳母27mg/d。中国营养学会2000年推荐锌的RNI为成年男性15mg/d；女性11.5mg/d。

锌广泛存在于各类食品中，但不同来源锌含量、吸收率有很大差异。牡蛎含锌量最高，可达1000mg/kg以上，畜禽肉、蛋类锌约20 ~50mg/kg，豆类、谷类锌15 ~20mg/kg，蔬菜、水果锌含量较低，一般在10mg/kg以下。

6.铜

（1）概述　铜在人体内总量约50 ~120mg，平均为80mg，分布于全身各组织器官，其中肝与脑含量较高，其他器官相对较低。肝铜约占总铜的15%，脑铜占10%左右，肌肉中铜浓度虽低，但因其占全身比重大，故全身肌肉铜的总和占总铜的40%左右。肝、脾是铜的贮存器官，血清铜约10 ~24μgmol/L，与红细胞含铜量接近。

（2）生理作用　铜在体内的生理生化作用，主要是通过酶的形式表现出来，目前已知

含铜酶约为十余种，且都是氧化酶，如铜蓝蛋白、细胞色素氧化酶、超氧化物歧化酶、酪氨酸酶、多巴－β－羟化酶、赖氨酸氧化酶等。

① 超氧化物的歧化　铜是超氧化物歧化酶（SOD）的必需成分，超氧化物歧化酶可催化超氧阴离子自由基发生歧化反应。所以在防御氧的毒性、抗辐射损伤、预防衰老以及防治肿瘤和炎症等方面有重要意义。

② 参与铁代谢　吸收入血液中的 Fe^{2+} 要氧化为 Fe^{3+} 后才能与运铁蛋白结合，并运至骨髓。铜蓝蛋白可催化这一氧化过程。因此，铜减少，可使铜蓝蛋白活性下降，进而影响铁的运输、利用。膳食缺铜时，血红蛋白合成减少，红细胞膜功能降低，寿命缩短，引起缺铁性贫血。

③ 蛋白交联　弹性蛋白与胶原蛋白的交联，依赖于赖氨酸氧化酶的作用而形成醛赖氨酸，后者是胶原发生交联必需的物质。当缺铜时，交联难以形成，影响胶原结构，导致骨骼、皮肤、血管结构改变，使骨骼的脆性增加，血管张力降低，皮肤弹性减退等相应变化。

④ 其他　细胞色素氧化酶、多巴胺－β－羟化酶、酪氨酸酶都是含铜酶，它们参与神经递质儿茶酚胺的生物合成和神经髓鞘的形成。铜缺乏可导致中枢神经系统功能异常和黑色素形成障碍。

（3）吸收与代谢　铜主要在胃和小肠吸收，吸收率为40%。膳食中的锌，维生素C与果糖等影响铜的吸收，实验观察到，锌含量达到120～240μg/g时，明显降低铜酶活力，服用大量维生素C（150mg/d，连服2个月）在成人出现血清铜蓝蛋白的降低。

吸收后的铜，被运至全身各组织，用以合成各种含铜酶。正常人每日通过粪、尿、汗排出铜。从胆汁排出的铜约占总排出量的80%，其次为小肠黏膜，从尿排出的约3%。

（4）缺乏与过量　铜普遍存在于各种天然食物中，人体一般不易缺乏，但若长期肠外营养、消化功能紊乱（腹泻、小肠吸收不良等）、早产儿（人工喂养）可致铜缺乏，临床表现主要是皮肤毛发脱落、运动障碍、血管活力减退、红细胞形成受抑、骨质疏松等。

铜过量多发生于饮用与铜容器或管道长时间接触的酸性饮料或误服大量铜盐引起的急性中毒，表现为恶心、呕吐、上腹部疼痛、腹泻、头痛、眩晕及口有金属味等临床症状，严重者可致昏迷，甚至死亡。少见慢性锌中毒。

（5）铜的供给量与食物来源　WHO提出每日每千克体重铜需要量婴儿为80μg，儿童为40μg，成人为30μg。2000年中国营养学会提出成人铜的AI为2.0mg/d，UL为8mg/d。铜存在广泛，牡蛎含量最高，贝类、动物肝肾及坚果类、谷类胚芽、豆类含铜也较丰富，绿叶菜、牛奶含量较低。

7. 硒

（1）概述　人体硒总量约为14～20mg，广泛分布于所有细胞和组织器官中，浓度高者为肝、胰、肾、心、脾、牙釉质和指甲，其次为肌肉、骨骼和血液，脂肪组织最低。

（2）生理作用

① 抗氧化作用 硒是谷胱甘肽过氧化物酶(GSH - Px)的组成成分，GSH - Px 广泛存在于哺乳动物的红细胞、肝、肺、心、肾、脑及其他组织中，它催化还原型谷胱甘肽(GSH)还原体内过氧化物(ROOH，HOOH)的反应。此反应保护了生物膜免受过氧化物产生的氧化损伤。生成的氧化型谷胱甘肽(GSSG)在 GSSG 还原酶作用下，重新还原为还原型谷胱甘肽(GSH)，从而使 GSH - Px 催化的反应不断进行。

② 硒的其他生理作用 硒有：

A、促进动物生长发育；

B、增强机体免疫机能；

C、保护心肌、血管的结构与功能；

D、减轻体内重金属(如汞、镉、铅等)的毒害作用；

E、保护视觉器官；

F、抗肿瘤作用。

(3)吸收与代谢 硒主要在小肠吸收，吸收率一般为 60% ~80%。硒吸收后通过与血浆蛋白结合转运到各组织器官中，代谢后大部分从尿中排出，粪便中的硒主要是食物中未吸收硒。此外，硒亦可以从皮肤和毛发排出。

(4) 硒缺乏与过量

① 缺硒对于机体有多方面影响，主要表现在：

A、缺硒对免疫功能的影响。缺硒对免疫功能的影响已被大量调查研究证实。缺硒可导致机体的免疫功能降低，而补硒可使免疫功能增强，包括细胞免疫与体液免疫。

B、硒与癌症的关系。国外大量流行病学资料表明，土壤、食物中硒的含量与当地居民癌症死亡率有明显关系，即食物中硒水平越低，癌症死亡率越高，其中以结肠、直肠、前列腺、乳腺、卵巢、肺等部位的癌症与硒关系更为突出。

C、缺硒对心、血管功能的影响。流行病学调查表明，缺硒与冠心病、动脉硬化、高血压等心血管系统疾病关系密切。目前认为缺硒对冠心病、动脉硬化、高血压等疾病的影响上要在于体内低硒使机体清除自由基和抗脂质过氧化能力减弱，易造成动脉内皮细胞损伤有关，而补硒对上述疾病的预防作用除了有效地抑制脂质的过氧化作用外，还与硒保护细胞、亚细脑膜的完整性，从而维持细胞的正常结构和功能有关。

D、缺硒与克山病的关系。克山病是 1935 年我国首次在黑龙江丸山县发现的一种地方病，患者多为少年儿童及育龄妇女，主要病理特点呈散发于心肌的多发性局灶性心肌坏死。硒对心脏有保护作用，亚硒酸钠预防试验及 20 世纪 70 年代大面积推广应用，取得了显著的预防效果。

E、缺硒与大骨节病的关系。大骨节病也是一种地方病，其病区常与克山病区重叠，故有克山病的“姊妹病”之称，患者表现为软骨内骨化障碍和关节畸形，病理学改变以管状骨。两端软骨组织损害，以及多发性软骨坏死为主。目前认为缺硒是大骨节病的重要发病原因。补硒可有效地预防大骨节病的流行。

F、硒与衰老的关系。目前对衰老的看法之一是“自由基学说”，即体内有害自由基反应可损伤重要的生物大分子，硒通过抗氧化功能可起到延缓衰老的作用。

② 硒过量　机体摄硒量超过机体的生物利用量与排出量时，便会引起毒性反应。在我国目前认定的大面积缺硒带中，已发现湖北的恩施与陕西的紫阳为两个自然高硒点。人硒中毒的主要临床表现是毛发指甲脱落、疲倦以及神经系统损害(感觉迟钝、四肢瘫痪等)。

防治硒中毒主要原则是减少人畜对硒的过量摄入或增加硒的拮抗剂，减轻具毒性反应。途径主要有治理土壤、减少植物对硒的利用。人则应改变饮食或脱离高硒环境，动物更换饲料或加拮抗剂。此外，高蛋白饮食、亚麻子油可降低硒的毒性作用，大剂量维生素E、维生素C能加速硒的排泄，硫酸盐、砷化合物均可降低硒的毒性作用。

(5)供给量与食物来源　由于不同地区居民饮食习惯和水土条件不同，硒摄入量差异很大，目前尚无统一标准。2000年中国营养学会建议我国不同人群硒的RNI分别为：0～0.5岁为15μg/d、0.5～4岁为20μg/d、4～7岁为25μg/d、7～11岁为35μg/d、11～14岁为45μg/d、14岁以上为50μg/d、乳母为65μg/d。

海产品和动物内脏是硒的良好食物来源，粮食中含硒明显高于蔬菜，动物性食品中内脏含硒 明显高于肌肉。表1－24为常见食物含硒量。

表1－24　常见食物含硒量

品种	硒/(μg·g－1)	品种	硒/(μg·g－1)	品种	硒/(μg·g－1)
白面粉	0.192	鲜蘑菇	0.130	牛肉	0.119
全麦粉	0.636	鲜蒜	0.250	牛肾	1.55
大麦	0.659	鲜青椒	0.007	猪肉	0.239
玉米	0.206	鲜白土豆	0.004	猪肾	1.89
精米	0.318	鲜西红柿	0.005	羊肉	0.178
糙米	0.387	鲜萝卜	0.007	羊肾	1.42

在缺硒地区，可适合口服亚硒酸钠、酵母、硒蛋氨酸、高硒鸡蛋等含硒制品，针对性地通过施肥加硒方式，提高粮食中的含硒量，都是区域性补硒的较好方式。

8. 氟

(1)概述　正常人体内含氟总量为2.6g，主要存在于骨骼和牙齿中，少量分布在毛发、指甲及其他组织。体内氟含量与地质和膳食中氟的水平有关，高氟地区人群体内的氟含量高于一般地区。

(2)氟的生理作用　氟是机体不可缺少的微量元素之一。它的生理功能主要在于：

① 氟与生长发育和繁殖有关。适量氟对哺乳动物的生长发育是必要的。有资料指出，当小鼠饲料含氟小于0.005mg/kg时，动物生长发育迟缓，生殖力下降，甚至不育，补充一定量氟后，可恢复其生长发育和生殖力。也有报道指出，雌鼠缺氟时，生长发育减慢，寿命缩短。

② 氟与骨骼代谢有关。机体正常的钙磷代谢离不开适量氟。在一定的 pH 条件下，氟有助于钙和磷形成羟基磷灰石，促进成骨过程。

③ 防龋齿作用。在牙釉质大部分矿化后，氟仍能取代羟基磷灰石的羟基，形成氟磷灰石，参与牙釉的晶格结构，在牙表面形成氟磷灰石保护层，提高牙齿强度，增加了牙釉质的抗酸能力。另外是氟能抑制糖酵解，可减少细菌产酸，在一定程度上起到防龋作用。

(3)氟的吸收与代谢

① 氟的吸收　氟主要在胃及小肠吸收，氟几乎是唯一在胃中吸收的元素。氟在消化道的吸收速度很快，进入胃肠的氟几分钟便开始吸收，10min 进入血液，90min 可全部吸收。

② 影响氟吸收的因素　氟的吸收首先取决于本身的溶解度，溶解度高的氟化物(如 NaF、HF 等)易吸收，而难溶性氟化物(CaF_2、磷灰石等)吸收率较低。食物中某些元素如钙、镁、铝等可影响氟的吸收。此外，食物中蛋白质和维生素 C 的含量均影响氟的吸收。已证明在蛋白质缺乏、维生素 C 不足时，可增加氟的吸收量;反之，食物富含蛋白质、维生素 C 时，氟的吸收量下降。而脂肪增加，则可使氟的滞留时间延长，吸收率大大增加。

③ 氟的代谢　随着氟的不断吸收，血氟很快升高，但在骨骼、肾脏双重作用下，血氟很快恢复到一个适当水平。吸收后的氟小部分进入软组织，大部分进入骨质及牙齿组织。

骨骼是机体主要的氟贮存组织，体内 90% 的氟存贮于骨质之中，进入骨质中的氟取代原来磷灰石中的羟基，使之变为氟磷灰石。

$$Ca_1O(PO_4)6(OH)_2 —— 2F \rightarrow Ca_1O(PO_4)_6P_2 + 2OH^-$$

④ 氟的排出。消化道未经吸收的氟经粪便排出，吸收后的氟主要从肾脏排出，汗液排出的甚少。尿氟的排出与肾血流量、肾小管重吸收以及尿液 pH 有关。肾小管对氟的重吸收约 46% ~77%，低于 $C1^-$(99.5% 以上)，因此，一般情况下，氟是比较容易排泄的。当然肾脏有实质性病变时，清除氟能力减弱，可使氟在体内贮存增加。

(4) 氟缺乏与过量　人类缺氟的一个重要表现是龋齿和老年性骨质疏松症。水氟太高或经其他途径进入体内氟过多时，可引起氟中毒，急性氟中毒主要由于职业性接触所致。慢性氟中毒多为地方性氟中毒，长期吃高氟土壤上种植的粮食和长期饮高氟茶或长期吃含品，均可引起慢性氟中毒。氟中毒对骨骼的影响是引起氟骨症，其 X 射线表现主要有骨硬化、骨疏松、骨软化和骨周病变。表现为腰腿及关节疼痛、脊柱畸形、骨质软化和骨质疏松。

氟中毒也影响牙齿的发育，临床上出现氟斑牙。表现为牙釉质开始呈不透明的白垩状斑点或条纹，严重时整个牙齿呈混浊白色。继此，牙表面出现黄色、棕色或黑色斑点或条纹，乃至整个牙齿表面着色。

(5) 氟的供给量与食物来源　2000 年中国营养学会建议我国不同人群氟的 A1 分别为:0 ~0.5 岁为 0.1mg/d，0.5 ~1 岁为 0.4mg/d，1 ~4 岁为 0.6mg/d，4 ~7 岁为

0.8mg/d，7～11 岁为 1.2mg/d，11～14 岁为 1.4mg/d，14～18 岁为 1.5mg/d，18 岁以上为 1.5mg/d。

除茶叶、海鱼、海带、紫菜等少数食物含氟较高外，一般食物含氟较低，饮用水是氟的重要来源。根据平均每人 2L 水，我国定为 1.0mg/L 水。

9. 铬

(1) 概述　人体含铬总量为 5～10mg，骨、大脑、肌肉、皮肤和肾上腺中的铬含量较高，一般组织中的铬含量随年龄增长而下降。

(2) 铬的生理功能　铬有二、三、四、五、六价化合物形式，其中只有二价铬才有生理活性，二 价格可氧化三价铬，四、五、六价铬无生理活性，且六价铬有毒。成人体内含三价铬总量约 5～ 10mg，分布广泛，但在各种组织中的浓度都很低，不过核蛋白中的铬浓度较高。

铬作为人体的一种必需微量元素，具有多方面的生理生化功能：

① 铬是葡萄糖耐量因子(GTF)的组成成分　葡萄糖耐量因子可认为是一种激素，它是一种水溶性的低相对分子质量含铬配合物。GTF 可促进升高的血糖降回到正常值。实验证明，铬作用于细胞膜上胰岛素的敏感部位。GTF 与胰岛素、膜受体间形成二元配合物而发挥作用，但这种配合物的真实性尚需证明。

② 铬促进机体糖代谢的正常进行，胰岛素是一种多肽激素，最显著的功能是降低血糖。此外还能抑制脂肪分解、促进蛋白质合成和加速葡萄糖的有氧分解代谢。铬作为一种"协同激素"能协助或增强胰岛素的生理作用，影响体内所有依靠胰岛素调节的生理过程(包括糖类、脂肪和蛋白质的代谢等)，在胰岛素的存在下，铬还能加强眼球晶状体对葡萄糖的吸收，促进利用葡萄糖合成糖原的过程。

③ 铬能促进机体脂代谢的正常进行　人体补充富铬酵母可显著地改善葡萄糖耐量，有助于维护血清胆固醇和甘油酯的正常水平，而缺铬可能会影响脂肪酸和胆固醇的合成或者清除，从而引起脂代谢方面的失调或紊乱。

④ 铬是核酸类物质的稳定剂和某些酶的激活剂　铬能激活某些参与体内糖类、脂肪和蛋 白质代谢的酶，铬也能协同某些必需元素来稳定核酸的结构，以防止其受破坏。

(3) 铬的供给量与食物来源　人体每日由尿排出三价铬约 5μg，食物中铬的平均利用率为 10%～25%，故每日供给 20～50μg 铬即能满足需要。考虑到成人每日摄入铬的实际量为 0.05～0.12mg。加上安全界限，美国推荐的供给量为 0.05～0.2mg，中国营养学推荐 1～6 个月婴儿铬的 AI 为 10μg/d，7、12 个月为 15μg，1～3 岁为 20μg/d，4～10 岁为 30μg/d，11～ 17 岁为 40μg/d，成人为 50μg/d。

铬的良好来源是啤酒酵母、肉与肉制品、乳酪及全谷。影响食物中铬含量的因素有：土壤铬含量的高低；谷物加工精度，精度越高，铬含量越低；生物富集能力强弱，海洋水生动植物对铬有强富集作用，因此含量也丰富。

1.7 维生素

1.7.1 概述

1. 维生素分类、命名及性质

维生素是一大类化学结构、理化性质和生理功能各不相同，只存在于或主要存在于天然食物中的一类微量的低分子有机化合物。大多数维生素在体内不能合成，也不能大量贮存于机体组织中；虽需要量甚微，但却不可缺乏。在营养生理特点上它们既不提供机体热能，也不参与机体构成；每种维生素都具有各自特有的生理功能，不能相互取代。缺乏任何一种维生素都能引起相，应的维生素缺乏症，并可应用该维生素作药物进行治疗。

维生素的命名方法是按照其发现次序以英语字母顺序命名的，如维生素 A、B、C、D、E 等（但维生素 K 是按其营养功能名称的第一个字母命名的），这可能是目前使用最广泛的命名方法。另外，有按其化学结构命名（如视黄醇、硫胺素、核黄素、生育酚等）和按其特有生理功能或治疗作用命名（如抗癞皮病因子、抗坏血酸、抗干眼病因子等）的方法，虽有人主张应根据不同目的分别使用不同命名，但迄今并无严格规定，往往三种命名混用。

根据维生素的溶解性将其分为脂溶性和水溶性维生素两大类。脂溶性的有维生素 A、D、E、K；水溶性的则有维生素 B 族（包括维生素 B_1、B_2、B_6、B_{12}，烟酸，泛酸，叶酸，生物素，胆碱）和维生素 C。两类维生素有许多不同特点。

（1）化学组成上脂溶性维生素只含有碳、氢、氧，而水溶性维生素除这三种元素成分外，尚含有氮，维生素 B_{12} 中还有金属钴。

（2）脂溶性维生素在脂肪存在的情况下吸收良好，任何增加脂肪吸收的因素都可促进其吸收；而水溶性维生素吸收则比较简单。

（3）脂溶性维生素大部分储存在脂肪组织（尤其是定脂）中，大部分随胆汁排泄，故过量食用可致蓄积性中毒；而水溶性维生素则极少在体内储存，且需不断从饮食中补充，否则易致缺乏。

（4）脂溶性维生素多具有结构与之相类似的物质，显示相同或相似的生理作用；或具有相应的维生素原，如维生素 A 原和维生素 D 原，在体内可转化成维生素。而在水溶性维生素中，这两种情况则极少见。

许多因素可致机体维生素不足或缺乏而引起代谢异常。常见的原因有：

① 膳食中供应不足　膳食中维生素含量取决于食物中原有的含量以及收获、加工、烹调和贮藏时丢失和破坏的程度。食物加工过程中导致维生素损失的因素主要有氧化、加热（包括温度和时间）、金属离子的存在、pH、酶的作用、照射（光或电离辐射）等及其复合作用，当然食物的加工前因素如食品原料的品种、成熟度、生长的土壤肥料气候光照条件、采

收及贮运条件以及动物的饲养管理及宰后处理等也会导致维生素含量下降。膳食供应不足的其他原因还有由于营养知识缺乏而选择食物不当、偏食、宗教禁忌等。

② 人体吸收利用率降低　可由于消化系统功能障碍如慢性腹泻、消化道寄生虫感染、消化液分泌障碍等;食物中天然存在的抗维生素物质或食物成分改变是影响维生素人体吸收利用率降低的另一大类因素。

③ 维生素需要量的相对增高　维生素的需要量因人而异，也因人的生理状况、疾病及所处环境而改变，迅速生长的儿童对维生素的需要量高于一般成年人，妇女在孕期及哺乳期也需要更多的维生素。食物成分改变对维生素的相对需要量也会发生改变，如食物中糖类增多则需要更多的硫胺素，而蛋白质的增加对吡哆醇和核黄素的需要量相应增加。其他因素还有感染、疾病、服用某些药物(如异烟肼)等也增加维生素的需要量。

机体维生素缺乏是一个渐进性过程。首先出现的是维生素体贮的耗尽，继之由于辅酶的缺乏而引起细胞代谢异常，最后才出现典型的维生素缺乏症和组织损伤。故轻度缺乏某种维生素时常呈亚临床状态，表现对疾病抵抗力降低，劳动效率低下等非特异性表现。就我国目前营养水平，主要表现的是亚临床型维生素缺乏症，应特别予以注意。

虽然维生素缺乏尤其是亚临床缺乏比较常见，但某些情况下维生素过多的问题亦应受到高度的重视。由于水溶性维生素很难在组织中大量蓄积，故其毒副作用罕见;但脂溶性维生素可在体内蓄积至较高水平而导致机体中毒。因此要注意某些含维生素丰富的食物的过量摄入，特别应注意维生素制剂的合理服用，不能盲目扩大剂量和延长使用期。

天然食品中除维生素外，还有一些抗维生素物质或类维生素物质。前者会降低维生素的生物利用率或阻止其发挥正常生理作用，一般可通过加工处理使之灭活;后者活性极似维生索，如生物类黄酮、泛醌(CoQ)、硫辛酸、肌醇、牛磺酸等，曾被列入 B 族维生素中，但对它们的生理作用研究还在进一步探讨中。

2. 维生素在食品加工和贮存中的变化

各种食品原料在食用前都要经过清洗和整理一般很少有维生素的损失，但当有挤伤或切后再洗时，易引起水溶性维生素的流失。大部分水溶性维生素在酸性环境中比较稳定，在碱性条件下不稳定，不耐热和光。因此，这类维生素可以在适当的酸性条件下保存，如在凉拌菜中加入醋可以减少维生素 C 的损失。

氧化剂的存在可以直接使维生素 C、维生素 A、维生素 E 分解加速，同时也间接影响其他维生素，因此食品在保存时最好避免与氧气接触。包装避光保存通常是简单有效的方法。

1.7.2 食品中重要的维生素

1. 维生素 A 与胡萝卜素

(1) 理化性质　维生素 A 又名视黄醇或抗干眼病维生素，是指所有具有视黄醇结构并具有其生物活性的一大类物质，它包括已经形成的维生素A和维生素A原以及其代谢产物。主要有来自于动物性食品的维生素A_1（主要存在于动物肝脏）和维生素A_2（即3－脱氢视黄醇，生物活性约为维生素A_1的40%，主要存在于淡水鱼类），来自于植物性食品的β－胡萝卜素（β－carotene）及其他类胡萝卜素。食物中维生素A多以软脂酸酯的形式存在。在体内视黄醇经酶促转化形成视黄醇或视黄醛。视黄醛与视黄醇可互变，都具生物活性，但一旦形成视黄酸就失去生物活性，也不能再形成视黄醛。

维生素A与胡萝卜素溶于脂肪及有有机溶剂而不溶于水。天然食物中的维生素A对酸和碱相对稳定，一般的烹饪和罐头加工不易使之破坏。在日光和空气中，特别在高温条件下，维生素A顺次按醌、醇、醛、酸的形式氧化而破坏。食物中的维生素A在－20℃以下避光保存时很稳定，但植物性食物中的类胡萝卜素在同样条件下则易遭破坏。当食物中含有磷脂、维生素E及维生素C或其他抗氧化物质时，维生素A及胡萝卜素均较稳定。当脂肪氧化酸败时可造成严重破坏。

（2）吸收与代谢　摄入的维生素A（维生素A酯）及胡萝卜素在肠中与胆盐及脂肪消化产物一起乳化后被肠黏膜吸收。植物组织中的各种类胡萝卜素在肠黏膜上皮细胞裂解成视黄醛，进而被转化成维生素A。其中β－胡萝卜素最重要，可形成二分子等效的维生素A，其他胡萝卜素如α、γ等只能形成一分子维生素A。将这些能产生维生素A活性的类胡萝卜素称为维生素A原。见表1－25。

不同个体对类胡萝卜素的利用有差别。吸收率受很多因素的影响。胆汁、食用脂肪、抗氧化剂如维生素E及卵磷脂等因素均有利于维生素A的吸收；食物蛋白质的质量及数量是影响胡萝卜素转化的一个重要因素，这可能是食物蛋白质摄入量低的人群维生素A易缺乏的一个原因。肠道寄生虫感染、使用矿物油可降低维生素A的吸收率。维生素A吸收率明显高于胡萝卜素，且后者与摄入量呈反比。

吸收的维生素A经淋巴系统进入血液而入肝脏。而食物中的胡萝卜素则先转化为视黄醇后酯化，以维生素A酯形式在淋巴系统与乳糜微粒结合而进入血液并输运至肝脏贮存。维生素A酯在肝实质细胞表面水解生成视黄醇，进入细胞后再酯化。人体内维生素A的90%贮存于肝脏中，贮存总量随年龄增长而递增，据估计成人肝脏中的维生素A量可满足4～12个月需要，但婴儿和儿童缺少这样的贮存能力，故他们对维生素A缺乏特别敏感。

影响贮存量的因素有：① 摄入量；② 机体贮存与释放效率；③ 膳食成分；④ 机体生理状况等。

维生素A从肝脏中转移出来，视黄醇与特异性视黄醇结合蛋白（RBP）相结合，通过血液转运到外周组织供代谢需要。

表 1-25　　一些类胡萝卜素的结构和维生素 A 原活性比较

名　称	结　构	相对活性
β-胡萝卜素（广泛分布）	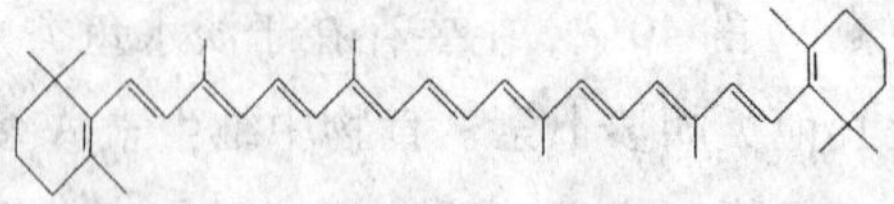	++++
β-阿朴-8′-胡萝卜素醛	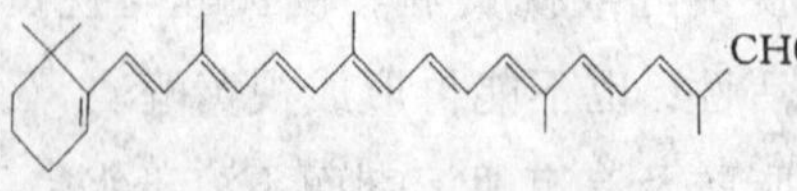	+++
隐黄质（橙）	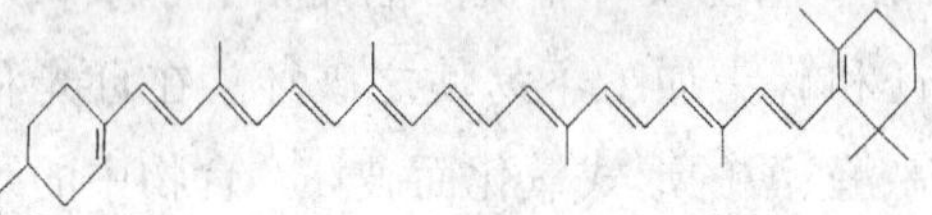	+++
α-胡萝卜素（广泛分布）	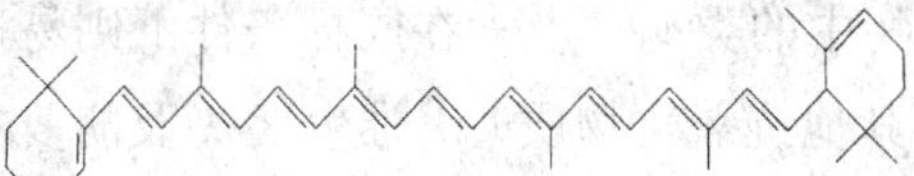	++
海胆酮（海胆）	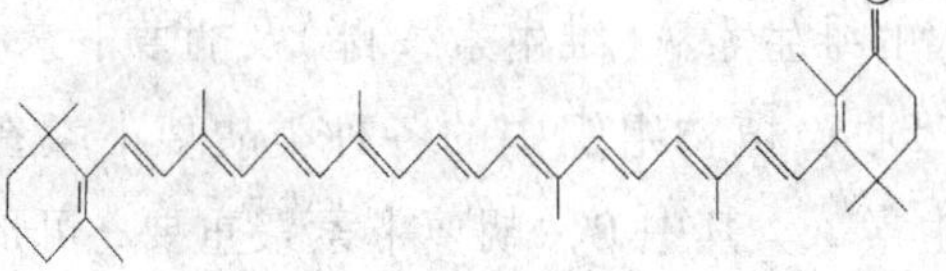	++
虾红素（甲壳类动物）	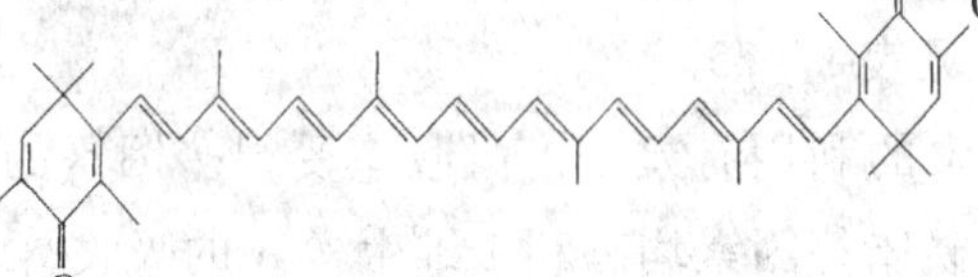	0
番茄红素（番茄）	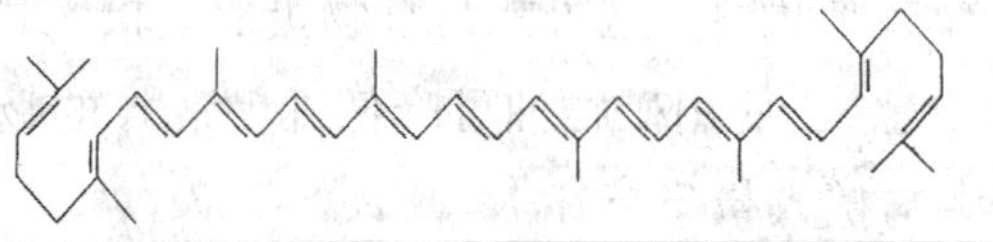	0

(3) 生理功能　维生素 A 在体内主要是参与维持膜的结构与功能，因此，它与正常生长发育、生殖、视觉及抗感染有关。

① 视觉　维生素 A 是视觉细胞内感光物质的组成成分。视网膜中有两种高度特异的感光细胞：感受强光（明视）的锥体细胞和感受弱光（暗视）的杆状细胞。两者的感光物质不同，前者为视紫兰质，后者为视紫红质。它们的差别仅在视蛋白部分，辅基则完全相同，均为 11-顺视黄醛。当光线刺激杆状细胞时，视紫红质中的 11－顺视黄醛异构成全反式视黄醛而产生光觉，随后视蛋白与之相解离，视紫红质分解失活。形成的全反式视黄醛，在暗环境中与视蛋白重新结合形成视紫红质，在暗光下恢复视觉，这一过程称为暗适应；大部分的全反式视黄醛则先还原成视黄醇，与血液中的维生素 A 一道循环并转运至肝脏，异构化为 11-顺视黄醇，然后返回视网膜重新氧化为 11－顺视黄醛，再与视蛋白结合，重新合成视紫红质，完成视紫红质的视觉循环。缺乏维生素 A 时，由于血液供应的视黄醇短缺，杆状细

胞内合成的视紫红质减少，出现暗适应能力降低或夜盲症。

② 维持上皮细胞的完整和健全　维生素 A 对维持上皮组织的健全十分重要，维生素 A 营养良好时，人体上皮组织黏膜细胞中的糖蛋白的生物合成正常，分泌黏液正常，缺乏时上皮不分泌糖蛋白，导致上皮细胞萎缩，皮肤干燥、粗糙，毛囊角化，汗腺和皮脂腺萎缩。

③ 促进骨骼和牙齿发育　维生素 A 缺乏可使破骨细胞数目减少，成骨细胞功能失控，并导致骨膜骨质过度增生，骨腔变小，并压迫周围组织，产生神经压迫症状；同时，牙齿的珐琅保护层出现裂纹和凹陷。发挥此作用的为视黄酸而非视黄醛。

④ 清除自由基　胡萝卜素有很好的抗氧化作用，能通过提供电子抑制活性氧的生成，达到清除自由基的目的，使得它在延缓衰老、防治心血管疾病和肿瘤方面发挥作用。

⑤ 增强生殖能力　研究表明，维生素 A 对维持精子产生、性激素的合成和分泌有重要作用。精子所含的多种酶活力受维生素 A 影响，足够的维生素 A 将保证精子的浓度与活力，供应不足会造成生精作用停止、精子死亡、睾丸萎缩、流产率升高等。

(4)缺乏与过量　维生素 A 缺乏的最早症状是暗适应能力下降，严重时可导致夜盲症，在暗光下无法看清物体。由于角膜、结膜、上皮组织、泪腺的退行性变化，致角膜干燥、发炎、软化、溃疡、角质化等一系列变化；在球结合膜出现泡状银灰色斑点(Bitot 斑)，角膜损伤严重时可致不可逆转的失明，称之为干眼病。

除眼部表现外，维生素 A 缺乏还可出现上皮组织分化不良，皮肤有干燥、粗糙、鳞片状等角化变化，尤以臂、腿、肩、下腹部皮肤为著。口腔、消化道、呼吸道和泌尿生殖道黏膜失去滋润、柔软性，细菌易侵入感染，尤其是儿童易发生支气管肺炎等严重疾病；肾小管上皮细胞脱落形成肾结石、膀胱结石等。另外，维生素 A 缺乏还引起儿童生长发育受阻，味觉、嗅觉功能减退，食欲下降等。

若大量摄入维生素 A，由于其排泄率不高，也可在体内蓄积而引起中毒，但大量摄入胡萝卜素对健康无害，因为胡萝卜素不能迅速转化为维生素 A，且随着摄入量的增加转换系数降低。但过量胡萝卜素摄入会使皮肤变黄，影响容颜，故使用胡萝卜素口服液时要注意。

维生素 A 毒性的主要表现有；① 由于破骨细胞活性增强，导致骨脱钙、脆性增加、生长受阻、长骨变粗及关节疼痛。② 皮肤干燥、发痒、鳞样皮疹、脱发等。③ 易激动、疲乏、恶心、呕吐、腹泻、肌无力、肝脾肿大、黄疸等。④ 血液中血红蛋白和钾水平下降，凝血时间延长，易出血。⑤ 维生素 A 已是一种确认的致畸原。孕妇在妊娠早期大量摄入维生素 A(如大量食用猪肝)娩出畸形儿的相对危险度为 25.6。成年人每天摄入 22500 ~ 150000μgRE，3 ~6 个月后可出现中毒；婴儿日剂量为(7.5 ~ 30) × 10^4IU(22500 ~ 90000μgRE)可致急性中毒。维生素 C 可解除维生素 A 毒性的影响。停止过度摄入维生素 A 即可迅速彻底地康复，有时中毒症状 72h 内消失。

(5) 供给量与食物来源　维生素 A 的活性过去用“国际单位(1U)”表示，现改为“视黄醇当量(RE)”，二者换算方法为：

1IU 维生素 A =0.3/μgRE

1μg 视黄醇 =1.0μgRE

1μgβ－胡萝卜素 =0.167/μgRE

1μg 其他维生素 A 原类胡萝卜素 =0.084μgRE

膳食中总视黄醇当量 = 维生素 A(1U) ×0.3 + β－胡萝卜素(μg) ×0.167 + 其他维生素 A 原类胡萝卜素(μg) ×0.084

我国居民膳食维生素 A 的推荐摄入量(RNl)成人男子为 800μgRE，女子为 700μgRE，可耐受最高摄入量(UL)成人为 3000/μgRE，其他人群详见表 5－1，表 5－2，表 5－3。

我国人民膳食中维生素 A 的主要来源为胡萝卜素。考虑到胡萝卜素的利用率很不稳定，曾建议供给量中至少 1/3 为来自动物性食品的视黄醇，约为 266/μgRE，其余 2/3 为 β－胡萝卜素。

还需注意，胡萝卜素的吸收效率及在体内的转换系数与日摄入量呈反比关系。

表 1－26　部分天然食品中的维生素 A 及胡萝卜素的含量

食物名称	维生素 A [μg·(100g)$^{-1}$]	胡萝卜素 [μg·(100g)$^{-1}$]
胡萝卜(红)	688	4130
萝卜缨(小，红)	118	710
菠菜	487	2920
冬寒菜	1158	6950
芹菜(叶)	488	2930
番茄	92	550
橘(早橘)	857	5140
牛肝	20220	
羊肝	20972	
猪肝	4972	
鸡肝	10414	
鸡蛋黄	438	
鸭蛋黄	1980	
奶油	1042	

胡萝卜素的良好食物来源为各种有色(红、黄、橙)蔬菜，如菠菜、柿子、苜蓿、豌豆苗、红心甜薯、胡萝卜、南瓜等。维生素 A(视黄醇)的良好来源则是动物性食物，尤其是动物肝脏、肾脏、鸡蛋、鱼卵、全奶及其制品等。见表 1－26。

2. 维生素 D

(1) 理化性质　维生素 D 为一组存在于动植物组织中的类固醇的衍生物，有抗佝偻病作用，故又称为抗佝偻病维生素。以维生素 D_2 和维生素 D_3 最常见，二者都具有维生素 D 生理活性，其基本结构均为环戊烷多氢菲。麦角固醇和 7－脱氢胆固醇分别是维生素 D_2 和维生素 D_3 的前体(provitamin D)。麦角固醇存在于植物油和酵母等中，不能被人体利用，但也可经日光或紫外线作用下转变为维生素 D_2。在机体内 7－脱氢胆固醇贮存于皮下，经日光或紫外线（300nm）照射，即可转变为维生素 D_2，因此有效的日光浴是预防维生素 D 缺乏的重要方法。人体和哺乳动物对维生素 D_2 与维生素 D_3 的利用并无差别。

维生素 D 溶于脂肪及有机溶剂，对热、碱较稳定，130℃加热 90min 仍保持其活性。但在酸性环境中可被逐渐分解，故一般的食品加工、贮藏、烹饪过程不影响其生理活性。

（2）吸收、代谢与排泄　人类可从两个途径获取维生素 D，即从食物中摄取和皮肤内由维生素 D 前体经日照形成。

人体的表皮和真皮内含有一定量的 7 - 脱氢胆固醇，在阳光和紫外线照射下经光化学反应形成前维生素 D_3，约再需 3 天依靠体温作用即可缓慢地转变为维生素 D_3；然后借助血浆中的维生素 D 结合蛋白（DBP）将形成的维生素 D_3 从皮肤输送至循环系统，到肝脏经代谢后为机体利用。

经口摄入的维生素 D 在小肠（主要是空肠、回肠段）与脂肪一起被动吸收进入小肠黏膜细胞，胆汁促进其吸收。吸收后的维生素 D 与乳糜微粒结合，或与 DBP 结合被转运至肝脏。

吸收并转运至肝脏的维生素 D_3，在肝细胞内质网上由 25—羟化酶催化形成 25—（OH）—D_3，与 α - 球蛋白（维生素 D 运输蛋白）结合输送至肾脏，在肾细胞线粒体 1—羟化酶（单加氧酶，MFMO）作用下形成 1，25—$(OH)_2$—D_3。这两步酶促反应均需 NADPH、Mg^{2+} 及 O_2 参与，所形成的 1，25—$(OH)_2$—D_3，是维生素 D 的活性形式，维生素 D 的生理功能皆由其完成。血钙偏低、甲状旁腺素（PTH）、降钙素、催乳素都可促进其合成。

肾脏形成的 1，25—$(OH)_2$—D_3 经转运进入肠黏膜上皮细胞，诱导钙结合蛋白促进钙的主动吸收；还可直接作用于肾，促进肾小管对磷酸盐的主动吸收以减少磷的损失。佝偻病患儿早期尿磷增高，原因即在于此。

维生素 D_3 主要贮存于脂肪组织中，肝中较少，贮存量小于维生素 A。其主要排泄途径为转化成极性较强的物质，后者与葡萄糖醛酸结合后随胆汁排泄，极少经由尿液排泄。

（3）生理作用　1，25—$(OH)_2$—D，作用于小肠、骨骼、肾脏等靶器官，在甲状旁腺素共同作用下，维持血钙水平。当血钙水平低下时，可促进肠道主动吸收钙、肾脏对钙的重吸收以及从骨中动员钙；当血钙过高时，促使甲状旁腺产生降钙素，增强骨骼钙化，并增加钙、磷从尿中排泄。维生素 D 促进骨、软骨及牙齿的矿化，并不断更新以维持生长。此外维生素 D 对防止氨基酸从肾脏丢失及体内柠檬酸水平下降也有重要作用。可见维生素 D 的作用更像激素，且因其也能自身合成，故已有多数人认为其为激素而非维生素。

（4）缺乏与过量　膳食供应不足或人体日照不足是维生素 D 缺乏的两大主要原因。常年日照充足、户外活动正常，一般不易发生维生素 D 缺乏。在光照少的高纬度地区特别是多雨多雾地区，或严重空气污染而影响紫外线照射的地区生活的人群；或户外活动少，衣着较多，地下工作时间较长的人群因光照不足；或小儿喂养不当，出生后快速生长的早产儿及多胎儿中，可能会患维生素 D 缺乏症。膳食中其他成分如无机盐（Ca、Mg、P）水平，维生素 A、维生素 C 含量等也与维生素 D 缺乏有关。某些疾病，特别是肠吸收障碍者因维生素 D 吸收减少也可能表现维生素 D 缺乏。

维生素 D 缺乏引起钙、磷吸收减少，血钙水平下降，骨骼钙化受阻，致使骨质软化、变形，而在婴儿出现佝偻病，成人发生骨质软化和骨质疏松症。

① 佝偻病　维生素 D 缺乏时，骨骼不能正常钙化而致骨骼变软和弯曲变形。临床上表现为肋骨和肋软骨连接处膨大，形成“肋骨串珠”；胸骨外突（“鸡胸”）；婴儿囟门闭合迟缓，颅骨变形，腿或脊柱弯曲等。我国儿童佝偻病发病率还很高，各地发病情况不同，北方高于南方。

② 骨质软化症　成人尤其是孕妇、乳母和老人，因维生素 D 缺乏而使已成熟的骨骼脱钙，表现骨软化、易变形，最先且最严重发生变化的部位是骨盆部和下肢，初期表现腰背、腿部不定位的疼痛，活动时加剧。孕妇骨盆变形可造成难产。

③ 骨质疏松症　老年人因肝肾功能下降，消化吸收功能减退，户外活动减少，维生素 D 营养水平常常低下，因此，常因骨质疏松引起骨折。

④ 手足抽搐症　缺乏维生素 D，钙吸收不足，甲状旁腺功能失调或其他原因造成血清维生素 D 水平降低时可引起手足抽搐症，表现为肌肉痉挛、小腿抽筋、惊厥等。

长期过量摄入维生素 D 会因为维生素 D 在体内蓄积而导致维生素 D 过多症。维生素 D 过量可导致钙吸收严重增加，血钙过高，钙在软组织大量沉积。轻度中毒表现厌食、恶心、呕吐、烦躁、便秘等，在儿童还可导致智力发育不良。

（5）供给量与食物来源　因为皮肤形成的维生素 D_3 的量变化较大，并且维生素 D 供给量与食物钙、磷的供给量相联系，故维生素 D 的最低需要量很难确定。当钙、磷摄入量适宜时，儿童、少年、孕妇、乳母和老人维生素 D 的 RNI 为 10μg/d，16 岁以上成人为 5μg/d。维生素 D 的 UL 为 20μg/d。

维生素 D 主要存在于动物性食品和鱼肝油中，其中尤以海鱼的肝脏中含量最丰富。另外，适当日光浴也是人体获取维生素 D 经济有效的途径。人奶、牛奶中维生素 D 含量并不高，因此对婴儿用鱼肝油补充维生素 D 十分必要。

3. 维生素 E

（1）理化性质　维生素 E 又名生育酚，是指含有苯丙二氢吡喃结构，具有 α－生育酚生物活性的一类化合物的总称，可分为生育酚和三烯生育酚两大类。共有 8 种化合物，即 α－、β－、γ－、δ－生育酚和。α－、β－、γ－、δ－三烯生育酚，其中以 α－生育酚的生物活性最高，其他生育酚具有 α－生育酚生物活性的 15%～50%。

α－生育酚为黄色油状液体，溶于乙醇、脂肪及脂溶剂，对酸及热稳定，但对碱不稳定。对氧非常敏感，极易氧化，尤其是在光照及加热、碱及铁或铜等微量元素存在的情况下，故是极为有效的抗氧化剂。脂肪酸败加速维生素 E 的破坏。食物中的维生素正在一般烹饪加工时虽损失不多，但高温及油炸可使其活性大量丧失。

（2）吸收与代谢　维生素 E 的吸收需脂肪的存在，也必须借助胆汁才能从油脂溶液中吸收。但亚油酸的存在却降低维生素 E 的吸收。维生素 E 的吸收率个体间差异较大（20% ~80%）。在摄入量为 5 ~15mg/d 时吸收率约为 50%，但当摄入量进一步增加时，吸收率反而降低。维生素 E 经小肠吸收后通过淋巴进入循环，并附着在低密度脂蛋白（LDL）上运输。但在女性由 LDI 较高密度脂蛋白（HDL）运输为多。血浆中维生素 E 浓度随血浆脂质含量而变化，而组织摄取维生素 E 则直接与食入量的对数成比例，这是维生素 E 吸收过程的一个特点。脂肪组织、肝和肌 肉是维生素正在体内的主要贮存场所，身体的其他组织也都贮有少量维生素 E；当膳食维生素 E 不足时，机体首先从血液和肝脏获取，一般骨骼肌、心肌中的维生素 E 易被动用，脂肪组织中的消耗慢，细胞膜上维生素 E 则不易变动。维生素 E 主要经由胆汁而排泄。

（3）生理功能　维生素正在体内有多种生理功能，但主要是抗氧化功能。

① 抗氧化作用　维生素 E 最基本的生物学作用是作为强抗氧化剂而抑制生物膜上多不饱和脂肪酸的氧化，使其免受自由基的损伤，且还可与过氧化物反应使其转变为对细胞无毒性的物质。它与其他抗氧化物质以及抗氧化酶包括超氧化物歧化酶、谷胱甘肽过氧化物酶等一起构成体内抗氧化系统，维持膜的完整性。

维生素 E 可防止维生素 A、维生素 C 和 ATP 等的氧化；维生素 E 还可抑制含硒蛋白、含铁蛋白等的氧化，保护脱氢酶的巯基不被氧化或不与重金属离子发生化学反应而失去活性；维生素 E 还可作为食品抗氧化剂，保护食品中不饱和脂肪酸及维生素 A 不被氧化。

此外，对老年动物给予维生素 E 后可消除脑细胞中的过氧化脂质，并可改善皮肤弹性、延迟性腺萎缩，因此维生素 E 可能在延缓衰老方面具有一定的作用。

另外，维生素 E 作为酸性环境下快速的亚硝基离子破坏剂，阻断胃中亚硝胺的合成可能较维生素 C 更有效。

② 保持红细胞的完整性　人类膳食长期维生素 E 供应不足，会导致红细胞数量减少，脆性增加，生存时间缩短。维生素 E 还可抑制磷酯酶 A_2 的活性，减少血小板血栓素 A_2 的释放，从而抑制血小板凝集，降低心肌梗死和脑卒中的危险性。

③ 维生素 E 与硒的相互关系　硒和维生素 E 都能保护细胞免受过氧化物的伤害，但二者作用机制不同。硒作为谷胱甘肽过氧化物酶的组成成分而定位在细胞液中，将细胞浆中的过氧化物破坏，而维生素 E 则位于细胞膜上，这就是维生素 E 与硒能部分相互替代生理功能的原因所在。另外有证据表明，维生素 E 与硒能共同保护细胞核和染色体不受致癌物的伤害。

④ 与生殖机能有关　缺乏维生素 E 的雄性动物精子形成被严重抑制，雌性动物不能生育，而不影响雄性激素的产生和雌性激素的分泌，也不能肯定其与人类不育有必然联系，但临床上常用维生素 E 治疗先兆性流产和习惯性流产。

（4）缺乏与过量　维生素 E 缺乏症极少发生于人类，这是因为：① 维生素 E 的食物来源广泛。② 维生素 E 几乎贮存于机体各个组织器官。③ 维生素正在体内存留时间较长，不易排泄。但在有些肠道吸收障碍、长期维生素 E 摄入不足、早产儿、人工喂养婴儿中确有溶血性贫血的发生。可用维生素 E 治疗，使血红蛋白恢复到正常水平。

维生素 E 的毒性较维生素 A 和维生素 D 低。过量的维生素 E(0.8 ~3.2g) 随粪便排出，可能会有短期胃肠不适、皮炎及疲劳。但在婴幼儿，过量摄入维生素 E 可能使坏死性小肠结肠炎发生率明显提高。

(5) 供给量与食物来源　维生素 E 的单位可用。α－生育酚当量(α－TE)来表示，即 1mgα－TE 的活性。我国居民膳食维生素 E 适宜摄入量(A1)成人为 14mgα－TE/d，可耐受最大摄入量(UL)成人为 800mgα－TE/d，其他人群详见表 5－1，表 5－2，表 5－3。

维生素 E 主要存在于各种油料种子及植物油中，麦胚中含量甚高，坚果、绿叶蔬菜、肉鱼、蛋、奶和蔬菜水果中含量很少(表 1－27)。但维生素 E 不稳定，在加工、储存和制备食物时相当一部分维生素 E 因氧化而损失。

表 1－27　部分天然食品其维生素 E 的含量

食物名称	维生素 E 含量[mg.(100g)$^{-1}$]		食物名称	维生素 E 含量[mg.(100g)$^{-1}$]	
	总 E*	αE**		总 E*	αE**
大麦	1.23	1.23	玉米油	51.94	14.42
荞麦	4.40	0.36	棕榈油	15.24	12.62
小麦胚粉	23.20	20.64	色拉油	24.01	9.25
葵花子仁	79.09	74.50	鸡蛋黄	11.56	7.96
松子仁	32.79	17.68	鹅蛋黄	95.70	95.70
茶叶(珠茶)	16.69	13.14	海蛎肉	7.66	6.14
菜籽油	60.89	10.81	鱿鱼(干)	9.72	9.72
花生油	42.06	17.45	鲜赤贝	13.22	4.21

*“总 E”表示维生素 E 总含量；**“αE”表示 α－生育酚含量。

4. 硫胺素

(1) 理化性质　硫胺素又名维生素 B_1、抗神经炎因子、抗脚气病因子，是由一个嘧啶分子和一个噻唑分子通过一个亚甲基连接而成的胺类。硫胺素磷酸盐为白色结晶，具有酵母样气味，干燥时稳定。极易溶于水，微溶于乙醇而不溶于脂溶剂。在酸性环境($pH < 5$)中较稳定，加热 120℃仍不分解，但在中性或碱性环境中很易破坏；高压灭菌、紫外线、亚硫酸盐可破坏食品中的硫胺素。但在一般烹调温度下损失不多。

(2) 吸收与代谢　硫胺素的吸收部位主要在空肠和回肠。Na、ATP 参与吸收过程，叶酸的存在也有利于硫胺素的吸收。吸收的硫胺素于肠黏膜和肝脏中在 ATP 作用下被磷酸化生成焦磷酸酯。包括一磷酸硫胺素(TMP)、二磷酸硫胺素(TDP)、三磷酸硫胺素(TTP)和硫胺素焦磷酸(TPP)。TPP 作为脱羧酶的辅酶参与机体代谢。

在所有维生素中，硫胺素是贮存量最少的。成年人体内大约含 30mg，其中 80% 是 TPP，约 10% 为 TTP，而其余是 TMP。肝、肾、心、大脑和骨骼肌含量较高。由于肌肉量大，肌肉组织中贮存的硫胺素约占总体贮存的50%，体内硫胺素的每日转换量约为1mg，膳食中缺乏硫胺素1~2周后人体组织中正常的硫胺素含量就会降低，因而每日摄入适量硫胺素。人肠道菌群能合成硫胺素，但不能被人体利用。

硫胺素在肝脏分解代谢成嘧啶和噻唑而失活（图1-2），其生物半衰期为9.5~18.5天。硫胺素由肾脏经尿中排出体外，排出的为游离型硫胺素，是每日从膳食中吸收而又是机体所不需要的过量硫胺素。

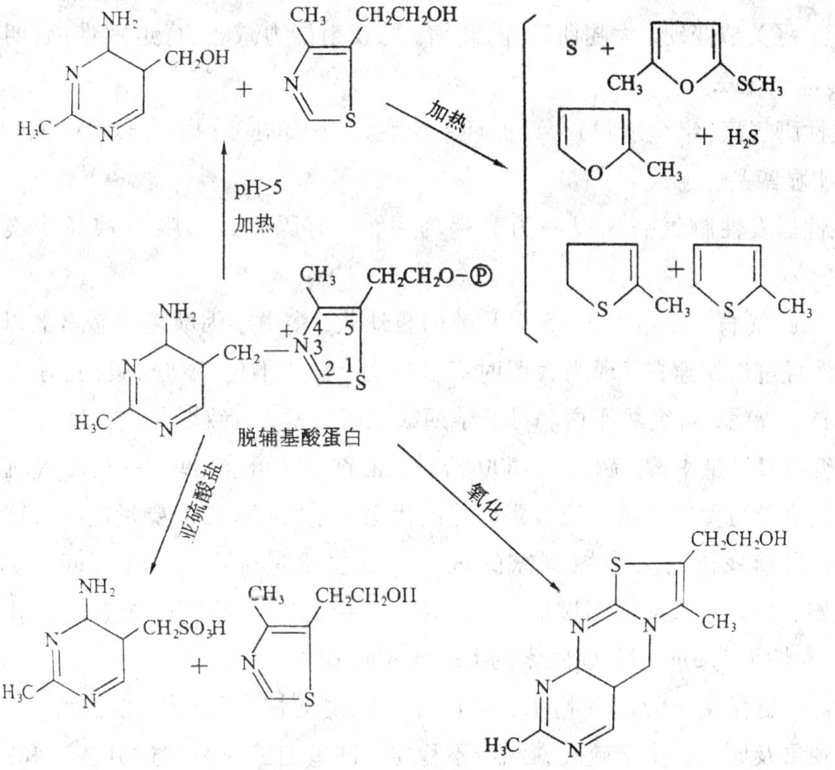

图1-2　硫胺素的降解

（注：Ⓟ为焦磷酸盐）胺素

（3）生理功能　TPP是硫胺素发挥生理功能的活性形式。它主要以辅酶的形式参加两类酶手统的工作，即羧化酶和转羟乙醛酶，在羧化酶系统中催化α-酮酸的氧化脱羧反应和在磷酸戊糖途径中的转酮醇基反应。从葡萄糖、脂肪酸、支链氨基酸衍生来的丙酮酸和α-酮戊二酸经氧化脱羧产生乙酰CoA和琥珀酰CoA，才能进入三羧酸循环彻底氧化，产生ATP。乙酰CoA和琥珀酰CoA是三大产能营养素分解代谢和产生热能的关键环节，同时又是它们合成代谢的连接点，因此可以理解硫胺素是体内物质代谢和热能代谢的关键物质。

硫胺素还对神经生理功能有调节作用，与心脏活动、正常食欲的维持、胃肠蠕动和消化液分泌有关。

(4) 缺乏与过量　硫胺素缺乏症较为常见。膳食供应不足，机体需要量增加，消化吸收障碍，肝脏损害，酗酒等都可导致缺乏；长期食用精白米面而无其他副食补充者，长期作透析治疗的肾病患者，大量饮茶或嗜吃生鱼者也有缺乏表现，因为茶和生鱼中都含有抗硫胺素因子。硫胺素缺乏的初期表现为易疲乏、精神淡漠、食欲下降、恶心、腿麻木、心电图异常等。随缺乏程度、持续间及病程不同，临床上可表现以下几类症状。

① 干性脚气病(组织萎缩)　主要症状是上行性周围性多发性神经炎。表现为脚趾麻木、蚁行感，踝关节变硬，大腿肌酸痛、萎缩，膝反射能力减弱、行走困难；后期可出现肌肉萎缩、消瘦甚至瘫痪。

② 湿性脚气病(组织水肿)　以循环系统症状为主的脚气病，出现水肿，尤其在下肢；心脏机能明显紊乱。

③ 急性爆发性脚气病　以心力衰竭为主，伴有膈神经和喉返神经瘫痪症状，进展较快。

④ 婴儿脚气病　发生于2～5个月龄的婴幼儿，多由于因缺乏硫胺素的母乳喂养后发生发病突然且进展快速，表现为大哭时声音微弱，食欲不佳、呕吐、腹泻、呼吸急促、紫绀、心脏扩大心力衰竭，可突然死亡。母亲孕期缺乏硫胺素，可致婴儿先天性脚气病。

少见硫胺素过量中毒，超过RNI100倍以上的剂量有可能出现头痛、惊厥、心律失常等。

(5) 供给量与食物来源　硫胺素与热能代谢关系密切，其需要量应与机体总热量的摄入成正比，目前我国与大多数国家的现行膳食供给量标准均为0.5mg/4.18 MJ(1000 kcal)，孕妇、乳母、老人应适当增加。中国营养学会2000年推荐硫胺素的RNI成年男性为1.4mg/d，女性为1.3mg/d。硫胺素的UL为50mg/d。

硫胺素广泛存在于天然食物中，其良好来源是动物内脏(肝、心、肾)、瘦肉、蛋类、豆类、干果、硬果及原粮。由于硫胺素相当不稳定，许多加工因素如过分搓洗和浸泡、加碱和高温均可导致其丢失，尤其是粮谷类精加工过程中丢失严重。某些食物(如淡水鱼贝类)含有抗硫胺素因子(硫胺素酶)，不宜生吃，应热加工钝化后食用。

5. 核黄素

(1) 理化性质　核黄素又名维生素 B_2，由异咯嗪和核糖醇侧链组成，纯净的核黄素为橘黄晶体，味苦。微溶于水，在水溶液中发出略带绿色的黄色荧光。在中性和酸性溶液中较稳定，但在碱性溶液中会因加热而破坏。游离的核黄素对光敏感，特别是在紫外线下可发生不可逆的降解，生成光黄素。食物中的核黄素为磷酸和蛋白质结合的复合物，比游离核黄素稳定。

(2) 吸收与代谢　食物中大部分核黄素是以黄素单核苷酸(FMN)和黄素腺嘌呤二核苷酸(FAD)辅酶形式与蛋白质结合成复合物即黄素蛋白的形式存在。食入后在消化道内经酶的作用，分解形成游离核黄素。吸收主要发生在小肠上部。只有游离形式的核黄素才能被吸收。肠液中的胃酸浓度与核黄素的吸收成正比。

核黄素在小肠近端吸收，吸收量与摄入量成正比。一般来说，动物来源的核黄素比植物来源的核黄素容易吸收。二价金属、抗酸剂、酒精均可干扰核黄素的吸收。核黄素在肝、肾、心脏中浓度较高，但机体贮存核黄素的能力有限，因而组织的需要量应每日由食物供给。排泄主要经由尿 进行，排泄量与摄入量成正比。另外蛋白质摄入量减少时，尿中核黄素排出也增加。人和哺乳动物均可通过乳汁排泄核黄素，汗液和粪便也可排出少量核黄素。

（3）生理功能　核黄素在体内是以 FMN 和 FAD 两种形式而发挥作用的，它们作为许多不同黄酶的辅基在多种氧化还原反应中作为递氢体，参与热能释放的反应；在呼吸链中作为吡啶核苷酸与细胞色素键的间的联系体，将还原型 CoI 和 CoⅡ，氧化为氧化型 CoI 和 CoⅡ，对呼吸链反应具有控制作用。

核黄素还参与维生素 B_6 转变为磷酸吡哆醛，在由色氨酸形成尼克酸的过程中也不可少；另还认为核黄素是视黄醛色素的组成成分，并与肾上腺皮质的分泌功能有关。核黄素还参与体、铁的吸收、旷存和动员。

（4）缺乏与过量　摄入不足和酗酒是核黄素缺乏的主要原因。缺乏主要表现在眼、口腔、皮肤的特异性炎症反应。

① 口腔　口角湿白、干裂、疼痛、溃疡（口角炎）；唇肿胀、裂口，溃疡以及色素沉着（唇炎）；疼痛、肿胀、红斑及舌乳头萎缩（舌炎），典型的呈所谓“地图舌”样。

② 眼　角膜血管增生，角膜结膜相接处出现水泡，眼对光敏感并易于疲劳，视物模糊，眼发发痒和流泪。已知老年性白内障与核黄素缺乏有关。有时暗适应能力下降与核黄素缺乏有给予维生素 A 无效时，用核黄素治疗有效。

③ 皮肤　可发生脂溢性皮炎，常见于皮肤分泌旺盛部位，忠处皮肤皮屑增多，轻度红斑，有脂状黄色片。男性阴囊皮炎（偶见女性阴唇皮炎）、鼻周皮炎等都是常见的核黄素缺乏性皮炎表现。由于核黄素缺乏常主要表现为口腔与生殖器官炎症变化，故有“口腔——生殖器综合征”之称。

④ 贫血　核黄素缺乏常干扰铁在体内的吸收、贮存及动址，严重时可致缺铁性贫血；用核黄素的拮抗剂——斗乳糖核黄素诱发贫血，使用核黄素后很快恢复。

⑤ 其他　核黄素缺乏还影响生长发育；妊娠期缺乏核黄素可致胎儿骨骼畸形。

上述的核黄素缺乏表现在动物性食品供应不；充足的人群很常见，但须注意核黄素缺乏症很单独发生，而是常与其他 B 族维生素缺乏症同时发生，应详加鉴别。

很少见核黄素过多症的发生。

（5）供给量与食物来源　核黄素参与体内的能量代谢，因此其摄入量与蛋白质摄入量、能量摄入量有关，生长加速、创伤恢复、妊娠与哺乳期蛋白质需要量增加，需要量也应随之增加。我国成人膳食核黄素的 RNI 男性为 1.4mg/d，女性为 1.2mg/d。

核黄素广泛分布于许多食物中，但由于其来源和收获、加工、贮存方法不同，其含量差别甚大。核黄素的良好食物来源是动物内脏（肝、肾、心），肉类、蛋类、奶类及其制品，绿色蔬菜、大豆、蘑菇、鳝鱼等；核黄素是啤酒中含量最高的维生素，每天饮用1L啤酒几乎可以完全满足核黄素的需要。

6. 烟酸

（1）理化性质　烟酸又名尼克酸，抗癞皮病因子（PP）或维生素 B_5，是具有烟酸生物活性的吡啶－3－羧酸衍生物的总称。主要包括烟酸和烟酰胺，它们具有同样的生物活性。

烟酸为无色针状晶体，味苦；而烟酰胺则为白色针状晶体，比烟酸更易溶于水和乙醇，亦能溶于醚中。对热、光、酸、碱、氧等稳定，不易破坏，是维生素中最稳定的一种，一般加工烹饪时损失较小。但会随水流失。

（2）吸收与利用　食物中的烟酸主要以 CoI、CoⅡ的形式存在，在胃肠道被水解为烟酰胺。烟酸和烟酰胺在小肠迅速被吸收，吸收入血的烟酸以烟酸胺的形式存在。吸收后经门脉入肝，在肝内转比为 NAD（CoI）和 NADP（CoⅡ）。

在体内贮存的烟酸极少。烟酸可随乳汁分泌，每100mL乳汁中含128～336 Ps，亦可随汗液排出，但主要以N－甲基烟酰胺和N－甲基吡啶从尿中排出，仅少量以顾型排除。

（3）生理功能　烟酸的主要生理功能是作为脱氢酶辅酶 NAD 和 NADP 的组成成分，以生物氧化过程中的氢和电子的传递体参与糖类、脂肪和蛋白质的代谢转化及能量释放，在维生素 B_6、生物素、泛酸存在下，NAD 和 NADP 还参加脂肪、蛋白质、胆固醇以及类固醇激素和核酸的生物合成。

烟酸具有降低血清胆固醇和扩张血管的作用，可用来治疗高脂血症、心肌梗死等。烟酸还是葡萄糖耐量因子的重要组分。

（4）缺乏与过量　烟酸缺乏症即癞皮病（pellagra），主要发生在以玉米或高粱为主食的人群。初期症状为疲劳、体重减轻、记忆力减退、失眠等。典型缺乏症的临床表现为所谓"三 D"症状：① 皮炎（dermatltis）。早对称性分布在身体的暴露或易摩擦部位，颇似口晒过度引起的灼伤、红肿、水泡及溃疡等。② 腹泻（diarrhoea）。包括胃肠炎、口腔炎、舌炎、恶心、呕吐等一系列表现。③ 痴呆（depression）。包括有头痛、头晕、急躁、忧虑、抑郁、淡漠、记忆力丧失、失眠或嗜唾，重症可出现幻觉、神志不清甚至痴呆等精神症状。

烟酸缺乏常与硫胺素、核黄素缺乏同时伴发。

大剂量摄入烟酸（不包括烟酰胺）对人体有毒性，每日摄入2～3g，可导致血管扩张、皮肤红肿发痒、肝损伤、血糖升高和胃溃疡等。同此大剂量使用（作药物）时应严格遵医嘱。

（5）供给量与食物来源　因为烟酸与能量代谢密切相关，而色氨酸可转变成烟酸，平均60mg色氨酸产生1mg烟酸。所以在估计烟酸供给量叫应考虑机体热能消耗情况和蛋白质供应情况。

膳食中烟酸供给呈可以烟酸当量（NE）表示，即

烟酸当量(mg) = 烟酸(mg) + 1/60 色氨酸

中国营养学会2000年推荐烟酸的RNI成年男性为1.4mgNE/d，女性为1.3mgNE/d。烟酸的UI为35mgNE/d。

烟酸及其衍生物在各类食品中广泛分布，动物性食品小以烟酰胺为主，植物性食品种中则为烟酸。其良好来源为肝、肾、瘦肉、鱼、全谷、豆类及花生。奶、蛋中烟酰胺含量虽不高，但所含色氨酸在体内可转化为烟酰胺。粮谷类中含量虽也较丰富，但其中相当一部分烟酸以“结合型”存在而不能被机体利用。如玉米中烟酸含量并不低，但玉米中烟酸主要为结合型而不能被人体利用。这种结合型烟酸在碱性环境中能降解为游离的烟酸，且游离且随pH升高而增加。我国营养工作者在防止新疆南部地区居民烟酸缺乏症的过程中用此法，有效地防止以玉米为主食地区的烟酸缺乏症。

7. 维生素B_6

(1)理化性质　维生素B_6包括吡哆醇、吡哆醛、吡哆胺三种化合物，均为吡啶的衍生物，都具有维生素B_6的生物活性。吡哆醇主要存在于植物中，吡哆胺主要存在于动物中。维生素B_6易溶于水和乙醇，对热和酸相当稳定，但与氧、碱及紫外线接触易破坏。在三种维生素B_6中，吡哆醇对食品加工和贮存条件的抵抗力最强，稳定性最好，可能是加工食品中的主要形式。

(2) 吸收利用　维生素B_6在空肠中被迅速吸收。食品中维生素B_6以磷酸盐形式存在，吸收速率较慢，须在非特异性磷酸酶作用下分解后才能被吸收。吸收后经门脉入肝脏。维生素B_6存在于体内大多数组织，其中以肝脏中浓度最高，肌肉中数量最大。在机体中，维生素B_6呈磷酸吡哆醛和磷酸吡哆胺形式。它可经乳汁分泌，但主要以4-吡哆酸形式从尿中排泄。

(3) 生理功能　维生素B_6的生理活性形式是其磷酸吡哆醛，可作为近白种酶的辅酶而参与物质代谢，尤其是蛋白质和氨基酸代谢。

① 氨基酸代谢　A 转氨基作用:维生素B_6起着氨基($-NH_2$)载体的作用，将氨基从供体氨基酸上转移到一个受体。B 脱羧基作用，维生素B_6参与某些氨基酸脱羧基的重要反应，这对形成5-羟色胺、去甲肾上腺素、组胺、γ-氨基丁酸等生理活性物质极为重要。C 维生素B_6还参与脱氨基反应、转巯基(—SH)反应、血红蛋白合成及氨基酸的吸收等重要过程。

② 糖原与脂肪酸代谢　维生素B_6作为磷酯化酶的一个基本成分，参与肌糖原和肝糖原的磷酸化反应，维生素B_6还参与由亚油酸合成花生四烯酸和胆固醇的过程。

③ 维生素B_6还参与了抗体形成、mRNA生物合成、辅酶A生物合成、神经递质分泌等重要生理过程。

(4) 缺乏与过量　因维生素B_6的食物分布比较广泛，人体肠道也可合成一部分，一般情况下成人不会缺乏。但在某些情况下如生理需要量增加，结核病治疗服用异烟肼，口服雌激素类避孕药，高温环境下生活等也可能会发生缺乏，维生素 B_6 缺乏会引起蛋白质及氨基酸代谢异常，表现为贫血、抗体减少、失眠、步行困难、皮肤炎症等。严重缺乏可出现眩晕、恶心、呕吐和罹患肾结石等。皮肤炎症病变可出现在眼睛、鼻尖、口腔周围的脂溢性皮炎，可扩展至整个额面部、耳后及其他部位，如阴囊、会阴等处。一般口服 5mg/d 维生素 B_6 后几天，症状即可消失。

婴幼儿缺乏维生素 B_6 症状较成人严重。可出现急躁、呕吐、腹泻、肌肉抽搐和惊厥。肌注盐酸吡哆醇后症状消失，但体内由色氨酸形成烟酸的能力恢复很慢。

维生素 B_6 相对无毒，但大剂量使用时有嗜睡等副作用。另外长期大剂量使用会产生依赖性。

(5) 供给量与食物来源　人体对维生素 B_6 的需要量受下列因素影响：① 膳食的蛋白质含量，维生素 B_6 需要量与之成正比；② 肠道细菌合成维生素 B_6 的量，对其合成量和利用率都很难估算；③ 机体生理状况及药物使用状况。考虑到蛋白质与维生素 B_6 的关系，美国建议每摄取 1g 蛋白质需 0.016mg 维生素 B_6。妊娠、哺乳期应适当增加，口服异烟肼、青霉素、甾体避孕药时也应适量增加。中国营养学会 2000 年建议我国居民维生素 B_6 的适宜摄入量(A1)成人为 2mg/d，可耐受最高摄入量(UL)为 100mg/d。

维生素 B_6 普遍存在于各种食品中，但一般含量不高。较好的食物来源为动物内脏、瘦肉、鱼类、蛋黄、豆类、葵花子、核桃、香蕉等。

8. 叶酸

(1) 理化性质　叶酸(folacin 或 folicacid, FA)，又称抗贫血维生素，是含蝶酰谷氨酸(PGA)结构的一类化合物的统称，因存在于植物绿叶中而得名。其分子由喋啶、对氨基苯甲酸及谷氨酸组成。天然存在的 FA 分子中谷氨酸残基数目不等，大多含 2～7 个谷氨酸残基。

纯净的 FA 为淡黄色晶体，微溶于水，不溶于有机溶剂；其钠盐溶于水。在中性或碱性环境中较稳定，在酸性环境中对热不稳定，$pH<4$ 时即被破坏；对光敏感。

(2) 吸收与利用　食物中的叶酸要被还原为四氢叶酸(THFA)才能被吸收。不同食物中的 FA 吸收率差别较大，酵母的吸收率约为 10%，橘汁约为 31%，蛋和肝约为 80%，而香蕉则更高达 82%，一般食物中叶酸的吸收率约为 50%。

叶酸主要在小肠上部被吸收。酒精、抗癫痫药物、口服避孕药可抑制叶酸结合酶的活性而抑制叶酸的吸收；锌、葡萄糖、抗坏血酸可促进其吸收。此外，叶酸本身的谷氨酸残基数也影响叶酸的吸收，叶酸中谷氨酸越多则吸收率越低。

机体内总叶酸量约为 5～6mg，主要以 5－甲基四氢叶酸的形式存在，其中约一半贮于肝脏。叶酸可经由尿和胆汁排出体外。

(3) 生理功能　叶酸的生物活性形式为 THFA。THFA 在 N^5、N^{10} 位是一碳单位的载体，因此其主要功能是作为一碳单位的载体而参与嘌呤、嘧啶碱基的生物合成，从而影响

DNA、RNA 的生物合成；叶酸参与丝氨酸与甘氨酸的相互转变，参与蛋氨酸、磷脂、肌酸、胆碱以及血红蛋白的生物合成。抗坏血酸、维生素 B_6、维生素 B_{12}在许多代谢反应中是 THFA 活性发挥的必需辅助因子。

（4）缺乏与过量　正常情况下，除膳食供给外，人体肠道细菌还能合成部分叶酸，故一般不会缺乏，但有些情况下也会造成叶酸的缺乏，如膳食供应不足、吸收障碍、生理需要量增加、酗酒、服用某些药物（如抗惊厥药、避孕药、抗肿瘤药物）等。

人类缺乏叶酸时将引起红细胞中核酸合成障碍，从而影响红细胞的发育和成熟，表现为红细胞成熟延缓、核变大、脆性增加，称之巨幼红细胞性贫血。可用叶酸治疗。其他表现还有皮炎、腹泻和生长不良，还会出现衰弱、精神萎靡等。

早孕期妇女叶酸缺乏可引起胎儿神经管畸形。目前认为，神经管畸形是由复杂的基因和营养因素相互作用的结果。采用在受孕前给予含叶酸的营养补充剂，可有效地降低婴儿神经管畸形（脊柱裂或无脑）的发生。

大剂量使用叶酸（以 mg 计）时对机体有害。如诱发惊厥，干扰锌的吸收而致胎儿发育迟缓低出生体重增加等。

（5）供给量与食物来源　中国营养学会推荐我国成人叶酸的 RNI 值为 400μg/d，但当消耗增加，如妊娠、哺乳期及婴儿期就必须增加其摄入量。我国成人叶酸的 UL 为 1000μg/d。

叶酸广泛存在于动植物食物中，其良好来源为肝脏、小麦胚芽、肾脏、鸡蛋、豆类、绿叶蔬菜、水果及坚果等都含有叶酸。

9. 维生素 B_{12}

（1）理化性质　维生素 B_{12}又名钴氨素，是最大、化学结构最复杂、也是唯一含有金属的维生素。其分子的主体是一个以钴离子为中心的卟啉环。维生素 B_{12}在组织中的天然形式是辅酶 B_{12}或称 5′-脱氧腺苷钴胺素和甲基钴胺素。

维生素 B_{12}为粉红色的针状结晶，溶于水和乙醇，不溶于有机溶剂，对热稳定，但在有光、强酸、强碱或有氧化剂、还原剂、二价铁离子存在时易分解破坏。一般烹饪条件下约有 10% 损失。

（2）吸收利用　维生素 B_{12}必须与胃黏膜分泌的“内因子”结合才能被吸收，且吸收速率相对其他水溶性维生素较缓慢。胃黏膜炎症或胃切除病人因“内因子”分泌障碍，常表现维生素 B_{12}缺乏。食物中的维生素 B_{12}常以复合物形式存在，在胃酸和消化酶作用下维生素 B_{12}被游离出来，并被吸收，Ca^{2+}参与吸收过程。体内的维生素 B_{12}总量约 2～4mg，大多存在肝脏中，其次分布于肌肉、皮肤和骨组织，主要经尿排泄。

人类肠道细菌能合成极少量的维生素 B_{12}，但营养意义不大。

（3）生理功能　辅酶 B_{12}是维生素 B_{12}在体内的主要存在形式，在体内的生理功能主要为两个方面：一方面它能促使无活性的叶酸变为有活性的四氢叶酸，并进入细胞以促使核酸和蛋白质的合成而有利于红细胞的发育、成熟。所以机体缺乏维生素 B_{12} 同样引起巨幼红细胞性贫血，另一方面，辅酶 B_{12} 对维持神经系统的功能有重要作用，这是因为辅酶 B_{12} 参与神经组织中髓鞘脂的合成，同时它又能保持谷胱甘肽中 - SH 的还原状态而有利于糖代谢。缺乏维生素 B_{12} 可引起神经障碍，对幼儿可出现智力减退。

(4) 缺乏　维生素 B_{12} 缺乏的主要原因是膳食中缺乏(素膳者常见)或“内因子”缺乏以及其他慢性腹泻引起的吸收障碍。长期服用某些药物(如对氨基水杨酸胍)也可诱发。

缺乏维生素 B_{12} 可影响到体内所有细胞，尤对细胞分裂快的组织影响最为严重，如影响骨髓的造血组织，在临床上表现为巨幼红细胞性贫血(恶性贫血)。主要症状有血液中出现异常巨大的有核红细胞，凝血时间延长，厌食，腹部不适，呼吸困难，步行不稳，神经功能紊乱等。不适时治疗会导致死亡。

(5)供给量与食物来源　中国营养学会2000年建议我国居民维生素 B_{12} 的适宜摄入量(A1)成人为2.4μg/d，可耐受最高摄入量(UL)为1000μg/d。

维生素 B_{12} 只能依靠微生物合成，因此只有动物性食品才富含维生素 B_{12}。植物性食品中一般不含维生素 B_{12}。人类维生素 B_{12} 的膳食来源主要是动物内脏，尤其是肝脏(含量可达10μg/100g湿重)。其次是肉类及其制品、海产品及蛋类，乳类则较少。豆制发酵品如腐乳、豆豉中也有一定量存在。

10. 抗坏血酸

(1) 理化性质　抗坏血酸(ascorbic acid)又名维生素C或抗坏血病维生素，具有酸性和强还原性。维生素C具有L型和D型两种立体构型，自然界存在的具有生物活性的是L型，D型无主物活性。

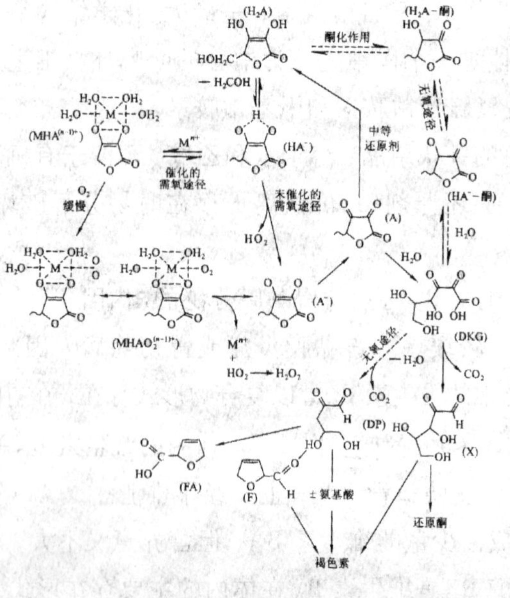

图1-3　抗坏血酸的降解

维生素C为无色或白色结晶，性质稳定，极易溶于水，稍溶于丙酮和低级醇类，不溶于脂肪和其他脂溶剂。溶液中的维生素C性质不稳定，在有氧、光照、加热、碱性物质、氧化酶及痕量的重金属离子（如 Cu^{2+}、Fe^{3+} 等）存在时，极易氧化成脱氢抗坏血酸（图1－3）。酸性或冷藏条件下保存食品时损失较少。

（2）吸收与代谢　人体不能合成维生素C，必须从食物摄取。摄入的维生素C在回肠被迅速吸收，并通过血液循环转运至各组织器官。吸收量与摄入量有关，摄入量为30～60mg时，吸收率为100%，摄入量为90mg时，吸收率为80%，当摄入量分别为1500mg、3000mg时，吸收率分别只有49%和36%。未被吸收的维生素C在小肠下段降解，剂量太大时，可引起渗透性腹泻。

维生素C被吸收后，迅速分布到各组织，其中肾上腺和眼视网膜中含量最高，肝、肾、脾、胰等中也含有一定数量。

生素C在体内有两种存在形式：抗坏血酸和脱氢抗坏血酸。二者均具生物活性，在体内可相互转变。但后者的进一步氧化却是不可逆的，形成的二酮古洛糖酸无生物活性。维生素C主要经尿液排出，肾小管可调节排泄量。组织饱和时排泄量大，组织贮存时只有少量排出，甚至当摄入严重不足、组织贮存严重消耗时，仍有少量排出。维生素C在体内的代谢产物主要是草酸，少量为二酮古洛糖酸，均由尿排出。

（3）生理功能　维生素C的生理功能较为广泛，主要有如下几种。

① 促进胶原生物合成　在胶原生物合成过程中，α－肽链上的脯氨酸和赖氨酸要经过羟化，变成羟脯氨酸和羟赖氨酸残基后才能进一步形成胶原正常的三级结构。维生素C的作用在于活化脯氨酸羟化酶和赖氨酸羟化酶，促进脯氨酸和赖氨酸向羟脯氨酸和羟赖氨酸转化。如果缺乏维生素C，胶原单体无法实现羟基化作用而导致胶原生物合成的失败，导致创伤修复的延误。毛细血管壁膜以及连接细胞的纤维组织也是由胶原构成，也需有维生素C来保护。因此，维生素C对创伤的愈合、骨质钙化、增加微血管致密性及降低其脆性等方面有重要作用。

② 参加生物氧化过程　抗坏血酸能可逆地参与机体内的氧化还原反应。体内具有氧化型谷胱甘肽，使还原型抗坏血酸氧化成脱氢抗坏血酸，而后者又被还原型谷胱甘肽变成还原型抗坏血酸。由于维生素C在体内可以提高－SH的水平，因此维生素C在体内也是一个重要的抗氧化剂和自由基清除剂，能清除－OH等自由基，分解皮肤中色素，防止发生黄褐斑等，发挥抗衰老作用。

③ 改善铁、钙和叶酸的利用　维生素C能促进三价铁转化成更易吸收的二价铁，从而促进肠道铁的吸收，同时帮助铁向铁蛋白转移及其在肝脏、胃和骨髓中储存。维生素C能促进钙的吸收，这是因为它能在胃中形成酸性介质而防止了不溶性钙络合物的生成。

叶酸在体内必须转变成有生物活性的四氢叶酸才能发挥作用，而抗坏血酸可将叶酸还原为四氢叶酸，这是维生素C能防止哺乳期婴儿患巨幼红细胞性贫血的原因。

④ 参与胆固醇的代谢　维生素C能使胆固醇生成胆酸，降低血液胆固醇水平，可以预

防动脉硬化的发生。

⑤ 阻断亚硝胺形成　食物中的硝酸盐或亚硝酸盐，在一定的条件下可以形成致癌物质亚硝胺。抗坏血酸具有阻断亚硝酸盐与仲胺结合的作用。

⑥ 其他　各种形式的应激如温度过高或过低、精神激动、组织疲劳、肌肉疼痛、外伤烧伤、外科手术、重金属中毒和吸烟等，都要增加维生素 C 的需求量。维生素 C 还能解除组胺的毒性，对组胺引起的呼吸道感染及支气管痉挛有疗效。维生素 C 可解除重金属或有毒药物的毒性，促其排出体外。

(4) 缺乏与过量　维生素 C 缺乏可引起坏血病(scurvy)，其早期症状是体重下降、倦怠、关节和肌肉疼痛、急躁，继后出现牙龈疼痛出血、皮下渗血、易骨折等。典型症状是牙龈肿胀、出血、萎缩；常有牙床溃烂、牙齿松动、鼻衄、月经过多及便血，毛细血管脆性增加，严重时可致皮下肌肉和关节出血及血肿形成；贫血、肌纤维衰退、心肌衰竭及严重内脏出血而有猝死的危险。

过量的维生素 C 对人体有副作用，如恶心、腹部不适、腹泻、破坏红细胞，维生素 C 在体内分解代谢的最终产物是草酸，长期服用过量维生素 C 可出现草酸尿以至造成尿路 pH 下降而导致尿路结石。也有对大剂量维生素 C 产生依赖性的报道。

(5) 供给量与食物来源　人体维生素 C 的供给量受多种因素的影响，如年龄、环境、体力消耗、疾病以及食品的加工烹调方法等都有非常重要的影响。中国营养学会建议我国维生素 C 的 RNI 为 100mg/d，UL 为 1000mg/d。孕妇、乳母、某些疾病患者、某些特殊环境条件下工作的人群应适当增加维生素 C 的摄入量。

维生素 C 的主要食物来源为新鲜蔬菜和水果，如青菜、菠菜、韭菜等深色蔬菜，柑橘、柚子等水果；野生的苜蓿、刺梨、沙棘、猕猴桃、酸枣等含维生素 C 量极为丰富。见表 1－28。

表 1－28　**部分天然食物中维生素 C 的含量(单位为 mg/100g)**

食物名称	维生素 C	食物名称	维生素 C	食物名称	维生素 C
白菜(脱水)	187	莲藕	44	橘(四川橘)	33
黄豆芽	19	苦瓜	56	番石榴	68
甘薯(红心)	26	番茄	19	柠檬	23
芥蓝	76	辣椒(红小)	144	荔枝	41
苜蓿	118	草莓	47	葡萄	25
油菜	65	桂圆(鲜)	43	柚	23
苋菜(青)	47	大山楂	53	枣(鲜)	243
萝卜缨(青)	77	板栗(鲜)	24	猕猴桃	62

因维生素 C 易溶于水也宜氧化，烹饪时宜旺火爆炒，时间要短，尽量少用或不用铜锅，也不宜用焯的方法烹饪。另外，过量的维生素 C 对人体有副作用(如前所述)，因此在有新鲜蔬菜和水果充分摄入的情况下，不宜再额外补充维生素 C。

第2章　特殊生理条件下人群的营养与膳食

2.1 孕妇营养与膳食

怀孕妇女所摄取的营养素不但要维持自身的生理需求，还要满足胎儿需要，所以孕妇营养状况是否正常，不但影响孕妇本身的身体健康，还直接影响胎儿的正常生长发育，这不仅是一个营夷问题，更重要的是它影响下一代人的质量。所以根据怀孕期间妇女生理变化特点，满足其代谢要求，对于保证母、婴的身心健康具有十分重要的意义。

2.1.1 孕妇营养生理特点

妊娠是一个复杂的生理过程。在妊娠过程中，在胎盘产生的激素的作用下，孕妇各系统需要进行一系列适应性生理调整，以适应胎儿在体内的生长发育的要求。

1. 消化系统功能改变

孕妇常有消化功能的改变。怀孕早期常有恶心、呕吐等妊娠反应。后期消化液分泌减少，胃肠张力下降，蠕动减慢，胃排空时间延长，常有胃肠胀气及便秘发生。但怀孕期间，对某些营养素如钙、铁、维生素 B_{12}及叶酸等吸收有所增加，尤其是在妊娠后期，其机理尚不清楚。

2. 肾功能改变

妇女怀孕期间，肾脏要排出自身和胎儿的含氮或其他代谢废物，因此肾负担加重，肾小球滤过机能增强，尿中可出现葡萄糖、氨基酸、水溶性维生素以及尿素、尿酸、肌酸、肌酐等蛋白质代谢产物，但尿中钙的排出量减少。

3. 体重增加

孕期母体体重增长非常明显，妇女在孕期增加体重约10~12.5kg，平均为11kg，早期(1~3个月)增加较少，而中期(4~6个月)及后期(7~9个月)则每周稳定增加约350~

400g。在所增加的体重中，水分约7kg，蛋白质约1kg，脂肪约3kg。孕期增重过多或不足均对母体与胎儿不利。体重增加过高，易发高血压，而体重增加过低，易导致早产。

孕期母体体重增长包括两部分：一部分是妊娠的产物，如胎儿约3.5kg，胎盘0.65kg，羊水约0.8kg；另一部分是母体组织的增长，如体液（包括间质液、母体液）2.5kg，乳房0.4kg，脂肪组织约3kg等。

孕期脂肪的贮存量个体差别较大。脂肪贮存主要发生在怀孕10～30周，即胎儿快速生长以 前体内额外代谢消耗能量相对较少的时期。孕期脂肪的贮存不单是通过饮食增加获得，而是由于黄体酮的作用之故。贮存脂肪主要分布于腹部、背部及大腿上部，必要时满足怀孕后期增加的热能需要以及哺乳期能量的需要。

孕前不同身高与体重的妇女，孕期体重增长变动范围较大。一般而言，孕前消瘦者孕期增重比一般妇女稍高，而超重及肥胖妇女孕期增重稍低，不同体重/身高的妇女适宜增重范围见表2－1。

表2－1　据孕前身体质量指数（BMI）推荐的孕期增种范围

孕前体重/身高类别		孕期增重/kg
低	（BMI＜19.8）	12.5～18.0
正常	（BMI19.8＜26.0）	11.5～16.0
高	（BMI26.0＜29.0）	7.5～11.5
肥胖	（BMI＞29.0）	6.0～6.8

4.血容量及血液成分的变化

自孕期第6周始，孕妇血容量开始增加，30周达高峰。正常非怀孕妇女血容量约2.6L，孕期增加35%～40%，相当于净增加水分1～1.3L。血容量增加包括血浆容积和红细胞数量的增加，血浆容积的增加幅度大于红细胞，结果血液相对稀释，血红蛋白下降，出现贫血。这种由于特殊生理条件造成的贫血，称为生理性贫血。

伴随血容量的增加，血浆中除血脂、维生素E外，许多营养素如白蛋白、氨基酸、葡萄糖、铁维生素C、维生素B_6、叶酸及生物素等含量不同程度下降。但相应地胎盘血浆中相应浓度升高。

特别是胎儿中相应浓度更高。因此可以认为，母体血液中有关营养素浓度的下降，可能是由于一方面血液浓度稀释，另一方面母体营养转移到胎盘与胎儿之故。胎盘在营养的传递过程中，起二生化阈（biochemicalvalve）作用，即保证营养素从母体到胎儿，而不至相反。

5.新陈代谢的改变

在激素影响下，怀孕期间，尤其是妊娠第4个月起，胎儿生长发育迅速，母体合成代谢增加孕妇基础代谢提高，能量需要明显增加，怀孕后半期，每日约增加热能0.63MJ（150kcal）。对三大营养物质的利用也有改变，蛋白质代谢呈正氮平衡，以贮存较多的蛋白质作为子宫、胎儿及腺发育之需；对脂肪的吸收增加，使体内有较多的脂肪贮存，有利于泌乳和为分娩过程消耗能量基酸和1.7g脂肪酸以满足能量需要。

2.1.2 孕妇的营养需求与合理膳食

1.孕前营养

从动物实验及人群调查发现，严重营养不良和营养过剩均对妊娠过程有一定程度的影响，营养状况改善后可得以恢复。如体重低于正常标准10%的妇女，妊娠后如未能矫正，则患妊娠毒血症、产前出血及其他合并症者较多。因此妇女在准备怀孕之前，应通过平衡膳食达到合理营养，使自身状况调整到能适合妊娠的合理状态。

2.孕期营养

(1)热能　孕期妇女除满足自身基础代谢、食物特殊动力作用以及生活活动和生产劳动等三方面的能量消耗外，还必须满足以下额外增加的能量消耗：

① 孕妇自身的基础代谢增高；

② 胎儿新生组织的形成及不断地增长；

③ 维持胎儿基础代谢所消耗的能量。

可见怀孕期间总热能的需要量明显增加，据估计总热能约增加335～350MJ(80000～85000kcal)，其中148.5MJ(36000kcal)用于代谢，169MJ(41000kcal)用于脂肪和组织合成，33MJ(8000kcal)用于从膳食热能转变为可代谢的热能。

基于上述孕期总热能增加350MJ的估计，以孕期280天计算，美国NRC1989年建议孕妇热能摄入每日应增加1.25MJ(303kcal)，FAO/WHO联合专家委员会1985年则推荐，若孕期妇女仍保持孕前体力活动者，每日热能应增加1.18MJ(285kcal)，若孕期减少体力活动者，热能 应增加0.84MJ(200kcal)，我国营养学会2000年修订的膳食参考摄入量(DRIs)建议孕妇于妊娠4个月后每日增加热能0.84MJ(200kcal)。

事实上，上述计算仅是一个整体平均值。总体上怀孕后期能量要求明显高于前期。但个体差异、孕期不同阶段体力活动大小、环境温度以及怀孕年龄等直接影响能量的消耗，因此，不可能有一个可应用于所有妇女的确切的热能需要量。应以热能的摄入与消耗保持平衡为原则，过多摄入并无益处，　般可根据定期测量体重的增长止常与否来判断热能摄入量是否正常。

(2)蛋白质　孕期蛋白质的需要量增加主要是为了满足胎儿的生长发育，其次是孕妇自身也需要一定数量的蛋白质来供给子宫、胎盘及乳房的发育。在怀孕期间，孕妇机体蛋白质贮存量增加约1kg，其中胎儿435g，胎盘100g，羊水3g，子宫154g，乳腺81g，母体血液137g，总计310g。但事实上蛋白质的增长不是平均的。妊娠第1个月每日贮存约0.6g，至妊娠后半期.每日贮存6～8g，最后10周，胎儿快速生长发育要求更多的蛋白质。因此，中国营养学会建议怀孕早期应增加蛋白质5g/d，怀孕中期增加15g/d，后期增加20g/d。

并且动物性蛋白质及豆类蛋白质至少应占 1/3 以上。

(3) 矿物质　怀孕期间对矿物质的需要量增加，孕妇主要缺乏的元素有钙、铁、锌及碘等。

① 钙　为防止孕妇骨质软化症和满足胎儿妊娠最后三个月胎儿骨骼、牙齿的钙化。母体必须从食物中获取大量的钙。孕期一系列复杂的内分泌和生理调节使孕早期即开始增加钙的吸收，至孕 20 周时，钙吸收可增加一倍，并保持高吸收率于整个孕期。新生儿脐带血清钙及离子钙水平均高于母体血清钙，表明钙通过胎盘从母体运至胎儿。胎儿 20 个乳牙及第一颗恒齿均在孕 8 个月时发育钙化。故补充钙以保证母体骨骼钙不致因满足胎儿对钙的要求而被耗竭。中国营养学会建议孕中期妇女每日钙的摄入量为 1000mg，后期为 1500mg。中国食物构成以谷类及植物性食物为主，在妊娠后期更应注意补充钙，特别是奶类摄入不足者宜增服钙制剂。

② 铁　孕期贫血是常见的营养素缺乏病，是一种生理性贫血，孕期铁越缺乏，这种现象越严重。

孕妇及胎儿在妊娠期和分娩时总计需铁约 1000mg，其中 350mg 供应胎儿与胎盘，450mg 为孕期红细胞增加所必需，其余 200mg 补偿铁的损失。事实上，在怀孕期间随着铁需要量增加，母体对铁的吸收也明显增加，新生儿脐带血铁浓度高于母体血铁浓度，且在母体缺铁时亦不降低。

这一方式保证了胎儿对铁的需要量。胎儿出生时，体内贮存铁约 280mg，可满足婴儿 4～6 个月红细胞铁的需要。

我国居民铁的来源主要是植物性食物中非血红素铁，由于这一类铁的吸收率很低，一般均低于 10%，故我国营养学会建议孕期铁的膳食摄入量为：怀孕中期妇女每日应摄入 25mg，怀孕晚期妇女每日应摄入 35mg。

③ 锌　足量的锌有利于胎儿生长发育和预防先天性出生缺陷。成年妇女体内含锌 1.3g，孕期增至 1.7g，其中 60mg 在胎儿成熟期被利用。胎儿对锌的需要量在孕末期最高。每日需要 0.5～0.75mg。怀孕期母体血清锌下降，新生儿脐带血清锌浓度较母体血清锌约高 50%，所以要增加孕妇锌的摄入。补锌应从怀孕中期开始，我国营养学会建议怀孕妇女每日锌摄入量应由成年妇女的 15mg 增至 20mg，以满足胎儿生长发育的需要。

④ 碘　碘是甲状腺素的成分，可通过影响氧的消耗和热量的产生来调节能量代谢，可促进蛋白质的合成并促进胎儿生长发育。孕妇缺碘可能导致胎儿甲状腺功能低下，可造成婴儿的生长发育迟缓，并出现智力障碍。怀孕中期基础代谢率增高，反映了甲状腺素增加和碘需要量增加。中国营养学会建议孕期每日碘的摄入量由非妊娠妇女的 150μg 增至 175μg。

(4) 维生素　母体内的维生素可通过胎盘供给胎儿。脂溶性维生素可贮存在肝内，需要时自肝运至胎儿，因此若短期内母体摄入不足，胎儿仍可得到供应；但若母体短时间内

摄入大剂量脂 溶性维生素，可致胎儿中毒。孕妇血中脂溶性维生素含量较平时高，而胎儿血中脂溶性维生素含量低于母体血。

水溶性维生素不能贮存，当母体摄入不足时即受影响。胎儿血中水溶性维生素含量高于母体血。

① 维生素 A　若孕妇维生素 A 长期摄入不足，会引起暗适应能力降低，并使胎儿生长发育受阻。虽然维生素 A 为胎儿生长所必需，但过量可致先天畸形。故我国营养学会建议妊娠中期开始补充维生素 A，每日维生素 A 摄入量为 3000IU。

② 维生素 D　怀孕期维生素 D 不足可致胎儿骨骼、牙齿发育不良，也可导致新生儿低血钙症。但过量维生素 D 可导致中毒。故孕期补维生素 D 应慎重。我国营养学会推荐孕妇应从妊娠 4 个月开始补充维生素 D，每日维生素 D 摄入量为 400IU。

③ 维生素 E　维生素 E 缺乏可致动物不孕或流产，但在人类尚无直接证据。孕期血清维生素 E 逐渐升高，可至正常水平 2 倍。因维生素正在血中与脂蛋白共存，故维生素 E 升高可能与血脂升高有关。但胎儿血中维生素 E 只有母体血中维生素的 1/3 ~ 1/4，说明维生素 E 经胎盘转运受限。

中国营养学会建议维生素 E 的 AI 在中、后期孕妇依然为每日 14mgα - TE。

④ 硫胺素（维生素 B_1）　硫胺素与能量代谢有关。由于孕期能量代谢及糖类摄入增加，对维生先天性脚气病；另外，体内不能长期贮存维生素 B_1，故及时补充十分必要。我国推荐的孕期维生素 B_1 摄入量为（RNl）每日 1.5mg。

⑤ 核黄素（维生素 B_2）由于孕期能量及蛋白质需要量增加，故维生素 B_2 的需要量也增大。当维生素 B_2 不足时还影响到维生素 B_6 和烟酸的代谢，且影响铁的吸收，以致继发缺铁性贫血。我国推荐的孕期维生素 B_2 摄入量为（RNl）每日 1.7mg。

⑥ 烟酸　烟酸可通过食物中的色氨酸转化获得一部分，我国的膳食推荐量为 15mg/d。

⑦ 叶酸　叶酸对红细胞的形成有促进作用，缺乏叶酸可致巨幼红细胞性贫血，而患巨幼红细胞性贫血的孕妇易出现胎儿宫内发育迟缓、早产及新生儿低出生体重。怀孕期间，叶酸需要量增加。但各国对怀孕期叶酸增加的推荐量差别很大，从增加 100μg 至增加 400μg，FAO/WHO 提出每日应补充 200 ~ 300μg，每日叶酸总摄入量应不少于 350μg。美国（1989 年）建议叶酸膳食供应为 400μg/d，我国叶酸的推荐摄入量（RNl）为 600μg/d。

⑧ 维生素 B_{12}　妊娠妇女缺乏维生素 B_{12} 可致孕妇巨幼红细胞性贫血和胎儿神经管畸形。中国营养学会 2000 年建议妊娠期妇女维生素 B_{12} 的摄入量为 2.6μg/d，

⑨ 抗坏血酸（维生素 C）　维生素 C 可促进组织胶原的形成，有利于伤口愈合和骨骼、牙齿的正常发育。孕期母体血液维生素 C 水平下降 50% 左右，为了保证胎儿的需要，即使母体血液维生素 C 含量很低时，新生儿脐带血维生素 C 仍高于母体含量的 2 ~ 4 倍。中国营养学会建议怀孕妇女抗坏血酸的摄入量（RNl）为每日 130mg。

3. 孕妇合理膳食

孕妇膳食应在成人平衡膳食的基础上，根据怀孕月龄孕妇的生理变化和胎儿生长发育情况进行适当调整。妊娠0～3个月，胎儿每日平均增重约1g，孕妇不需要过多的营养素，且常有恶心、呕吐等妊娠反应，所以往往食量减少。此期间膳食原则是少食多餐容易消化、清淡、能符合孕期口味的食物，如面包干、馒头干，均可减少恶心、呕吐。水果、蔬菜可刺激食欲，并且富含膳食纤维，可以防止便秘。有的孕妇味觉异常，可用硫酸锌治疗，并要适量补充维生素a、维生素B_2。此期间有的孕妇进食很少，应尽量摄入150g以上的糖类，以免因饥饿造成血酮症，并应尽量摄入40g以上蛋白质，以维持正氮平衡。另外，建议每日服用适量的叶酸和维生素B_2，以防止神经管畸形的发生。

妊娠中、晚期，胎儿生长发育速度加快，母体自身也开始贮存脂肪、蛋白质等，同时缺铁、缺钙观象也增多。尤其妊娠7～9个月，胎儿生长最快，胎儿一半体重是此期间增加的。在上述膳食基础上，应增加生物价高的蛋白质，如50～150g鱼、禽，或250～500mL牛奶，或50～100mL豆类及其制品，400～500g谷类，400～500g蔬菜和100～200g水果，为减少妊娠水肿，应控制含食盐量高的食物。

2.1.3 孕期营养耒良对母亲及胎儿的影响

1. 孕期营养不良对母亲的影响

妊娠期营养不足，母体为了保证胎儿的发育，最大限度动用体内的贮存营养，因此极易导致自身营养不良，最常见的有以下几种。

(1) 营养性贫血　包括缺铁性贫血和缺乏叶酸、维生素B_{12}引起的巨幼红细胞性贫血。在我 国主要是缺铁性贫血(IDA)，巨幼红细胞性贫血患病率较低，尤其是维生素B_{12}。缺乏所致者罕见。

我国孕妇贫血患病率为35%左右，农村大于城市，妊娠末期患病率最高。其他发展中国家孕妇贫血患病率高达51%，其原因主要是在生理性贫血基础上，膳食铁摄入不足、植物性食物铁吸收利用率低、母体和胎儿对铁需要量增加以及某些因素引起失血等造成的铁缺乏所致。

(2) 骨质软化　主要原因是维生素D严重摄入不足引起血钙下降所致。母体为了满足胎儿生长发育对钙的需求，不得不动用骨骼中的钙，虽然血钙及胎儿需要的钙得以满足，但却使母体骨组织的骨钙不足，引起骨质变软、变形。孕妇可出现腰疼，甚至脊柱、骨盆骨质软化、变形，重者甚至导致难产。

(3) 营养不良性水肿　营养不良性水肿是由于蛋白质严重不足或维生素B_1缺乏所致。前者多见于生活贫苦地区，后者主要见于南方食纯精白米的地区。蛋白质缺乏较轻则出现下肢水肿，重则(总蛋白5g以下，白蛋白2g以下)全身水肿，维生素B_1不足主要表现是脚气病。此外，维生素B_{12}严重缺乏者也可导致水肿。

(4) 维生素缺乏症　怀孕期维生素B_1、维生素B_2、维生素B_6、维生素C、叶酸、维生素

B_{12}等水溶性维生素易缺乏。此外维生素 A、维生素 D 也易缺乏，从而出现相应的临床表现。

2. 孕期营养不良对胎儿的影响

（1）先天畸形　孕期妇女某些营养素缺乏或摄入过多，常可导致婴儿先天畸形。如锌与叶酸缺乏，可致胎儿神经管畸形，其中尤以无脑儿、脊柱裂表现为主。维生素 A 缺乏或过多，也可导致畸形，如无眼、小头等先天畸形的发生。

（2）低出生体重（LBW）　低出生体重指新生儿体重小于 2500g。据 WHO1975 年统计，在 1.37 亿新生婴儿中，有 2700 万为低体重儿，其中 2100 万出生在发展中国家。影响低出生体重的因素很多，常见的营养因素有孕妇偏食、妊娠剧吐、妊娠贫血、热能和蛋白质及维生素摄入不足等。此外，孕妇健康状况差，大量吸烟、饮酒均可增加低出生体重新生儿的发生率。

近来，人们对怀孕期营养不良引起低出生体重的长远影响调查发现，关键发育时期营养不良，将对人体的生理、代谢有几乎终身的影响。如心血管病及冠心病（CHD）在成人的死亡率明显与出生体重有关（见图 2－1），（CHD）标准化后的死亡率还与男性出生后 1 年时的体重有关（与女性无关）。见图 2－2。这些结果表明，在怀孕及婴儿期，母亲的食物调节对孩子的长远健康及寿命有重要影响。

自身营养不良，最常见的有以下几种。

（3）早产儿及小于胎龄儿早产儿　指妊娠少于 37 周即出生的婴儿。小于胎龄儿指胎儿的大小与妊娠月份不符，具体指体重低于该孕周平均体重的 2 个标准差者，这种新生儿称为小胎龄儿，在发达国家中，低出生体重儿中约 2/3 为早产儿，1/3 为小于胎龄儿，而发展中国家多数低出生体重儿属小胎龄儿，反映出胎儿在子宫内发育迟缓。孕期营养不良是造成宫内发育迟缓的重要原因之一，尤以热能、蛋白质不足为甚。此外，孕前体重小于 40kg 的妇女，也易发生宫内发育迟缓。

（4）围产期新生儿死亡率增高　有资料指出，低出生体重儿的围产期死亡率明显高于正常出生体重儿，约占新生儿死亡数的 70%。据报道，印度低出生体重儿围产期死亡率是正常儿的 5 倍，据天津医学院附属医院对 1969－1978 年在该院出生的 19970 个新生儿死亡率分析，总死亡率为 3.505%，其中出生体重小于 2 500g 的新生儿死亡率为 116.2%，而大于 2 500g 的仅为 6.9%，前者是后者的 16.8 倍。

（5）脑发育受损　胎儿脑细胞数的快速增殖期是从怀孕 30 周至出生后 1 年左右，随后脑细胞数量不再增加，而是细胞增大，质量增加，直至 2 岁。因此，妊娠期特别是后期蛋白质的摄入量是否充足，直接与胎儿的脑细胞增殖数量和大脑发育有关，并直接影响到日后的智力发育。

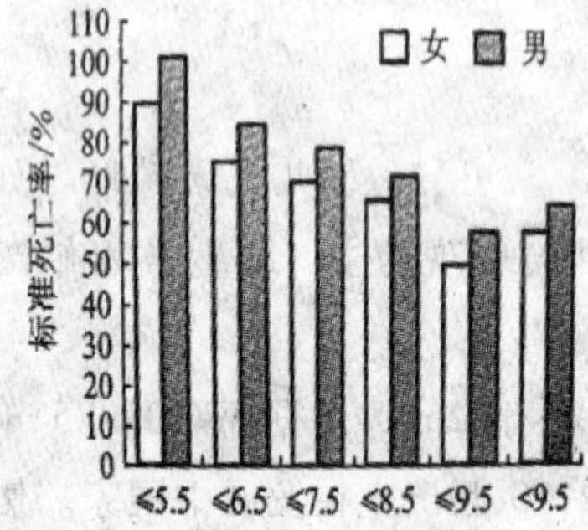

图2－1　出生体重与心血管病疾病死亡率

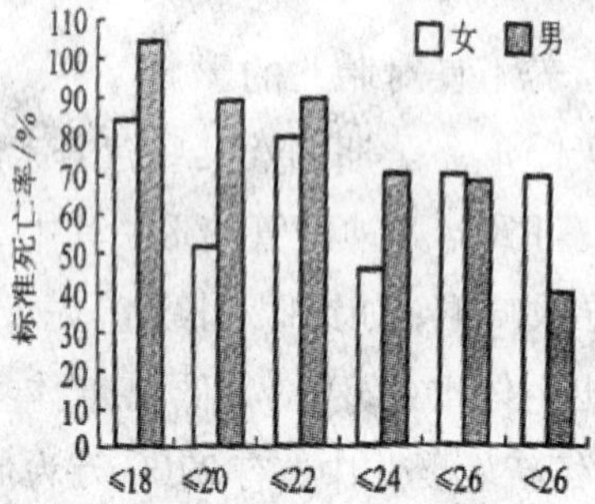

图2－2　出生后1年体重与心血管病疾病死亡率

2.2 乳母营养与膳食

从营养学角度看，哺乳期妇女保证合理的营养与膳食主要有两个目的。第一是分泌乳汁哺育婴儿，第二是补充母体自身在怀孕、分娩过程的损耗，恢复健康。

2.2.1 乳母的营养生理特点

胎儿分娩后，产妇即进入产后期或哺乳期。哺乳期妇女仍具有孕妇的一些营养生理特点，如缺钙、生理性贫血尚未纠正等。分娩过程中的失血以及随后的哺乳活动又使孕妇具有独特的营养生理特点和营养需求；又由于乳母产后卧床时间长，活动量小，腹肌和盆底肌肉松弛，易发生便秘；乳母常进食高蛋白、高脂肪食物，易发生肥胖。

2.2.2 乳母的营养需与合理膳食

乳汁中的营养成分全部来自母体，如乳母膳食中营养供应不足，则将动用贮存的营养素以维持乳汁营养成分的恒定。如果长期不能满足乳母的营养需求，母体会逐渐营养不良，最后影响乳汁的分泌量，但乳汁成分除蛋白质含量降低外，其他成分基本保持稳定。

1. 热能

哺乳期妇女的基础代谢率上升10%～20%；母体泌乳过程需要消耗能量，乳汁本身也含有能量；照顾婴儿使消耗能量增加。产后1～6个月内，乳汁分泌约每日750mL。人乳热能约280～293kJ(67～70kcal)/100mL，其中5%来自蛋白质，38%来自乳糖，50%来自乳脂。每产生100mL乳汁需要能量约为356kJ(85kcal)，但母体热能转换为乳汁热能的转换率约为80%，加之哺乳期体重丢失的补偿，因此中国营养学会推荐在哺乳的1～6个月，乳母应增加热能摄入2. MJ(500kcal)/d，6个月以后仍保持完全母乳喂养者应增加能量摄入2.1~2.7MJ(500~650kcal)/d。

2. 蛋白质

人乳中蛋白质的含量约为12g/L,若按泌乳750mL计，则含蛋白质9g左右，但母体蛋白质转化为乳汁蛋白质的转化率为80%，故750mL乳汁需消耗膳食蛋白质12g左右。在我国目前膳食仍以植物蛋白为主，动物蛋白不丰富的情况下，蛋白质的生物利用率很低，因此中国营养学会推荐乳母应比非妊娠妇女每日额外多补充20g蛋白质，以保证乳汁蛋白的含量，从而维持婴儿的生长发育、免疫和行为功能。

3. 脂肪

膳食脂肪酸的种类可影响乳汁脂肪酸组成。如摄入多不饱和脂肪酸和植物性脂肪多时，乳汁中亚油酸含量也较高，摄入动物性脂肪多时乳汁中饱和脂肪酸增多。必需脂肪酸有增加乳汁分泌的作用，婴儿中枢神经系统的发育及脂溶性维生素的吸收也需要脂质。因此乳母膳食中含适当脂肪是必要的。中国营养学会推荐乳母膳食中脂肪应占总热能的20%~25%。

4. 矿物质

(1)钙　人乳钙含量稳定，一般为340mg/L，不受膳食钙的影响。如果膳食钙供应不足，乳母可动员骨钙以维持乳汁中的钙相对恒定。但如果长期膳食钙摄入不足，乳母就会因缺钙而出现骨质软化症。我国营养学会推荐的乳母膳食钙供应量为1.5g/d。

(2)铁　铁不能通过乳腺输送到乳汁，故人乳中铁极少，仅约1.5mg/L。但由于胎儿在肝脏中已有铁的贮存，能供应婴儿出生后6个月内的消耗。但为了补偿乳母在分娩过程中的失血和防止贫血，膳食中仍应多供给含铁丰富的食物。目前我国营养学会推荐乳母每日膳食铁供应量为28mg。

5. 维生素

(1)脂溶性维生素　乳母的维生素A摄入量可以影响乳汁中维生素A的含量，因脂溶性维生素中只有维生素A可少量通过乳腺进入乳汁，尤其是产后2周内的初乳富含维生素A，以后乳中维生素A下降，平均约600μg/L中国营养学会推荐的乳母膳食维生素A的RNI 1200μg视黄醇当量。

维生素D几乎不通过乳腺，因此乳汁中维生素D很低。目前认为乳母无需额外补充维生素D，只要保证婴儿多晒太阳或适量补充鱼肝油或其他维生素D制剂即可。

(2)水溶性维生素　多数水溶性维生素能通过乳腺，并可控制其含量，即当乳汁中含量达到一定水平时即不再增加。

乳中维生素C浓度全球平均为52mg/L(WHO)，我国城市平均为47mg/L低于全球平均水平。给缺乏维生素C的乳母补充大量维生素C后，乳中维生素C可明显增加，当达到80mg/L。时，不再增加。中国营养学会推荐维生素C的乳母膳食供应量(RNl)为130mg/d。

不论乳母营养状况如何，增加乳母膳食中维生素 B_1、维生素 B_2 含量，则乳汁中维生素 B_1、维生素 B_2 的含量也相应增加。膳食中维生素 B_1 转变为乳汁中的维生素 B_1 的有效率仅为50%。故应增加膳食中维生素 B_1 的供应量。维生素 B_2 的情况类似维生素 B_1。中国营养学会推荐的乳母膳食供应量(RNl)维生素 B_1 为1.8mg/d，维生素 B_2 为1.7mg/d。

尼克酸在母乳中含量平均为6.2mg/L。中国营养学会推荐尼克酸的乳母膳食供应量(RNl)为是18mgNE/d。缺乏叶酸的母亲，补充叶酸后，乳汁中叶酸明显升高，其含量的多少可反映乳母膳食尼克酸的摄入水平。中国营养学会推荐叶酸的乳母膳食供应量(RNl)500μg/d、维土素 B_{12} 为2.8μg/d。

2.2.3 乳母的膳食与加工食品

乳母对各种营养素需要量都增加，因而必须选用营养价值较高的食物，合理调配、组成平衡膳食。为保证母婴健康和乳汁分泌质与量，每天可吃5餐，最好持续到断奶为止。

在哺乳期间可采用下列两种膳食结构:其一，粮食600g，鸡蛋200g，肉50g，菜400g，豆制品100g，红糖20g，食用油20g。并尽量按我国习俗用小米、鸡蛋、红糖、芝麻配合，起到蛋白互补，并有较丰富的铁、钙、维生素。此种食谱可供热12.6 MJ(3000 kcal)，蛋白质100g。其二，粮食450g，鸡蛋200g，豆制品100g，肉200g，牛奶250g，菜400g，红糖20g，食用油20g，此种亦可供热12.6MJ(3000kcal)，但蛋白质增至120g。此两种食谱钙仍不足，应适当给钙片。并且应多喝汤汁，以利泌乳。南方提倡产妇多喝鸡汤、猪蹄汤，我国民间习惯产妇多吃鸡蛋、红糖、小米和芝麻等都是符合营养原则的，在满足平衡膳食需要的基础上，各类食物都是不可少的。

由于大部分泌乳期妇女为双职工家庭成员，因此方便、快捷、营养卫生的加工食品很受这部分消费者的欢迎，如软包装或玻璃瓶、铁罐装的猪排海带汤、猪蹄煮花生、鸡汁墨鱼、鸡蛋挂面、钙强化饼干等营养价值高的食品随着人们生活节奏加快和营养知识的提高一定有较好的市场前景。

2.3 婴幼儿及青少年营养与膳食

2.3.1 婴幼儿的营养

从出生到1个月为新生儿，从满月到1年为婴儿，1岁到3岁为幼儿。婴幼儿是人的一生中体格和智力发育的关键时期，在此期间营养和发育状况对于一生的体格和智力发育水平有极其重要的意义。

1. 婴幼儿的生长发育

(1)体格发育　婴幼儿生长发育很快，足月儿出生体重平均为3000～3500g左右，在出生1个月时，婴儿体重平均增加800g，一般健康的婴儿半岁时体重约增加至初生时的2倍，1岁时可增加至3倍。足月出生时婴儿身长平均为50cm，1岁时可到75cm，5岁时可增加到1m。

(2)神经系统发育　婴幼儿的脑相对较重，足月新生儿脑约重350～400g，9个月时约增加到化已大致完成，8岁时脑细胞的形态和功能已接近成人。

外界的刺激有助于婴儿的发育，尤其在启发他们的兴趣和与他们交谈对婴儿的发育作用很大，如果孩子经常孤单一人而又没有任何玩具时，则发育较慢。

与营养和外界的刺激相比，种族和血统对婴儿生长和发育的影响是无足轻重的。

(3)其他生理功能发育　新生儿的免疫功能尚未成熟，免疫能力来源于母体，母乳(特别是初乳)中含有婴儿需要的免疫物质，所以用母乳喂养的婴儿较人工喂养的婴儿不易受感染。

婴儿的消化酶活力较成人差，消化道的运动也不稳定，如果摄入食物过多、突然调换食物或患病等，均会影响消化系统的正常功能，致使婴儿不能很好地消化和吸收，甚至引起腹泻或呕吐。另外，新生儿的胃容量甚小，因此每次喂奶的量要少，并要增加喂奶的次数。

2. 婴儿的营养需要

婴儿生长发育较快，对能量和营养的需求也相应提高。婴儿期营养就是满足婴儿修补组织、更新组织，维持生长发育和生埋活动所需要的能量和其他营养素。

(1)热能　婴儿的能量消耗主要用于四个方面:基础代谢、食物的特殊动力作用、生长发育和日常活动。在这一年龄段，基础代谢近似为成人的两倍，生长发育每时每刻都在进行，且啼哭时的能量消耗约为熟睡时的两倍。2000年中国营养学会推荐婴儿能量适宜摄入量(A1)为0.40MJ(95kcal)/kg体重。

(2)蛋白质　蛋白质的需要量因年龄而异，年龄愈小需要量愈高，婴儿每日每千克体重蛋白质的需要量因喂养方式不同而异，母乳喂养者为2～2.5g，牛乳喂养者为3.5～4.0g。在婴儿的蛋白质中要注意牛磺酸及组氨酸的含量，因牛磺酸在人乳中存在而在牛乳中较少，牛磺酸对于儿童的智力发育十分重要，在鱼肉中含有较多的牛磺酸。一般蛋白质占所需总能量的6.5%～8%是最合理的。2000年中国营养学会推荐婴儿蛋白质摄入量(RNl)为1.5～3.0g/kg体重。

(3)糖类　婴儿葡萄糖耐受性大，不易出现葡萄糖尿症。婴儿每日每千克体重糖需要量为12g，幼儿约需10g，以后递减，膳食中糖提供的热量约占总热量的50%为宜。婴儿在4个月后应适当补充断奶食品。

（4）脂肪　婴儿每日每千克体重需4g脂肪。人乳喂养的脂肪吸收率很高，达95%，牛乳脂肪的吸收率低，仅80%～85%，未被吸收的脂肪由粪便排出，内含中性脂肪、游离脂肪酸、可溶性及不溶性皂素。脂肪占总热量的合理比例为45%（0～6个月）和30%～40%（7～12个月）。

人乳是必需脂肪酸的最好来源，必需脂肪酸对婴儿的生长发育有极重要的作用，ω－3系列脂肪酸与婴幼儿的大脑组织发育密切相关，为此希望能在婴儿配方食品中加入一定量的植物油及ω－3系列脂肪酸，如EPA（二十碳五烯酸）、DHA（二十二碳六烯酸）。

2000年中国营养学会推荐婴儿脂肪摄入量应占总能量的30%～35%。

（5）水　婴儿体内的含水量接近80%，随年龄的增加而逐渐减少。婴儿每单位体重的表面积是成人的两倍，通过皮肤散失的水分和能量也几乎是成人的两倍。加上婴儿的基础代谢率高，积累的废物也多，排除废物需要更多的水。婴儿每日每千克体重需水量为120～150mL。3个月以内的婴儿，肾脏浓缩尿的能力有限，如果摄入的盐量超过需要量时，必须由尿排出，牛乳含盐量较母乳高，以牛乳喂养的婴儿，必须另喂些水，以帮助盐的排泄，否则会导致盐在体内储留的危险。

（6）矿物质和微量元素　最容易造成缺乏的微量元素是钙和铁。近年来，对一些幼儿园等进行营养调查，发现幼儿缺铁性贫血和佝偻病的发病率均较高，对此必须充分注意。小儿长期缺钙会造成发育迟缓、牙齿不整齐，患低钙性抽搐以及软骨病。为此必须从食物中补充钙，如乳类、豆类等，其次，必须增加乳糖、蛋白质、维生素D等，以利于钙的吸收。钙是构成骨骼和牙齿的重要成分，生长越快所需的钙量越大。如初生婴儿每日体内需储存钙450mg，以后逐渐减少，到1周岁时每日体内需储存钙123mg。

铁在婴幼儿营养需求中占重要的地位，新生儿体内储备铁仅约300mg。乳类含铁量很少，需进行强化。出生后4～6个月的婴儿，体内储存的铁几乎已用尽，必须从食物中补充铁，并适当补充维生素C，以利于铁的吸收及血红蛋白的合成。

其他的矿物质和微量元素也都是婴幼儿生长所必需的，地方性甲状腺肿地区和克山病地区的儿童应分别补充碘和硒。近年来，发现儿童缺锌可引起食欲减退，生长发育停滞，身高体重偏低，经补锌治疗后可明显改善。目前，微量元素营养学正日益受到重视，国内外都在大力开展这方面的研究。

（7）维生素　几乎所有维生素在缺乏时都会影响婴幼儿的生长发育，其中与婴儿生长发育关系最密切的维生素有维生素A、维生素D、维生素B_1、维生素B_2、维生素PP及维生素C。

婴儿肝脏中储备有维生素A，但取决于母亲的营养状况。乳类中含有一定量的维生素A，是婴儿维生素A摄入的主要来源，人乳中含有维生素A能满足婴儿的需要，牛乳中含有维生素A稍少。

维生素D与钙、磷代谢密切相关，如婴儿体内缺乏维生素D而钙、磷并不缺乏时，仍可发生佝偻病，因此它对生长期的婴幼儿极其重要，鱼肝油是维生素 D 的重要来源。食物中维生素 D 含量很少，故婴幼儿应常晒太阳以预防佝偻病。长期大量服用鱼肝油，使维生素 D 摄入过多，也会出现食欲不振、呕吐、便秘等中毒症状。

在 B 族维生素中，婴幼儿较易缺乏的是维生素 B_1，可能与我国膳食中动物性食品较少有关。缺乏维生素 B_1 的乳母会患脚气病。由于乳汁中也缺乏维生素 B_1，因而也会引起婴儿脚气病，严重时可致死亡。

用母乳哺育的婴儿一般不易缺乏维生素 E 和维生素 C，而人工喂养的婴儿由于牛乳中维生素 E 和维生素 C 的含量很低，牛奶经过煮沸消毒又损失一部分，一般代乳食品中也未加入维生素 E 和维生素 C，所以应注意及时补充维生素 E 和维生素 C。母乳是婴儿最好的天然食品，婴儿最好用母乳喂养 6 个月以上，适当补充及增加辅助食物。

3. 婴儿的喂养

（1）母乳喂养　母乳是婴儿的最佳天然食品。一般而言，母乳可供给婴儿 4 - 6 个月内所需要的营养素。母乳的蛋白质含量虽比牛奶少，但质量好。母乳乳白蛋白与酪蛋白的比例为 80∶20，而牛乳为 18∶82。母乳中 α - 乳白蛋白为主，而牛乳以 β - 乳球蛋白为主，容易造成婴儿对牛奶过敏。母乳中必需氨基酸构成与婴儿体内必需氨基酸构成极为一致，能被婴儿最大程度利用。

母乳中含丰富的必需脂肪酸，如亚油酸、亚麻酸以及长链多不饱和脂肪酸等。二十碳五烯酸、二十二碳六烯酸均为脑部及视网膜发育所必需。由于婴儿不像成年人可以从其他天然食物中获得亚油酸、亚麻酸、二十碳五烯酸、二十二碳六烯酸，所以必须从母乳中补充。

母乳中乳糖含量为 7%，高于牛乳。乳糖在小肠下端可促进乳酸杆菌的生长，并经其分解转变为乳酸，使肠道 pH 降低，有助于钙的吸收；母乳中铁的含量与牛奶相同，但母乳铁的吸收率为 50%，牛乳为 10%。除此以外，乳汁中的一些特殊成分对婴儿尤为重要。刚分娩后母体分泌的少量淡黄色黏稠的乳汁称为“初乳”，初乳含较多的分泌型免疫球蛋白、乳铁蛋白，以及较多的白细胞、溶菌酶、双歧因子，这些物质对防御感染、增强机体抗病力十分重要。人乳中有少量甲状腺素 T_3 及 T_4，可防止人工喂养发生甲状腺功能低下而致的智能发育迟缓。

在哺乳过程中，婴儿对母亲乳房的不断吸吮，刺激催乳素的分泌并有利于子宫收缩和恢复。同时由于分泌乳汁可消耗大量能量，使前面所述的孕期贮存脂肪被消耗。上述两方面均可使母亲体型得以尽快地恢复。另外，哺乳过程中母子心跳的共鸣，能使婴儿获得最大的安全感；哺乳期间母婴频繁的语言交流也可促进婴儿的智力发育。

（2）人工喂养　人工喂养是指由于各种原因使母亲不能用母乳喂养婴儿时，采取其他动物乳如牛乳、羊乳或其他代乳品喂养婴儿的方法。由于其他动物乳的营养价值与母乳有较大的差别，不适于婴儿的生长发育，所以不提倡人工喂养。母乳与牛乳的比较见表 2 - 2。

表 2－2　　　　母乳与牛乳成分比较

成分	单位	母乳	牛乳
水分	g/L	897	902
热能	MJ/L	2.9	2.8
蛋白质	g/L	10.7	34
（酪蛋白:清蛋白）	（－）	（1:1.5）	（1:0.2）
脂肪	g/L	42	39
乳糖	g/L	74	48
维生素 A	μg/L	600	310
β－胡萝卜素	μg/L	0.00	19.0
维生素 D－脂溶性	μg/L	0.1	0.3
维生素 D－水溶性	μg/L	8.0	1.5
维生素 C	mg/L	38.0	15.0
硫胺素	mg/L	0.2	0.4
核黄素	mg/L	0.3	2.0
尼克酸当量	mg/L	6.2	8.9
维生素 B_{12}	μg/L	0.1	3.1
叶酸	μg/L	52	52
钙	mg/L	350	1240
铁	mg/L	0.8	0.5
铜	μg/L	390	210
锌	μg/L	2950	3610

从表 2－2 母乳与牛乳的比较，其区别主要在于：

① 蛋白质　母乳约含 10.7g/L，而牛乳含蛋白质约 34g/L，但牛乳中酪蛋白多，水溶性乳清蛋白少，二者之比为 1:0.2，在胃中易形成较黏的凝乳，使婴儿不易消化，而母乳酪蛋白少，乳清蛋白多，二者之比为 1:1.5，在胃中易形成较稀软的凝乳，易于消化。此外，母乳含必需氨基酸及长链多不饱和脂肪酸丰富，利于婴儿生长发育。

② 脂肪　母乳脂肪高于牛乳，且含有脂酶，易消化吸收。特别是母乳亚油酸含量远远超之牛乳，因此母乳喂养可避免牛乳喂养亚油酸不足引起的婴儿湿疹。

③ 乳糖　母乳乳糖微高于牛乳，除供热外，在肠道可部分变为乳酸，有利于钙及其他盐类吸收，并可抑制肠道病原性微生物的生长繁殖。

④ 矿物质　母乳钙明显低于牛乳，但足以满足婴儿需要；乳类均为贫铁食品，但母乳高于牛乳，且母乳铁利用率高，可达 75%。

⑤ 维生素 若母体营养良好，则婴儿在4～6个月内所有维生素均可从母乳中得以满足。母乳中的维生素A、B、C因膳食不同差别较大。母乳中维生素C达30～40mg/L，便可满足婴儿需要，而牛乳不仅含维生素C少，且加热易破坏。

(3)适时添加辅食 随着婴儿的生长与发育，乳汁逐渐不能满足婴儿的营养要求，应及时添加辅食。一般认为4个月之内母乳可以满足要求，不需添加辅食，以后则视乳汁多少适当开始添加。为了防止缺铁，可开始补充强化铁米粉、肝泥等。6个月时可补充米粥、面片、鸡蛋黄等。至1岁时可食用烂饭、饺子、饼干等多种食品，随之喂奶次数减少，最后断奶。

4. 幼儿的营养需要

1周岁以后的幼儿，生长发育速度虽比婴儿期减慢，但相对成人仍相当迅速，故其营养素需要量也相对地高。如果断奶后未及时补充适量的乳制品或蛋白质丰富的食物，就会导致幼儿生长缓慢、停滞，以至营养不良。通常营养不良多发生在2～3岁幼儿。

1～3岁幼儿的特点是乳牙逐渐出齐，咀嚼消化能力也开始增强。但胃肠功能尚未发育完全，故在幼儿食品品种上要进行认真地研究和安排。

要保证为断奶后的幼儿提供富含蛋白质、维生素、矿物质的食品。牛奶及奶制品应是首选，其次是瘦肉制品、鸡蛋、动物肝脏、豆制品等，使动物蛋白占每日摄入总蛋白质的1/3以上。

为了保证维生素C、胡萝卜素、钙、铁等营养素的摄入，应适量地添加黄绿色蔬菜，如油菜、胡萝卜、大青椒、番茄、萝卜、白菜等。如有条件的，应提供富含维生素C的鲜果，如大枣、橘子、西瓜、香蕉、苹果等。

主食除供给热能外，还含有一定量的蛋白质、维生素B_1、烟酸、钙、铁等营养素。油脂可以提供热能、必需脂肪酸和脂溶性维生素，并能增进食欲，但每天不宜吃得太多，否则会影响消化，并会降低其他营养素的摄入。同时要增加组氨酸、牛磺酸及(ω-3不饱和脂肪酸的摄入，最好多吃一些鱼类食物。幼儿食物应以软、松、细为主，忌食油炸、油腻、块大、质硬和刺激性大的食物。各种营养素的具体要求见《中国膳食营养素参考摄入量》。

2.3.2 学龄前儿童营养

学龄前儿童是指3～6岁年龄段的儿童。此期间儿童在营养方面主要有下列问题：虽然生长速度略低于3岁以前，但仍属于生长迅速阶段，故能量需要相对高于成年人；此年龄段儿童的咀嚼及消化能力尚不如成年人；未养成良好进食习惯，吃饭时注意力分散；清洁卫生习惯不好，易患肠道寄生虫病，从而影响营养素的吸收与利用；一次进食量少，又活泼好动，所以容易饥饿；易患缺铁性贫血、佝偻病、缺锌症及蛋白质-热能不足等营养缺乏症。因此，要供给营养丰富的食品，如牛奶、肉、禽、鱼、蛋、豆制品、芝麻、干果、绿色蔬菜以满足其蛋白质、矿物质、维生素的需要。在烹调方面，尽量做到口感好、易消化。进食次数方面，除一日三餐外，两餐之间可补给点心、牛奶等以防止饥饿。另外特别要注意儿童的偏食问题。为了使幼儿膳食中各种营养素供应量平衡，食谱应做到多样化。各种营养素的具体要求见《中国膳食营养素参考摄入量》。

2.3.3 学龄儿童营养

学龄儿童是指7~12岁年龄段的儿童。此期间的营养问题，主要有早餐不足，小学生到第三节课后出现饥饿，从而使注意力不集中，学习效率降低。夏季冷饮太多，影响正常饮食与消化吸收。

因此家长一定要让小学生吃足早餐，早餐的食量应占全天的1/3，以满足足够的营养以及保证注意力集中和数学运算能力、逻辑推理能力和运动耐力的正常。夏季要控制饮料、冷食。到考试期间，应供给优质蛋白质及类脂，特别是卵磷脂、维生素A、维生素B_1、维生素B_2及维生素C，以补充复习和考试期间高级神经系统紧张活动下的特殊消耗。另外需要指出的是目前城市中小学生肥胖比例增加，应注意平衡膳食，尤其注意食糖的摄入，限制零食。各种营养素的具体要求见《中国膳食营养素参考摄入量》。

2.3.4 青春期营养

青少年期一般指12~18岁这一年龄段，包括青春发育期和少年期。一般以12~18岁为青春期，18~25岁为青年。青春期的到来说明性开始发育并且趋于成熟，此期在心理和生理上都有一系列的变化，机体合成代谢加快，身高体重迅速增加，各个器官逐渐发育成熟，思维能力活跃，记忆力最强，是一生中长身体、长知识最主要的时期，因此供给足够的营养是十分重要的。否则营养不良可使青春期发育推迟。

要鼓励青少年多吃谷类食物，以保证充足能量供应；女孩子开始月经来潮后，一次经血量平均为40mL，约损失铁1.2mg/d，所以要适当补充富铁食物。要保证足量的鱼、禽、肉、蛋、奶、豆类食品和新鲜蔬菜的摄入；要平衡膳食，积极参加体力活动，避免盲目节食。各种营养素的具体要求见《中国膳食营养素参考摄入量》。

2.3.5 婴幼儿、青少年易患的营养缺乏病

1. 佝偻病

佝偻病是婴幼儿常见的多发病，以3~18个月婴儿最多见。原因主要是维生素D缺乏导致骨质缺钙所致。为了预防佝偻病，新生婴儿自2周开始可给鱼肝油，从1滴起逐渐加至6倍，以维生素D10μg(400IU)/d为宜。亦可服用维生素D强化牛奶，同时适当晒太阳以增加皮肤维生素D的转化，每日晒1h可起到预防效果。

2. 缺铁性贫血

缺铁性贫血是世界上四种高发的营养缺乏症之一，发展中国家儿童本病的患病率为30%~90%，我国约20%~60%，以2岁以下小儿多见，发病高峰在6个月至1岁半。缺

铁可使体内很多含铁酶和依赖酶的活性降低，影响多种代谢过程(如 DNA 合成时)，从而损害神经、消化、肌肉和免疫系统的功能，影响儿童智能发育。儿童注意力不集中，易倦，学习成绩不佳，行为异常，害怕、紧张、不安或淡漠、忧郁、免疫能力低下，易感染。为了预防缺铁性贫血，应从 4 个月以后即开始补充富铁食物，如肝脏、肉末等。同时应加蔬菜、水果等富含维生素 C 的食物以促进铁吸收。

3. 锌缺乏症

有许多报道指出，婴幼儿、学龄儿童存在不同程度的锌缺乏。主要表现为生长发育迟缓、食欲不佳、味觉减退、异食癖、复发性口腔溃疡、重复感染、多汗等。据北京等地调查，小儿膳食锌仅为推荐量的 50% ~52%，平均日摄锌为 4.5 ~ 6.0mg 所以为防止缺锌，应采用含锌高且易吸收的食物，如牡蛎、海鱼、蛤贝等海产品，或各种肉类。另外高锌鸡蛋的研制与开发为小儿补锌开辟了一条有效途径。儿童血浆锌以 700μg/L 为临界值，缺锌下限约 110mg/kg。

4. 蛋白质营养不良

严重蛋白质营养不良在我国已少见，但轻度蛋白质缺乏在我国一些经济落后地区仍存在。因此立因地制宜增加小儿蛋白质的摄入，比如缺乏肉类、鱼等食物的地区，可增加蛋类、豆制品等的摄入。

2.4 老年营养与合理膳食

2.4.1 老年人的生理代谢特点

老年期主要生理特点是代谢机能降低。首先是基础代谢率降低，与中年人相比大约降低 10% ~20%。其次是细胞功能下降，由于体内分解代谢增加，合成代谢减少，导致细胞功能下降。

随着年龄增加，机体成分改变，体脂逐渐增加，而除脂肪外的瘦组织减少，出现肌肉萎缩。骨质由于脱钙与钙供给不足使骨质疏松，骨量减少。尤其是妇女停经后，因性激素缺乏，骨质疏松增加，骨密度降低，易骨折。此外各重要器官功能逐渐减退。脑细胞和肾细胞较青壮年大大减少，肾小球滤过率降低，肾小管重吸收功能下降，心输出减少，血管逐渐硬化，牙齿脱落，影响咀嚼，胃肠道消化液分泌减少，酶活性下降，肠蠕动减慢、易便秘，随年龄增加，胸腺细胞萎缩，质量减轻，T 淋巴细胞数目减少，细胞免疫功能因而亦下降。

2.4.2 老年人的营养需要

1. 热能

由于老年人基础代谢率下降，体力活动减少和体内脂肪组织比例增加，故对热能的需要相应降低。自60岁后，热能摄入应较青壮年减少20%，70岁以后减少30%。一般情况下，老年人每日平均热能6.72～8.4MJ(1600～2000kcal)即可满足机体要求。热能摄入应以维持理想体重为宜，如能量摄入过多可引起肥胖。其简便计算办法为男性身高(cm)减去105，女性身高(cm)减去100。在这一标准上下10%均为正常，超过10%或20%为过重或肥胖，相反低于标准10%或20%为消瘦或严重消瘦。据调查，体重在正常范围内者患病率最低，肥胖者易患高血压、冠心病、脑血管疾病，过瘦则导致支气管炎、肺心病等疾病。这可能与营养不足、免疫机能低下有关。故老年人应按活动量调节能量的摄入量。

2. 蛋白质

蛋白质的质和量对老年人极其重要。老年人分解代谢大于合成代谢，蛋白质合成速度减慢，摄入的蛋白质利用率低，并且由于老年人肝肾功能减退，对蛋白质代谢产物的代谢能力下降。因此老年人摄入蛋白质应少而精，以维持氮平衡为原则。如牛奶、鱼、肉及豆制品，其量以1.27g/kg体重或蛋白质的能量比为15%为宜。要注意不能过多地摄入动物蛋白质，因老年人肝、肾功能差，过多蛋白质分解后加重肝、肾负担，同时还增加脂肪的摄入。具体摄入量要求见《中国膳食营养素参考摄入量》。

3. 脂肪

因为老年人胆汁酸减少，脂酶活性降低，脂肪代谢缓慢，血脂偏高。故脂肪摄入不宜过多，以占总膳食热量20%～30%为宜。且应限制含饱和脂肪酸的动物性脂肪的摄入，代之以富含多不饱和脂肪酸的植物油为主。由多不饱和脂肪酸、单不饱和脂肪酸、饱和脂肪酸提供的能量分别占每日总能量的8%～10%、10%、6%～8%为适宜。

4. 糖类

老年人糖耐量低，胰岛素分泌少且对血糖的调节作用减弱及糖耐量降低而易发生血糖升高。另外糖类摄入过多可引起肥胖、高脂血症、动脉粥样硬化等心血管病，并与糖尿病的发病率高有关，因此老年人不宜食含蔗糖高的食物。老年人糖类的摄入量应占提供总能量的55%～65%。老年人宜多吃水果、蜂蜜等含果糖食品，因果糖易被老年人吸收利用，且果糖转变为脂肪的能力小于葡萄糖。此外还应增加富含膳食纤维的蔬菜的摄入，以利胃肠蠕动，预防便秘。

5. 矿物质与微量元素

(1) 钙　因为老年人胃肠功能降低，胃酸分泌减少；肝功能降低，使有活性的1,25-$(OH)_2$-D_3合成减少；户外活动不足，皮肤维生素D合成亦减少。所以老年人对钙的吸收下降。此外，老年人体力活动减少，又降低骨钙的沉积，所以老年人易因缺钙而导致骨质疏松。因此老年人一方面应增加易消化吸收的高钙食品，另一方面要适当运动。2000年中国营养学会推荐老年人钙的适宜摄入量(A1)为1000mg/d。

(2) 铁　老年人胃肠功能减退，铁吸收下降；另一方面造血功能亦减退，血红蛋白含量减少，易出现缺铁性贫血。据报道北京老年人贫血患病率约50%，广州约55%。当然导致贫血的因素除了与铁吸收不良、造血功能低下有关外，还与蛋白质不足，维生素 B_{12}、维生素 B_6 及叶酸等维生素及微量元素铜有关。故补充上述营养素是预防老年人贫血的关键。中国营养学会推荐老年人铁的适宜摄入量(AI)为15mg/d。

(3) 硒　硒是微量元素中与抗氧化作用关系最密切的一种元素，而人体衰老的理论之一便是自由基学说。因此，老年人适当补硒，对于减少体内过氧化产物的积累是十分有益的。

老年人膳食中还应有一定量的其他微量元素，如铜、锌、铬等。

6. 维生素

由于老年人牙齿松动、脱落，咀嚼能力下降，同时胃肠道消化能力也减退，所以水果蔬菜的食用量受到限制，或即使食用蔬菜，也因烹调过烂致维生素损失太多，因而易致维生素缺乏。抗坏血酸的供应应充足，因抗坏血酸有预防老年血管硬化、促进胆固醇排出的作用，抗坏血酸还有解毒作用、提高免疫功能、防癌和促进铁吸收预防缺铁性贫血，并有维持毛细血管壁的完整性，加快伤口愈合作用，是老年人不可缺少的维生素；维生素 A 具有防癌抗癌作用，应保证摄入充足；维生素 D 有调节钙、磷代谢，促进肠壁对钙的吸收的作用，对预防老年性骨质疏松尤为重要。此外维生素 E 抗衰老，有提高免疫力的作用。作为抗氧化剂，维生素 E 可以保护细胞膜不受脂质过氧化而破坏，还可消除衰老组织中脂褐质；硫胺素、核黄素与能量代谢有关。此外，老年人对维生素 B_6、叶酸和维生素 B_{12} 的供给也值得重视。

2.4.3 老年人的膳食原则

现在老年人选择食品的消费观已由“食以味为先”转为“食以补为先”的原则，当前我国食品科技人员根据衰老机理，不断开发出新的老年食品。

1. 热量适宜　老年食品热量不宜过高，甜味剂可选低糖甜味剂或非糖甜味剂。

2. 蛋白质适量、质优　老年食品蛋白质含量可与成人食品相近，但要强调供给优质蛋白质，如动物性蛋白和豆类蛋白。

3. 脂肪总量要低　饱和月旨肪酸要求更低，提倡老年食品中多用大豆油、芝麻油等植物油，老年食品还应降低胆固醇含量。.

4. 膳食纤维　膳食纤维有通便，防高血脂、动脉硬化、胆结石、糖尿病和结肠癌等重要功能，这对于老年人尤为重要。如魔芋精粉可作为膳食纤维添加在老年挂面中。

5. 低盐　老年食品中钠含量要低，我国一般老年人食盐摄入均大大高于推荐量，提倡食用氏盐食品。

6. 注意食品加工工艺，防止产生致癌物　据 WHO 估计，全世界每年死于肿瘤的人数为500万，中国肿瘤患者约100万。食品与肿瘤发生密切相关，应值得注意。

7. 良好的饮食和生活习惯　饮食要定时定量，最好一日四餐，不宜过饱。不吸烟、少饮酒。

2.5 特殊环境条件下人群的营养与膳食

2.5.1 高温环境下人群的营养

高温环境是指生活环境温度在35℃以上和工作环境温度在32℃以上，湿度超过80%的工作场所。高温环境又分为自然高温环境和工业高温环境。自然高温环境主要出现在夏季，由日光辐射引起。工业高温环境主要由人工热源引起，如冶炼工业、机械铸造业等。在这种高温环境下，人体的代谢及生理状态将发生一系列变化，因而对营养也有特殊的要求。

1. 水与矿物质

在高温环境下，人体主要通过出汗来调节体温。出汗量因当时的温度、活动强度及个人素质而异。汗液中约有0.3%的矿物质，主要以钠、钾、钙为主。一般情况下，每日通过出汗可损失氯化钠20~25g左右。如不及时补充水分与盐，可引起严重脱水和失盐症状，如大量出汗而只补充水不补充盐，则可以出现“热痉挛”。同时，出汗亦导致钾的丢失，可使机体耐热能力下降，这被认为是引起中暑的原因之一。此外，出汗还可引起钙、镁、铁等离子的损失。

因此，在高温环境下，首先要补充出汗失去的水分。补充水分的方法是少量多饮，其好处是减少水分的蒸发与排尿量。若工作环境在37~38℃下，总补水量每日应为10~12L。食盐则视出汗量而定，日出汗少于3L者，补15g，日出汗大于5L者，应补20~25g。钾的补充以富含钾的新鲜蔬菜瓜果以及各种豆类为好，也可服氯化钾片。在补充水分与电解质的同时，应考虑钙、镁、铁等离子的损失。

2. 维生素

在高温环境下人体的汗液和尿液排出水溶性维生素较多，首先是维生素C，损失最多，次之是维生素B_1与维生素B_{12}，因此每日应给维生素C 150~200mg，维生素B_1 2.5~3mg，维生素B_2 4mg。高温环境由于热辐射及强光对皮肤和眼睛都有一定的刺激。因此有人建议维生素A的供应量应增至每日1500μg。

3. 蛋白质与热能

高温环境下，出汗使体内氮损失增多，脱水引起体温升高又使蛋白质的分解代谢加强、尿氮排出增多。汗液中的氨基酸有1/3是必需氨基酸，其中赖氨酸的损失尤为突出，因此应适当增加蛋白质摄入，以免出现负氮平衡。同时高温环境下热能消耗也增加，一般认为环境温度达30℃以上时，应在正常能量推荐摄入量的基础上，温度每增加1℃，增加膳食热能0.5%。

4. 消化机能改变与饮食

在高温环境下，可出现消化液分泌减少、胃酸降低、胃排空加速，从而使机体消化机能减退；另一方面高温刺激通过中枢神经系统对摄食中枢产生抑制作用，同时大量出汗、口渴引起饮水中枢兴奋，也抑制摄食中枢，以致食欲下降。因此需采取针对性措施调剂膳食，比如饭前喝少量汤汁或清凉饮料，以减低饮水中枢的兴奋，进而增进食欲，同时膳食应注意色、香、味配合，应用葱、姜、蒜、醋等开胃调味品，或用辛辣、爽口食品或调味料以刺激食欲。

2.5.2 低温环境下人群的营养

低温环境一般指气温在10℃以下的外界环境，具体到我国而言，主要是东北高纬度的寒冷地区和部分高原地区，由于人们较长时间生活工作在寒冷条件下，因此其代谢及营养需要均有一定的改变。

1. 热能

低温本身可引起基础代谢率增加工10% ~15%，若出现寒战可使基础代谢明显增加。响此外笨重的防寒衣服可使人增加5 ~10kg负担，并限制了活动，亦增加能量消耗；另一方面，在寒冷刺激下，甲状腺功能增强，甲状腺素分泌增加，可使机体产生的热能不以ATP贮存，而以热的形式散发以抵御寒冷。

因此膳食热能供给应比正常环境下的热能供给增加10% ~15%，而膳食应以糖类为主转变为蛋白－脂肪型，即增加蛋白质与脂肪供能比例，适当降低糖类供能比例，蛋白质应占总热能的13% ~15%，脂肪应占35% ~40%，糖类占50%左右。如美国规定在寒冷地区的膳食，其热能为10.5 ~13.39MJ(2450 ~3200kcal)，其中脂肪占36.6%，糖类48.8%，蛋白质14.6%。前苏联规定轻体力劳动者膳食中热能14.23MJ(3400kcal)，其中脂肪35%，糖类50%，蛋白质15%。蛋白质的供应中，动物蛋白最好占到50% ~65%，这样可保证必需氨基酸的供应，对防寒有利。

2. 维生素与矿物质

低温环境下人体对维生素的需要量增加，一般北极地区人体维生素比温带约增加30% ~35%，美国、加拿大对北极地区工作人员主张每日加维生素C 500mg，前苏联对寒冷地区居民维生素C供应按劳动强度不同定为70 ~120mg，维生素$B_1$2 ~3mg，维生素$B_2$2.5 ~3.5mg(青年7.5mg)，尼克酸15 ~25mg。维生素A有利于耐寒能力，应供给5000IU(1500μgRE)。

低温条件下由于随尿排出矿物质量比常温下增加，因此膳食的矿物质供应量亦应增加。因寒冷地区钙食物来源不足，日照时间短，因此低温条件下不仅需补钠，也应补充钙。有报道认为，低温条件下摄入较多食盐可使机体产热增加。食盐的供给量可达每人每日25 ~30g。但目前认为食盐摄入过多对健康不利，因此不提倡食用过咸食品。

2.5.3 运动员的营养

从事体育运动的人员除具有良好的耐力，还要有高度的灵敏性。良好的营养将促进运动员的体格健壮、体力增强，并提高训练及竞赛时的运动能力，也有利于赛后疲劳的消除与体力恢复。

1. 运动对人体生理的影响

运动员在训练和比赛时的生理变化主要因肌肉活动量增大而引起。肌肉在活动时能量来源主要靠糖及脂肪的氧化分解。糖容易氧化，耗氧量比脂肪小，其代谢产物为二氧化碳和水，对体液 pH 影响小，在运动开始和大强度运动时，糖代谢所占比例较高，而运动强度小或糖原贮备大量被消耗后，脂肪氧化的比例增高。运动员体内贮备的糖原约 375 ~ 475g，其中肌糖原 100 ~ 120g，肝糖原 275g，血糖 5 ~ 8g，但血糖仅维持 2min 的快速跑，维持血糖浓度主要靠肝糖原和肌糖原的降解。因此体内的糖原贮备是影响运动员耐久力的重要因素，这些糖贮备大约可供给持续 90 ~ 180min 的运动，如长跑、长距离游泳、滑雪、马拉松等项运动。若运动员糖贮备耗尽，则会出现低血糖，接着还会出现神经系统机能发生障碍、头晕、无力及运动能力下降。

体育运动可以促进脂肪代谢、降低血脂、减少体内脂肪的过多贮留，但若运动员摄入过多脂肪则对运动不利，这是因为脂肪氧化耗氧最高，加之高血脂的血流缓慢，影响体内氧的供应，从而影响运动成绩。此外，高脂饮食会增加运动后丙酮酸和乳酸的浓度，使身体容易疲劳。

训练期间运动员的肌肉处于增长阶段，此期间应增加蛋白质的供给量。参加运动使机体代谢增强，能量消耗增加，并且出汗率高(即短时间集中大量出汗)，机体对氮的排出量明显增多，水分、矿物质及水溶性维生素的丢失量比正常人多。运动员在热和体力运动两种应激同时存在时，处于失水、失盐状态，此时表现为体温升高、脉率加快、心血输出量减少、肌力减弱并感疲劳。

2. 运动员的合理营养

(1)能量　运动中主要能量是糖类和脂肪酸，两者供能比例取决于运动强度。当运动员体内有足够的糖类和脂肪作为能源时，蛋白质几乎不被动用。当运动强度达到最大吸氧量的 75% 以上时，糖氧化供能比例上升。随着运动负荷的增强对糖类的利用增加，当运动强度达 85% ~ 90% 最大氧摄取量时，全部能量来自糖类。随着运动强度的增加和时间的延长，对脂肪的利用也逐渐增加。运动的耐久力和糖原贮备量有关，正常人体内糖原贮备量约为 350g，膳食中糖类比例影响运动员糖原贮备，赛前高糖类，增加糖原贮备，从而增加运动的耐力。不同运动项目的能量代谢特点也不同(表 2 - 3)。例如投掷、举重等是要求爆发力量强的项目，运动强度在短时间内骤然增大，单位时间内能量消耗也最大，但其动作频度低，持续时间短，体力容易恢复。而长跑、竞走等项目虽然运动强度较小，但动作频度高、持续时间长，总能量消耗较多。不同国家、不同运动项目制订的运动员能量供给量也不同。我国一般项目运动员的能量需要约为 209 ~ 250kJ/kg 体重，国家体育总局为运动员制定的饮食标准中能量供给量为 18.4MJ/d。

(2)蛋白质　蛋白质供给充分对维持运动员的神经兴奋及弥补运动中消耗的蛋白质是很必要的，但高蛋白膳食可能导致尿氮排出增加，造成体内大量蛋白质代谢产物的堆积，加重肝肾负担，同时使体内水分、矿物质耗尽而影响运动成绩和身体健康。因而建议运动员蛋白质可按每千克体重1.5～2.5g供给，而且在质量上应当有30%左右的优质蛋白质。

（3）脂肪　运动员饮食中控制适宜的脂肪量，一般认为运动员膳食中脂肪提供的能量应占总能量的25%～30%左右。体内脂肪贮存量过多会影响运动能力，体内脂肪氧化的耗氧量高，高脂肪的食物不容易消化，延缓胃的排空，吸收慢，脂肪代谢物呈酸性，酸性物质的蓄积会降低人的耐久力以及运动后体力的恢复。

表2－3　不同运动项目的能量消耗

项目	能量消耗 KJ. m^{-2}. min^{-1}	项目	能量消耗 KJ. m^{-2}. min^{-1}
骑自行车（平地一般速度）	12.577	篮球	
体操		练习	13.862
臂部运动	6.540	比赛	24.188
背部运动	8.970	棒球	
腿部运动	7.975	接球	8.812
腹部运动	6.983	击球	13.573
上肢、跳跃等运动	15.117	男子网球	
男子吊环规定运动	87.178	单打比赛	23.594
男子双杠规定运动	98.763	多球训练	33.229
男子单杠规定运动	135.152	女子网球	
男子自由体操	41.141	单打比赛	25.171
男子跳马	199.309	移动技术	27.167
男子鞍马	164.410	游泳	
女子平衡木	35.037	仰泳	13.443
女子自由体操（全套规定运作）	42.183	自由泳	16.970
女子自由体操（技巧动作）		蛙泳	22.050
女子高低杠	103.148	侧泳	21.129
女子跳马	44.848	摔跤	21.338
滑雪（平地硬滑，中速）	214.848	越野赛跑	24.920
室外混合运动	28.974	男子自行车（中速）	29.455
排球	8.945	女子自行车（中速）	27.229
练习		划船	
比赛	7.899	51m/min	9.648
足球	17.050	69m/min	15.037
	20.108	97m/min	26.359

（4）糖类　糖类是运动员的主要能源物质。糖类作为肌肉运动的能源，消耗等量氧的产能效率比脂肪高4%～5%，这种差异在比赛时可能会成为影响胜负的因素。运动员体内肌糖原贮备水平与运动员的耐久直接相关，而糖原贮备又受膳食摄入糖类量的影响，赛前和赛中补充糖都有助于运动员耐力提高，一般情况下运动员每日应给予糖类占总能量的50%～60%的膳食，大运动量训练或比赛前每日应按9～10g/kg体重供糖量，以保证足够的

糖量贮备。运动员应该以淀粉类作为糖类的主要来源。

(5)合理补充水分和矿物质　长时间运动或在热环境下运动，出汗较多，水代谢旺盛，当运动失水超过体重的2%，常感到口渴。一般认为失水量为体重的3%~4%时，基本上不影响运动成绩。但若失水量达到体重的5%时，运动能力明显下降，但训练有素的运动员影响程度要小些。运动员水的供给量应以保持水平衡、补足失水量为原则，若大量出汗后应采用少量多次补足的办法。运动中补液时，液体温度10~13℃比较适口，有利降低体温。由于运动引起人体大量出汗时，也使一些矿物质丢失明显增加，跟随汗液流失大量的矿物质有钠和钾及少量的钙及镁等。运动员缺钾时糖的利用受限，还会增加肌肉损伤的概率。体内ATP合成和氧化磷酸化过程受影响，肌肉血流量相应减少，故可引起肌肉无力，导致运动成绩下降，因此补充含钾丰富的水果、蔬菜、瘦肉类及含钙、镁、磷、铁丰富的食品是非常必要的。铁主要存在于人体内的血红蛋白、肌蛋白中，并与多种氧化酶、呼吸酶有关，因而铁营养与运动员的摄氧能力，尤其是耐力项目的运动有关。

(6)维生素　维生素在体育运动中的作用与劳动中的作用相同。运动时体内物质代谢过程加强，使其维生素的需要量增加，若经常进行剧烈运动不注意补充维生素，可使维生素的缺乏症提前发生或症状加重。运动员对于维生素的缺乏情况比一般人耐受性差。维生素A在体内除参与视紫红质形成，保护上皮细胞的健康外还与应激机能有关。许多运动要求视力集中，如击剑、射击、乒乓球等项目，其运动员的维生素A供给量应比参加其他项目要高，而且摄入量的2/3最好由动物性食品供给。因运动员总能量摄入高于一般人，加之汗液中水溶性维生素的丢失大，相应地需补充丰富的水溶性维生素。一些研究指出，体内若缺乏维生素B_1、维生素B_2、维生素C及烟酸时，运动员肌肉无力，耐久力受损害，容易疲劳，免疫力下降，相反若这些维生素供给充足，则可提高肌肉的耐久力，运动后也较易消除疲劳。

3. 运动员的膳食

合理营养和平衡膳食对促进运动员的体格发育、增加身体素质(尤其是体力和耐力)，在训练和比赛中发挥最佳的竞技状态以及有利于消除疲劳、加速体力恢复都具有非常重要的意义。

运动员膳食应根据训练、比赛时间以及所要进行的运动项目进行合理调配。进餐时间宜安排在运动前2h，使摄入胃内的食物在运动开始时已大部分消化。若餐后1h即参加剧烈运动，将抑制消化腺的分泌，并由于运动导致食物在胃内振荡而使运动员感到恶心、不适、运动能力下降。若饭后4~5h运动又会出现空腹感或血糖下降，影响运动员的兴奋性和耐久力。运动结束后也应休息40~60min再进餐，此时机体的循环和呼吸机能已恢复到正常状态，有利于食物的消化和吸收。

一般在日常训练阶段应以混合膳食为主。赛前准备阶段，除全面加强营养素供给外，临赛前2~3d可安排高糖类膳食，以增加糖原贮备。比赛当天的膳食应当是速效和高热量的，并要求体积和质量小，易于消化。为减少食物体积也需摄入一定量的脂肪，目前可用中碳链甘油三酯（MCT）来代替一般脂肪，中碳链甘油三酯即指 $C_6 \sim C_{12}$ 的脂肪酸组成的甘油三酯，它可被胰脂肪酶迅速水解，形成的脂肪酸可被肠腔迅速吸收，转运到肝脏后氧化产生乙酰辅酶 A，进入三羧酸循环，立即放出能量。主食应仍以米、面制品为主，并辅以乳类、瘦肉、花生、芝麻、核桃、动物肝脏、豆制品等优质蛋白、B 族维生素及多种矿物质丰富的食品，蛋类则是运动员每日的必备食物，为减轻因运动使血中乳酸增多而引起的疲劳，运动员还应每日多吃一些蔬菜、水果等碱性食品。有些耐力运动项目如长距离游泳可于赛前 30min 补充 20% 的低聚糖溶液。比赛期间应避免吃产气多、维生素多的食品。以乒乓球或羽毛球集训队男运动员为例，当运动员体重为 60 kg，一日总能量供给量为 12.56MJ 时，一日的食物大致包括主食 400g（米和面各占 1/2）、蔬菜 500g、水果 400g（柑橘类占 1/2）、牛奶 500g、肉类（包括畜、禽、鱼、肉及蛋等）共 150g、豆制品 50g、食盐 10g、酱油 10g、白糖 15 ~ 20g、植物油 30 ~ 40g、黄油 10g 等，基本上可满足各种营养素的需要。主要营养素比例基本合理。其他各项运动员可结合项目特点进行食物调配，一些技巧性运动项目，平常膳食中可以多食用一些甲鱼、虾、黄鳝等食物，以维持运动员神经兴奋，提高运动的水平。

第 3 章　各类食品的营养价值

人类的食品应当丰富多彩，品种繁多，在营养上依其性质和来源，可大致归为三类：① 以含有大量优质蛋白质及其他营养的特征的动物性食品，包括肉、蛋、奶、动物内脏、水产品等；② 主要供人类热能、纤维素的植物性食品，如粮谷类、豆类、蔬菜、水果、薯类、硬果等；③ 用以上两天然食品而生产的各种加工制品，如糖、油、酒、罐头、酱油、醋和其他各种制品等。

一、食品的营养价值

作为食品应当都具有一定的营养价值。食品的营养价值是指特定食品中所含营养素的种类及其质和量的关系。亦即某种食品中所含的热能和营养素能满足人体需要的程度。各种食物由于所含的营养素和热能满足人体营养需要的程度不同，营养价值有高低之分。理想的高营养价值食品除含有人体必需的热能和营养素以外，还要求各种营养素的种类、数量、组成比例都符合人体的需要，并且易被消化、吸收。

人类的大多数食品其营养价值都是相对的，因为每种食品所含营养素并不能完全满足人体的需要。例如，米面类食物对糖类、热能需要来说，营养价值较高，但对蛋白质来说都是低营养价值的；蛋奶类对蛋白质来说是营养价值较高的，但却都是贫铁食物。另外，即使是同一种食品，由于不同的品系、产地、种植条件、肥料使用、收获时间、贮存条件以及不同的烹饪加工方法等都会影响到食物中营养素的组成与含量。

天然食品在为人类提供营养素的同时，往往还含有一些非营养成分，它们有些可以防病治病，如大蒜中的大蒜素，香菇中的香菇多糖，十字花科蔬菜中的二硫酚硫铜，木耳中的酸性多糖等，可提高机体的免疫功能，降低血脂和血压，具有抗癌和抑癌作用；有些含有能改善食物的感观性状，促进人体的食欲和消化吸收的物质，如动物性食品中的含氮浸出物，蔬菜和水果中的色素、有机酸等，能增加食物的色、香、味、形，保持食物的特殊风味，并可提高食品中营养物质的利用率。

但是有些非营养成分是对人类无益的，即某些抗营养素因子或毒性物质，如大豆中的抗胰白酶因子和血球凝集素，生蛋清中的抗生物素蛋白，杏仁中的杏仁苷，柿子中的柿胶酚，菜籽中的甲状腺肿物质，蔬菜中的草酸，高粱中的单宁等，这些物质可影响营养素的消化吸收和利用，有些可直接对人体健康产生危害，如引起食物中毒、溶血性贫血、消化不良等疾病。在进行加工时应设法除去，才可充分保证食品的营养价值。

在评价食品的营养价值时，还应注意营养素在加工储存中的变化。食品在加工储存中的变化。食品在加工储存中发生的某些变化可以改善食品的品质与口感，如山芋在贮存的过程中，部分淀粉由于酶自转化为单糖或双糖，使山芋的口感更好，也有利于人体的消化吸收；有些食品中的营养素维生素由于化学性质不稳定，会造成其氧化分解，造成营养素的丢失。这些均会给食物的价值带来相当大的影响。

目前，营养学上常以营养质量指数(INQ)为指标，来评定食品的营养价值。所谓INQ指营养密度与热能密度相适应的程度。营养密度是指满足机体某种营养素需要的程度，热能密度是指满足机体热能需要的程度，上述两者的比值即INQ。INQ≥1为营养价值比较高，INQ ≤1为营养价值比较低。

$$\text{INQ}=\text{营养密度}/\text{热能密度}=\frac{\text{某营养密度}/\text{该营养素的供给量标准}}{\text{所产生的热能}/\text{热能的供给量标准}}$$

现以100g鸡蛋为例，根据食物成分表中鸡蛋的营养素含量，并按成年男性轻体力劳养素供给量标准，计算出100g鸡蛋中主要营养素的INQ值，见表3－1种高营养价值的食物。

表3－1　100g鸡蛋中几种主要营养素的INQ

项目	热能	视黄醇	核黄素	蛋白质	铁	硫胺素	钙	尼克酸	抗坏血酸
含量	710.6	432	0.31	14.7	2.7	0.16	55	0.1	－－
供给量标准	10868	800	1.30	80.0	15.0	1.3	800	13	60
标准/%	6.54	54.0	23.85	18.4	18.0	12.3	6.88	0.77	0
INQ	－－	8.26	3.65	2.81	2.75	1.88	1.05	0.12	0

从表中可见，鸡蛋的几种主要营养素，除尼克酸和抗坏血酸以外，INQ均大于1，说明一种高营养价值的食物。

INQ的主要优点是可以对食品营养价值的优劣一目了然，是一种评价膳食营养价值、指导消费、科学配膳和评价食品强化是否合理的简明实用指标。

二、评价食品营养价值的意义

1. 全面了解食品中营养素的组成与含量的特点，以便于最大限度地利用食物资源，用新的食物资源。

2. 了解食品在收获、加工、贮存等过程中可能存在的影响食品营养价值的因素，以便于在烹饪过程对食品质量控制，提高食物的营养价值。

3. 了解食品中非营养物质的种类和特点，以便趋利避害，有的放矢，充分发挥其潜能。

4. 指导科学配膳，使食品的选择与搭配更加合理。

3.1 谷类食物的营养价值

谷类是草本科植物的种子，我国食用的谷类主要有小麦和稻米，其次有称为杂粮的玉米、高粱、小米、大麦、燕麦、荞麦、莜麦、青稞等。谷类大多可加工制成各种食品，在我国人民的膳食构成中有重要的地位，人体所需热能的60% ~70%、蛋白质的50% ~70%由谷类提供，因此谷类食物尤其其中的小麦和大米是我国大部分地区居民的主食。同时由谷类提供的B族维生素之矿物质在膳食中也占有相当比重。

谷类由于种类、品种、地区、生长条件以及气候、施肥和加工方法的不同，其营养素含量有一定的差别。

3.1.1 谷籽结构和营养素分布

谷类的结构因品种不同而有一定的差异，但基本结构大致相似，其最外层是种皮，种皮内是谷皮，种皮和部分谷皮在加工时被去除。谷皮里面是一层多角形细胞组成的糊粉层，其中包括占谷粒绝大部分的胚乳。谷粒的一端有胚芽。各部分所占谷粒的质量比分别为:谷皮占13% ~5%，糊粉层占6% ~7%，胚乳占80% ~90%，胚占2% ~3%。

谷皮主要由纤维素、半纤维素和戊聚糖组成，含有较多的矿物质。此外，尚有一定量的蛋白、脂肪和B族维生素，但完全不含淀粉。因加工过程中已去除，这些营养素的营养学意义不大。

位于谷皮和胚乳层之间的糊粉层含有较多的脂肪、蛋白质，矿物质含量高于皮层，纤维素含量较少，糊粉层的营养素含量相对较多，营养密度也高，但在高精度碾磨加工时，易与谷皮同时丢在糠麸，故在营养上有十分重要的意义。

胚乳含有大量的淀粉，较多的蛋白质、脂肪，矿物质及粗纤维则很少，胚乳中氮含量约占全谷总量的70%，但其相对含量不如糊粉层的胚芽。蛋白质主要分布在胚乳的外周部分，愈到谷粒的中心蛋白质的含量愈少。胚乳是谷粒中主要营养成分集中之处，加工时应尽量全部保留下来。

胚位于谷粒的一端，其中富含蛋白质、脂肪、可溶性糖、矿物质和维生素等，其营养价值很高，且酶活性也强，如α、β-麦芽淀粉酶、蛋白酶等，加工时如谷粒留胚多则易变质。米粒、小麦粒各部分的化学组成见表3-2。

表 3－2　米粒、小麦粒各部分的化学组成(%)

	小麦胚乳	小麦谷胚	小麦谷皮及糊粉层	整粒小麦	大米胚乳	大米谷胚	大米谷皮及糊粉层
水分	13.0	12.5	12.5	14.5	12.4	12.4	13.5
含氮化合物	10.5	35.7	16.4	11.0	7.6	21.6	14.8
糖类	74.3	13.7	43.6	69.0	78.8	29.1	35.1
脂肪	0.8	13.1	3.3	1.2	0.3	20.7	18.2
灰分	0.7	5.7	6.0	1.7	0.5	8.7	9.4
纤维素	0.7	1.8	18.0	2.6	0.4	7.5	9.0

3.1.2 谷类的化学组成及营养价值

由于种类、品种以及气候、地理条件和施肥条件等不同，谷类的营养成分有一定的差别。

1. 蛋白质　谷类蛋白质含量一般在 7.5%～16% 之间。主要由白蛋白、球蛋白、醇溶蛋白和谷蛋白组成。

不同谷类中各种蛋白质组分所占比例有所不同，见表 3－3。各种蛋白质的氨基酸组成也有差别。

表 3－3　主要谷类蛋白质组成(%)

谷类	蛋白质	球蛋白	醇溶蛋白	谷蛋白
小麦	3～5	6～10	40～50	30～40
玉米(普通)	4	2	50～55	30～45
玉米(opaque－2)	15	5	25	55
大麦	3～4	10～20	35～45	35～45
大米	5	10	5	80
莜麦	1	80	10～15	5
高粱	1～8	1～8	50～60	32

谷类蛋白主要是醇溶蛋白和谷蛋白，约占蛋白质总量的 80% 以上。一般白蛋白和球蛋白中含较多赖氨酸，醇溶蛋白和谷蛋白组分中则含赖氨酸较少，而含亮氨酸较多，特别是醇溶蛋白中赖氨酸含量极少，见表 3－4。因此谷类蛋白一般都缺乏赖氨酸而亮氨酸又过剩，从而致使谷类蛋白质氨基酸组成不平衡，营养价值较低，见表 3－5。谷类蛋白质一般都以赖氨酸为第一限制性氨基酸、第二限制性氨基酸为苏氨酸(玉米为色氨酸)，它们的生物价一般较低，约为 50%～60%(大麦、大米、莜麦可达 70% 左右)。小米、玉米等蛋白质中还有过多的亮氨酸，这对氨基酸平衡更为不利。

表 3-4　　玉米和高粱胚乳中各蛋白组分的赖氨酸和亮氨酸含量(g/100%)

谷类	氨基酸	白蛋白	球蛋白	醇溶蛋白	谷蛋白
玉米	赖氨酸	5.6	3.3	0.1	3.3
	亮氨酸	5.6	5.1	19.8	9.5
高粱	赖氨酸	6.8	4.7	0.1	2.1
	亮氨酸	7.5	6.4	19.2	10.9

为改善谷类蛋白质的营养价值，可采用第一限制性氨基酸进行强化或根据食物蛋白质互补的方法来提高谷类蛋白质的营养价值。如精面粉用0.3%赖氨酸强化，或加入适量的大豆粉，即可显著提高蛋白质利用率。此外用基因工程方法改善谷类蛋白质的氨基酸组成已取得突破性进展，如高赖氨酸玉米 opaque-2 和 floury-2 两个突变种，其蛋白组分中醇溶蛋白降低而其他蛋白含量增加，即使赖氨酸和色氨酸含量显著提高而亮氨酸则明显降低，从而使其氨基酸组成更趋合理。

表 3-5　　几种主要谷类蛋白质的 EAA 含量(mg/g 蛋白质)

食物	粗蛋白 %	组氨酸	异亮氨酸	亮氨酸	赖氨酸	蛋氨酸+胱氨酸	苯丙氨酸+酪氨酸	苏氨酸	色氨酸	缬氨酸
小麦	10.7	19	32	58	23	33	68	26	11	38
玉米	8.4	27	38	133	27	41	92	37	9	46
高粱	11.0	21	40	129	22	30	86	33	13	47
燕麦片	14	18	52	75	37	36	90	33	13	60
小麦	10~12	19	40	102	20	25	49	36	10	51
黑麦	10	21	39	59	35	29	69	31	11	46
糙米	8	26	40	68	40	36	91	41	13	57
精白米	7.2	25	46	89	39	40	87	36	13	63
优质蛋白	--	17	42	70	51	26	73	35	71	48

2. 糖类

谷类的糖类主要形式为淀粉，占糖类总量的70%以上。此外还有糊精、戊聚糖及少量可溶性糖(葡萄糖和果糖)。谷类糖类是人类理想及经济的热能来源。谷类中含有的可溶性糖很容易被酵母菌发酵，称为醇发酵，在食品加工上有一定意义。

淀粉分为直链淀粉和支链淀粉两种，一般分别约占20%~30%和70%~80%。糯米的淀粉几乎全为支链淀粉，胀性小而黏性强，不易消化吸收；籼米含直链淀粉多，米饭胀性大而黏性差，较易消化吸收。在同一种粮食中，这两种淀粉的含量也与品种和成熟程度有关，现代遗传育种技术可以使谷类中的直链淀粉含量升高，如含直链淀粉70%的玉米新品种已经问世。

玉米淀粉由于淀粉细胞壁难以破坏，故玉米淀粉粒较粗，也难以消化吸收。但利用玉米可生产高纯度的淀粉，同时还可生产蛋白质浓缩物，玉米淀粉可进一步转化为糖浆和葡萄糖，在食品工业、医药、酿造等方面应用广泛。将玉米淀粉用酶法转化可生产高果糖玉米糖浆，可作为甜味剂，用于饮料、焙烤和奶制品。

3. 脂肪

谷类籽粒的脂肪含量很低(1% ~2%)，主要集中在糊粉层和谷胚部分，不饱和脂肪酸含量很高，如玉米、小麦胚芽中可达80%以上，其中亚油酸含量占60%，脂质中尚有少量植物固醇和卵磷脂，因此胚芽油是一种营养价值很高的食用油，有防止动脉硬化的功效。谷类加工的副产品如糠麸、玉米胚也含有较多的脂质，也是重要的榨油食品，但直接轧的油不易存放。

4. 维生素

谷类为膳食中B族维生素特别是硫胺素和尼克酸的重要来源，维生素主要集中在糊粉层和胚芽层。玉米中的尼克酸主要是结合型的，必须经加工处理转变为游离型才能被人体利用。小麦胚中含有较多的维生素E，是提取维生素E的良好食品，称麦芽醇。谷类还含有泛酸和维生素B_6，在小米和黄玉米中含有少量类胡萝卜素。谷类中不含维生素A、维生素D、维生素C。

5. 矿物质

谷类一般含矿物质1.5% ~3%，其分布常和纤维素相平行，主要存在于谷皮和糊粉层部分。在谷类全部灰分中，约有50% ~60%为磷，且多以植酸钙镁复盐形式存在，不易被人体利用。出粉率高的面粉中植酸含量高，影响食物中的钙、铁、铜、硒、锌等的吸收利用。谷类中钙含量低，铁含量更少。

3.1.3 加工、烹调及贮存对谷类营养价值的影响

通过各种加工烹饪工艺加工食品的重要目的是改善食品的感官性状，增加其可利用性。但是，各种加工操作都可能不同程度地造成食品营养价值的改变。

1. 谷类加工

谷类加工的目的是适当地碾磨除去杂质和部分谷皮，便于烹饪制作，增进感官性状，利于消化吸收。但由于谷粒各种营养素分布的不均匀性，加工方法和加工精度就对各种营养素的存留率产生显著的影响，加工愈精则营养素损失愈多。见表3-6、表3-7。营养素含量变化最大的是维生素和矿物质，在出粉率为90%时，尼克酸、维生素B_6和维生素B_2含量即急剧下降，维生素B_1在出粉率为85%时陡然降低，至70%出粉率时，这些B族维生素的含量一般仅保留原有总量的35%以下。过分提高面米精度，将使谷皮和谷胚连同内胚乳周围的糊粉层和吸收层大部分或全部转入副产品中，从而使含赖氨酸较高的蛋白质及B族维生素严重丧失，但这样的米面适口性好且因粗纤维含量极低而易消化。

表 3-6　　不同出米率和不同出粉率面粉的化学组成(%)

	出米率			出粉率		
	92%	94%	96%	72%	80%	85%
水分	15.2	15.5	15.5	14.5	14.5	14.5
粗蛋白	6.2	6.6	6.9	8~13	9~14	9~14
粗脂肪	0.8	1.1	1.5	0.8~1.5	1.0~1.6	1.5~2.0
糖	0.3	0.4	0.6	1.5~2.0	1.5~2.0	2.0~2.5
矿物质	0.6	0.8	1.0	0.3~0.6	0.6~0.8	0.7~0.9
维生素	0.3	0.4	0.6	微量~0.2	0.2~0.35	0.4~0.9

表 3-7　　每 100g 不同出粉率面分中营养素含量变化

营养素	出粉率					
	50%	72%	75%	80%	85%	95%~100%
蛋白质/g	10.0	11.0	11.2	11.4	11.6	12.0
铁/mg	0.9	1.0	1.1	1.8	2.2	2.7
钙/mg	15.0	18.0	22.0	57.0	50.0	
维生素 B_1/mg	0.08	0.11	0.15	0.26	0.31	0.40
维生素 B_2/mg	0.03	0.035	0.04	0.05	0.07	0.12
尼克酸/mg	0.7	0.72	0.7	1.20	1.60	6.0
维生素 B_6/mg	0.1	0.15	0.2	0.25	0.3	0.5

但加工精度也不宜太低，如精度太低(即出粉率或出米率太高)，虽然保留了较多的营养素，但产品中带有较多的纤维素和植酸，则影响热能、蛋白质和脂肪的消化率，降低食物利用程度，感官性质也不好。纤维过多还将影响微量元素的吸收和利用，例如膳食纤维摄入愈多，锌的利用率就愈低，因此，在谷类加工中，如何既能保持产品的良好感官性状和消化吸收，又可最大限度地保留各种营养成分是一项很重要的研究课题。从营养的角度看，为充分保留各种营养素，加工精度不易过高，我国加工的标准米(九五米)和标准面(八五面)，保留一部分糊粉层和谷胚，B 族维生素和矿物质含量较高，其消化吸收率又比糙米或全麦粉高，同时也避免出米率和出粉率低而造成的粮食浪费，对预防某些疾病、节约粮食等方面都有较好的社会及经济效益。

2. 谷类食物的烹调和制作

谷类食物经烹调后，改善了感官性状，促进了消化吸收，烹调使纤维素变软，同时增加了主要成分淀粉的适口性，但是在烹调加工时可使一些营养素损失。如淘米时，可使维生素 B_1 损失 30%~60%，维生素 B_2 和尼克酸损失 20%~25%，蛋白质损失 15.1%，脂肪损失 42.6%，糖类损失 2%，各种营养素的损失将随搓洗次数增多、浸泡时间延长、水量增多而加重。米面在蒸煮过程中由于加热而受损失的主要是 B 族维生素，各种面制品也因烹饪方法不同可使营养素发生不同程度的损失。制作一般饮食时，蛋白质和矿物质含量很少变化，只有煮面条时，有部分营养素转入汤内。在维生素方面，一般蒸、烤、烙等制作方法，维生素 B_1、维生素 B_2 和尼克酸损失都比较少，但制作油炸面食时，因加碱和经过了高温，可使维生素 B_2 和尼克酸破坏约 50% 左右，维生素 B_1 则完全损失。

在面包、饼干等焙烤过程中，蛋白质中赖氨酸的 α - 氨基可与羟基化合物（尤其是还原糖）发生美拉德反应（Maillard reaction），虽然有助于风味和色泽的生成，但却使赖氨酸失去效能，为此应意控制焙烤温度和糖的用量。

3. 谷类贮存

谷类贮存期间营养素质与量的变化受温度、湿度的影响较大。变化最明显的是其中的油脂，原粮种子含有天然抗氧化剂，可起到保护作用，加工粮则变化较明显，主要变化有两方面，一是被氧化产生过氧化物和不饱和脂肪酸氧化产生醛、酮等羰基化合物，因而大米出现陈米臭，玉米粉产生哈喇味；二是受脂肪酶水解产生甘油和脂肪酸，使粮食的脂肪酸值增高。随着脂肪的劣变，脂溶性维生素如维生素 E 和黄玉米中的胡萝卜素也被破坏，B 族维生素亦要减少。蛋白质经酶的催化水解为氨基酸，虽然总氮量变化不大，但蛋白质的醇溶和盐溶性降低，消化率降低。淀粉在贮存期也受淀粉酶作用而水解为糊精麦芽糖、葡萄糖等，但因淀粉占谷粒总量的 80%，故总的减少不明显，但在淀粉的“质”方面，淀粉分子会与游离脂肪酸相络合而使黏度降低，影响其加工利用和品质。在贮藏期间，植酸盐可在植酸酶的作用下释放出水溶性的、可利用态的磷酸化合物，使磷的可利用率增加。

3.2 豆类、油料和坚果类的营养价值

3.2.1 化学组成与营养价值

豆类的品种很多，主要有大豆、绿豆、黑豆、蚕豆、豌豆、赤豆等。按照豆类中营养成分含量可将且类分为两大类，一类是大豆，含有较多的蛋白质（35% ~40%）和脂肪（15% ~ 20%），糖类相对较少（20% ~30%）；另一类是除大豆外的其他豆类。含有较多的糖类（55% ~65%），中等的蛋白质（20% ~30%），少量 66 脂肪（低于 5%）。所有豆类蛋白质的氨基酸组成都较好，但以大豆为最好，其氨基酸组成接近于人体需要，而且富含粮谷类中较为缺乏的赖氨酸。

1. 大豆

（1）蛋白质　大豆蛋白质含量高达 35% ~40%，主要为球蛋白，其氨基酸含量与动物蛋白相似，特别是赖氨酸含量可以与动物蛋白相媲美，但蛋氨酸和胱氨酸含量低于动物蛋白含量。表 3 - 8 列出了大豆蛋白必需氨基酸的组成。表 3 - 9 为大豆蛋白质与几种食品蛋白质的营养价值。

表 3-8　　大豆蛋白必需氨基酸组成(g/100g)

	全脂豆粉	脱脂豆粉	浓缩蛋白	分离蛋白	世界卫生组织规定的需要方案
蛋白质含量	42	59	71	96	--
异亮氨酸	4.6	4.6	4.9	4.6	4.0
亮氨酸	7.6	7.7	8.0	7.6	7.0
赖氨酸	6.3	6.2	6.2	5.4	5.5
蛋氨酸	1.3	1.3	1.3	1.2	3.5
胱氨酸	1.6	1.2	1.6	0.8	3.5
苯丙氨酸	5.0	5.3	5.3	5.5	6.0
酪氨酸	3.8	--	3.7	3.6	6.0
苏氨酸	4.2	4.2	4.3	3.5	4.0
色氨酸	1.0	1.4	1.4	1.3	1.0
缬氨酸	5.2	4.9	5.0	4.0	5.0

表 3-9　　大豆蛋白质与几种食品蛋白质的营养价值

	大豆粉	分离大豆蛋白	浓缩大豆蛋白	玉米	小麦	酪蛋白	全鸡蛋
蛋白质含量/%	50	72.1	63.8	8.9	11	100	47
蛋白质消化率/%	90	93.2[a]	84.3[a]	94	91	99	100
蛋白质生物价	75	62.5	79.8	60	70	73	96
蛋白质功率比值	2.3	1.3	2.0	1.2	1.5	2.5	38
EAA 占蛋白质的量/%	50	37	50	48	38	59	60
必需氨基酸含量(mg/g 氮)							
异亮氨酸	336	294	330	289	253	312	415
亮氨酸	482	515	613	810	291	632	550
赖氨酸	395	393	547	180	166	504	400
蛋氨酸和胱氨酸	169	118[b]	100[b]	197	180	218	342
	大豆粉	分离大豆蛋白	浓缩大豆蛋白	玉米	小麦	酪蛋白	全鸡蛋
苯丙氨酸和酪氨酸	508	396[c]	550	568	506	678	630
苏氨酸	246	256	281	249	168	269	311
缬氨酸	328	284	334	319	270	465	464
组氨酸	149	--	191	129	119	190	150
色氨酸	86	62	--	63	72	84	104

a 大鼠试验结果;b 不含胱氨酸;c 不含酪蛋白。

由于膳食纤维等的影响，大豆蛋白质的消化率比动物蛋白低。

(2) 脂肪　大豆含有 16% ~24% 的脂肪，主要为不饱和脂肪酸，如油酸 20% ~25%，亚油酸35%～60%，亚麻酸2%～13%，花生四烯酸0.1%；棕榈酸7%～12%，硬脂酸2%～2.5%，花生酸0.1%，为半干性油。另外，大豆脂肪中还伴有微量的不皂化物，如甾醇和生育酚，对人体具有一定的生理作用。植酸、磷脂在大脂肪中也有一定比例。

（3）糖类　大豆中约含有25%左右的糖类，其组成较复杂，淀粉含量很少。糖类分为可溶性和不溶性两大类，不溶性糖类主要指纤维素、果胶等多聚糖类，可溶性糖类主要指低聚糖，如蔗糖、棉子糖，水苏糖。这些可溶性糖除蔗糖外，在人体内都难以消化，它们一纤发酵就引起肠胃胀气，这是因为人体消化道中不产生α－半乳糖和β－果糖苷酶，所以，在胃肠中不进行消化，它们到达人肠后，经大肠细菌发酵作用，产生CO_2、氢气、甲烷，造成胀气现象。

（4）无机盐　大豆中无机盐总量为5%～6%，大多为钾、钠、钙、镁、磷、硫、氯、铁、铜、锌、铝等。由于大豆中存在植酸，某些金属元素如钙、锌、铁和植酸形成不溶性植酸盐，妨碍这些元素的消化利用。

（5）维生素　大豆中含有脂溶性维生素，如维生素A、β－胡萝卜素、维生素E等，水溶性维生素，如维生素B_1、维生素B_2、烟酸、维生素B_6、泛酸、抗坏血酸等。

2. 其他豆类

（1）绿豆　绿豆又名青小豆，为豆种植物绿豆的种子，是传统的药食兼用食物，含有丰富的营养 成分，每100g绿豆含蛋白质22.1g、脂肪0.8g、糖类59g、热量1388kJ、钙49mg、磷268mg、铁3.2mg、胡萝卜素0.22mg、硫胺素0.53mg、核黄素0.12mg、烟酸1.8mg。蛋白质含量比谷类高1～3倍，蛋白质功效比值（PER）是各种食用豆类中最高的（1.87），氨基酸种类齐全，赖氨酸含量比一般动物食品还高。据《本草纲目》记载，绿豆具有清热解毒、抗炎症、利尿、消肿、明目降血、促进机体吞噬细胞数量增加或吞噬功能增强等作用，长期食用可减肥、养颜、增强人体细胞活性、促进人体新陈代谢，亦可预防心血管等疾病的发生。在我国民间，历来就有用绿豆防止疾病的习惯。

（2）黑豆　黑豆蛋白质含量36%，易于消化，满足人体对蛋白质的需要，具有重要意义；脂肪含量16%，主要含不饱和脂肪酸，吸收率高达95%，除满足人体对脂肪的需要外，还有降低血液中胆固醇的作用；黑豆含有丰富的维生素、蛋黄素、黑色素及卵磷脂等物质，其中B族维生素和维生素E含量很高，具有营养保健作用；黑豆中还含有丰富的微量元素，对保持机体功能完整、延缓机体衰老、降低血液黏度、满足大脑对微量物质需求都是必不可少的。

3. 油料种籽

油料种籽除大豆外，还有棉籽、花生、葵花子、油菜籽、芝麻等，它们都能为人类提供含必需脂肪酸较多的食用油。此外，它们重要的食用意义还在于含有20%～26%的蛋白质。这是目前利用尚不充分、有待深入开发的一类重要食物蛋白质资源，且氨基酸组成也较好，见表3-10。

表3-10 油料蛋白质的氨基酸组成(g/100g 蛋白质)

参考蛋白质		大豆与油料蛋白质							
必需氨基酸	WHO建议氨基酸构成比	鸡蛋	大豆	花生	葵花子	芝麻	棉籽	菜籽	小麦
异亮氨酸	4.0	6.3	4.2	3.6	4.5	3.6	3.9	4.6	3.7
亮氨酸	7.0	8.8	7.9	6.4	7.2	6.6	7.2	8.5	6.6
赖氨酸	5.5	7.0	6.3	4.8	4.0	2.1	3.3	5.7	2.3
蛋氨酸+胱氨酸	3.5	5.8	3.6	2.0	4.4	3.7	2.3	4.8	3.2
苯丙氨酸	3.0	5.7	6.1	5.4	5.1	7.9	5.4	4.4	4.7
苏氨酸	4.0	5.1	4.0	3.7	3.7	3.3	2.7	4.8	2.8
色氨酸	1.0	1.5	1.4	1.2	1.4	1.8	1.6	2.0	1.2
缬氨酸	5.0	6.8	4.8	4.9	6.0	4.6	5.0	6.1	4.1
组氨酸	1.7	--	2.8	2.7	2.5	2.1	2.9	--	1.9

4. 坚果类

习惯上分类除上述花生和葵花子外，还有核桃、杏仁、松子、榛子等含油脂和蛋白质较多的食品，一般油脂含量为50%~70%，蛋白质约为15%~20%，另外还有含糖类较多的板栗和莲子含热能和蛋白质较低，而矿物质和维生素丰富的银杏等，这类食品因食用量不大，在人类营养上不占重要的地位。

3.2.2 抗营养因子及其他物质

利用大豆及其他油料作为植物蛋白质资源时，须注意以下抗营养因子及其他物质。

1. 蛋白酶抑制剂　大豆及其他油料作物中都含有蛋白酶抑制剂，包括抑制胰蛋白酶、糜蛋白酶、胃蛋白酶等多种蛋白酶的物质，最普遍存在的是胰蛋白酶抑制剂或称抗胰蛋白酶因子，其次是糜蛋白酶抑制剂。蛋白酶抑制剂在生豆中含量约5.2%，对人胰蛋白酶活性有部分抑制作用，对动物生长也有一定影响。因此对大豆及含有胰蛋白酶抑制剂的食物，要经过有效的钝化措施后才能食用。

2. 植物红细胞凝集素(PHA)　植物红细胞凝集素是一种能使动物血液中红血球凝集的物质。大豆中至少有四种蛋白质可使兔、鼠红血球凝集。其实质是一种糖蛋白。

3. 致甲状腺肿因子　1934年国外首次报道大豆膳食可使动物甲状腺肿大:1959年和1960年又报道婴儿食用豆乳发生甲状腺肿大，成人食用大豆膳食，碘代谢异常。致甲状腺肿因子的主要成分是硫代葡萄糖苷分解产物(异硫氰酸酯，噁唑烷硫酮)。

4. 植酸　植酸是肌醇六磷酸酯，在大豆中以盐的形式存在，植酸是一种螯合剂.它能与食物中的金属元素如锌、铁、钙、镁等结合，降低金属元素的吸收率。

5. 胃肠气胀因子(见大豆糖类部分)　大豆中存在水苏糖、棉子糖等寡聚糖，因其不能消化，却能被肠菌发酵产气，故称为胀气因素，它们主要存留在烘炒过的大豆中。

6. 抗维生素　在大豆中存在抗维生素 A、抗维生素 D、抗维生素 E、抗维生素 B_{12} 等抗维生素因子。

7. 大豆的豆腥及苦涩味

(1)挥发风味的组成　科学工作者从大豆挥发性物质中测出一系列组分，其中正己醛、异戊醛、正庚醛散发大豆的青草豆腥味；二甲胺散发鱼腥味；正己酸、异己酸、正辛酸有青豆气味，含量很少。

(2)不挥发性腥味　Aral 曾用乙醇溶液(1∶1)浸提大豆粕粉，浸出液用乙醚处理，乙醚溶解部分有强烈的酚味。目前已知有 7 种酚酸，丁香酸、草香酸、龙胆酸、水杨酸、β－羟基苯酸、阿魏 酸、香豆酸，而且有人认为香豆酸是烹调时散发大豆气味的主要物质。

脱脂大豆磷脂经紫外线照射可产生强烈的苦味，大豆磷脂酰胆碱的苦味强度随氧化强度而加强。当氧化大豆磷脂酰胆碱达到 60mg/kg 时，就感到苦涩味。一般脱脂豆粕中至少含有 0.08% 的磷脂酰胆碱，氧化可达到 800mg/kg。

氧化多不饱和脂肪酸带来的风味：大豆中含有脂肪氧化酶，当这些氧化酶作用于游离的或酯化的多不饱和脂肪酸时会产生不良的气味。这是因为脂肪的氧化作用会产生一种氢过氧化物，这种过氧化物一经分解又会转化成易挥发的和不挥发的化合物。在全脂和脱脂的大豆片及变质的豆油中，这些化合物已被分离和鉴定出来。在这些化合物中，最可能产生青豆腥味的是己醛、己醇、戊醇、(E)－2－己烯醛、(Z)－2－己烯醇、(Z)－2－庚烯醛、庚醛、(E, E)－2,4－癸二烯醛和(E, E)－2,4－癸二醛等 9 种物质。

美国北方研究中心通过对大豆及大豆蛋白制品的研究指出，大豆中亚麻酸、亚油酸经脂肪氧化酶促进氧化形成氢过氧化物及其分裂物，有青草及豆腥味。亚麻酸氢过氧化物 10mg/kg，亚油酸氢过氧化物 50mg/kg，即有青草豆腥味及霉变的苦味。

8. 黄酮类和以黄酮类为配基的糖苷　如黄豆苷和染料木苷等，这类物质除有降血脂、胆固醇作用外，还有雌激素样作用和抗氧化、抗真菌、抗溶血、抗细菌作用等。

9. 皂苷及其他苷类　大豆约含 1% ~3% 不等的皂苷(按干物质计)。过去认为皂苷是有害物质，目前认为这是一种能降低血脂和血液胆固醇作用的有益成分。

3.2.3 加工、烹调及贮存对大豆营养价值的影响

1. 对消化率的影响

大豆蛋白消化率与大豆食品粗纤维含量、生熟程度、加工方式等许多因素有关。整粒大豆的消化率仅为65.3%，豆腐消化率为92% ~96%，豆浆中蛋白质消化率可达84.9%，膨化蛋白消化率为92%。

2. 对不良气味的影响

大豆的不良气味最根本的原因是大豆含有较多的亚麻酸和存在大量的脂肪氧化酶，如

果对这两种因素进行处理和控制，会使不良气味得到改善和防止。有关除去豆腥味的方法有不少报道，但概括起来主要有如下几方面。

（1）钝化脂肪氧化酶：将粗碎大豆或大豆粉通以蒸气，使脂肪氧化酶钝化而失去活性，并使一部分有味物质随蒸气而挥发。加热钝化脂肪氧化酶与加热温度、时间和含水率有关，直接蒸气、温度100℃、钝化3min即可使酶活力降至0.1以下，含水率愈高，钝化速度愈快。

（2）乙醇的水溶液　用乙醇的水溶液浸泡大豆或豆粕，可以使99%的脂肪氧化酶失去活性，同时还可以将豆粉中的有味成分提取，使制品风味得到有效的提高。

（3）酸、碱　酸、碱也可以钝化脂肪氧化酶，在进行热处理后的大豆中，添加酸碱，使脂肪氧化酶钝化作用显著加快，测定结果证实了这一点。

（4）化学添加剂：采用化学添加剂可以使大豆有味成分分解而除掉，所采用的添加剂有有过氧化氢、亚硫酸还原剂等。多数添加剂在处理后用离子交换树脂将残存的药剂陈三味掩盖：由于大豆食品有不良的气味，在大豆食品中添加适量的香料、谷氨酸钠、酱油等，可适当掩盖豆腥味，改善风味。

3. 对有害物质的影响

（1）蛋白酶抑制剂　对于大多数大豆蛋白食品来说，胰蛋白酶抑制剂是不难克服的.因为它们在蒸气加热时容易丧失活性，从而使大豆蛋白食品的营养价值提高到令人满意的程度。但与加热温度、时间、含湿量、大豆颗粒大小有关。

常用方法是采取常压蒸气加热30min或1kg压力蒸气加热15～20 min三子大豆中的脲酶比蛋白酶抑制剂热抗力强，且易于测定，可用脲酶反应检测蛋白酶抑制剂是否已三被破坏。

（2）植物红细胞凝集素（PHA）　凝血素易受蛋白酶作用而丧失活力。另外.在湿热条件下易被破坏。因此，在大豆蛋白食品生产过程中进行加热，血球凝集素不会产生不良影响。

（3）致甲状腺肿因子　在生产大豆蛋白食品如豆奶时，可添加适量碘化钾.以改善大豆蛋白营养品质。

（4）植酸　大豆发芽时，植酸酶活性增强，植酸大多分解，从而提高大豆中锌、铁、钙、镁等的生物利用率。溶液pH为4.5－5.5时，大豆中植酸可被溶解35%～75%。而此时蛋白质最少溶解，所以在此pH下提取的蛋白质含植酸最少。

（5）胃肠气胀因子　加工成豆腐时，气胀因子多已被除掉，发酵或制腐乳时则完全被根霉除去。分离大豆蛋白质和浓缩大豆蛋白质中含量也不高，制成豆芽也可部分减少。

3.2.4 大豆低聚糖

近些年来，人们发现大豆除具有丰富的油脂、蛋白质等营养素之外，还含有许多鲜为人知的具有特殊生物学作用的活性物质。这些物质多属上述提到的，原来认为是“大豆抗营养因子”。随着研究的深入，发现这些物质对抑制肿瘤、防治心血管疾病、延缓衰老等大有裨益。例如，低聚糖、大豆皂苷、大豆异黄酮等，尤其大豆低聚糖已作为重要的生物活性物质广泛地应用于食品工业。

1. 大豆低聚糖的组成、结构、理化性质

大豆低聚糖是大豆中含有低分子可溶性糖类，在大豆种子中约占10%。主要成分是水苏糖、棉子糖和蔗糖，还有一些葡萄糖、果糖、右旋肌醇甲醚、半乳糖肌醇甲醚等，低聚糖的组成按干重比例如表3－11所示。

低聚糖的结构都是相对分子质量较低的糖类。棉子糖是三糖，是半乳糖以a(1，6)键与蔗糖的葡萄糖基相连接。水苏糖是四糖，是棉子糖的半乳糖以。(1，6)键与半乳糖连接。棉子糖与水苏糖也是半乳糖类的低聚糖。

大豆中低聚糖含量因品种、栽培条件、气候、土壤等不同略有差异。其中主要的几种低聚糖，在大豆种子中含量为:水苏糖4%、棉子糖1%、蔗糖5%。大豆加工成制品后低聚糖损失很大，含量也有些变化，下表为大豆制品中低聚糖的含量(表3－12)。

大豆低聚糖有如下理化性质。

（1）甜度　甜味纯正，近于蔗糖，甜度为蔗糖的70%～75%。

（2）黏度　高于蔗糖和果葡糖浆，而低于麦芽糖浆。

表3－11　　大豆低聚酯的组成(干重)

种类	含量/%
苏糖	24
棉子糖	8
蔗糖	39
果糖、葡萄糖	16
其他	13

表3－12　　大豆加工食品中低聚糖含量(%)

品名	水苏糖	棉子糖	蔗糖
大豆细粉	5.9	1.1	3.1
煮豆	0.5	1.0	7.1
豆腐	0.3	0.1	0.5

（3）渗透压　略高于蔗糖。

（4）冰点下降　浓度为10%～40%的大豆低聚糖冰点下降与蔗糖相同。

（5）热稳定性　对温度比较稳定，水苏糖和棉子糖140℃(pH5～6)下仍很稳定，但pH为3，加热到120℃可残存70%。水苏糖可分解为蜜三糖，棉子糖可分解为二糖，仍然是双歧杆菌的生长促进因子。

2. 大豆低聚糖的生物学活性

众所周知，人类的肠道内约有100兆个细菌，由100多种细菌构成肠道菌群。其中双歧杆菌是对人体有益的细菌，因此，人们都在研究如何能使肠道由双歧杆菌繁茂生长逐渐形成优势菌株，其分泌产物对人体生长极为有利。低聚糖是双歧杆菌生长必需营养物质，双歧杆菌应用低聚糖产生醋酸、乳酸等代谢产物，可抑制产气荚膜杆菌和大肠杆菌等有害菌的生长繁殖，从而抑制氨、吲哚、胺类腐败物质的生成，促进肠的蠕动，防止便秘。双歧杆菌还能合成B族维生素、分解某些致癌物，提高人体免疫力。低聚糖有许多种，如大豆低聚糖、异麦芽低聚糖、半乳糖低聚糖木糖醇低聚糖等，有人称之为双歧杆菌生长促进因子。

大豆低聚糖是许多低聚糖的一种，其特有的结构和理化性质，使之具有特殊的生物学活性。

(1) 不易消化性　大豆低聚糖中所含有的水苏糖和棉子糖不能被人体消化酶分解。有试验证明，水苏糖与棉子糖不会在小肠内被吸收，而在双歧杆菌较多的消化道下部才会被肠内细菌利用，这对双歧杆菌的生长极为有利。

(2) 促进双歧杆菌生长繁殖　有试验表明精制的大豆低聚糖可绝大部分被双歧杆菌利用，利用率超过果糖低聚糖，而产气荚膜杆菌和大肠杆菌等肠道有害细菌几乎不能利用大豆低聚糖。

(3) 改善肠内细菌群结构　经过人群试食大豆低聚糖试验，双歧杆菌在肠内含量可高达2~3倍以上，产气荚膜杆菌和其他有害菌明显减少，腐败细菌受到抑制。

(4) 试食大豆低聚糖试验　使食用者改善粪便，达到通便效果。

(5) 低热值　对糖尿病人的糖代谢、脂质代谢都无影响。

3. 低聚糖的生产及应用

大豆低聚糖是利用大豆蛋白生产时的乳清水制造的。大豆低聚糖可以制成饮料、冲剂或在面包、糕点、果酱、乳制品中添加应用。

3.3 蔬菜、水果的营养价值

蔬菜和水果是人们日常生活中的重要食品，消费量很大，种类也很多。都含有人体需要的多种营养成分，共同特点是：水分含量大，蛋白质和脂肪含量低，有一定量的糖类，而矿物质（钙、钾、钠、镁等）和某些维生素如维生素C、胡萝卜素等含量很丰富，它们在膳食中不仅量大，而且其所含的有机酸、芳香物质、色素和膳食纤维等赋予食物以良好的感官性状，不仅口感好，并且有助于增进食物的消化。

3.3.1 蔬菜、水果的化学组成与营养价值

1. 糖类

蔬菜、水果中所含糖类包括：可溶性糖、淀粉及膳食纤维等。其种类和数量因食物种类

和品种有很大差异，如水果中的浆果类（如葡萄、草莓、猕猴桃等）主要含葡萄糖和果糖，柑橘类、核果类（桃、杏等）则富含蔗糖，葡萄糖和果糖次之；仁果类（苹果、梨等）以果糖为主，葡萄糖和蔗糖次之。蔬菜中含糖量多的有胡萝卜、西红柿、甜薯、南瓜等。

有些蔬菜所含糖类主要是淀粉如各种芋类、薯类和藕类等，薯类在某些地区人群膳食中占有较大比重，成为热能的主要来源。未成熟果实中淀粉含量较高，在成熟时，因淀粉酶作用逐渐转变为糖，甜度增加。如香蕉在成熟过程中，淀粉由26%降至1%，而糖则由1%增至20%左右。

蔬菜和水果是膳食纤维（纤维素、半纤维素、果胶类物质等）的主要来源，果胶物质以原果胶、果胶和果胶酸三种形式存在于水果中，不同形式的果胶具有不同的特点，可以反映果实的成熟度。果胶加适量糖和酸可形成凝胶，据此可加工成果胶和果冻制品，山楂、苹果和柑橘等都含有丰富的果胶，而且凝胶力强，是制作果冻的理想食品。蔬菜类含果胶丰富的有西红柿、胡萝卜、南瓜等。

2. 维生素

在蔬菜水果中，除维生素A、维生素D外，其他维生素都广泛存在，其中含量最丰富的是维生素C和胡萝卜素，在我国目前膳食结构中，所含的维生素C和胡萝卜素几乎都来自蔬菜。

蔬菜中以新鲜绿叶蔬菜含维生素C最为丰富，一般均在30mg/100g以上。如青椒（142mg/100g）、菜花（61mg/100g）、油菜（36mg/100g）等，其次是根茎类如各种胡萝卜。瓜类则含量相对较少，水果中抗坏血酸含量最丰富的是鲜枣（243mg/100g）。山楂（53mg/100g）荔枝（41mg/100g）和柑橘（35mg/100g）等，仁果和核果类含量较少，均在20mg/100g以下。

胡萝卜素在各种绿色、黄色及红色蔬菜中含量较丰富，一般均在20mg/100g以上，尤其是韭菜、苋菜、黄色胡萝卜、南瓜等中含量相当丰富。由于我国人民膳食中，动物性食品较缺乏，故所需胡萝卜素主要靠这些蔬菜提供。相对蔬菜而言，水果中胡萝卜素含量较少。较丰富的有芒果（8050μg/100g）、柑橘类[（800～5100）μg/100g]、杏（400μg/100g）、柿（400μg/100g）。

3. 矿物质

蔬菜水果中含有丰富的钙、钾、钠、镁、铜、铁等，是膳食矿物质的重要来源，油菜、苋菜、雪里蕻、菠菜、芹菜、胡萝卜、豆角及芫荽等中都含较多的钙和铁，一般100g绿叶蔬菜可提供铁1～2mg。钙可达100mg/100g。但蔬菜中的钙、铁等矿物质利用率较低，因为蔬菜所含的草酸对钙、铁等的吸收产生不利影响。

4. 其他

（1）生物类黄酮　蔬菜和水果中含有多种生物类黄酮，如甜菜、茄子、红皮马铃薯、葡萄、杏、樱桃等食物中的花青苷色素；而洋葱、大葱、芹菜、羽衣甘蓝含有丰富的槲皮黄酮；柑橘中含黄烷酮丰富；桃、葡萄、苹果等含低聚儿茶素。它们常与维生素C共存，并对维生素C有增效作用，它们对毛细血管的脆性和渗透性有调节功能，并能抑制细菌繁殖，食后能增强人体抗病能力。

(2)有机酸　蔬菜和水果中含有有机酸，一般蔬菜均含有草酸，如菠菜、竹笋、苋菜等含有较多的草酸，草酸有一定涩味，可影响口感且不利于钙、铁的吸收，因此烹制含草酸多的蔬菜时可先用开水烫漂后再进一步加工。水果中的有机酸主要有苹果酸、柠檬酸和酒石酸，它们与所含的糖配合形成特殊的水果风味，果酸有增加食欲、帮助消化的作用。另一方面使食物保持一定的酸度，可稳定和保护维生素C。酸味的强弱与总酸量有关，也与汁液中氢离子浓度有关。

(3)单宁物质　大多数果实中都含有单宁物质。生柿子中单宁含量很高，每100g果肉含单宁0.5~2g，其他果实单宁含量为0.1%~0.4%。单宁极易氧化，产生褐色物质，单宁含量越高，与空气接触时间越长，变色就越深。单宁含量与果实的成熟度有关，未成熟的果实单宁含量高。蔬菜中单宁含量很少，但对风味却有很大影响。单宁还可影响矿物元素的吸收利用。

(4)芳香物质　果实中普遍含有挥发性芳香油。主要成分为醇、脂、醛及酶等，有些芳香物质是以糖苷或氨基酸状态存在的，需经酶作用分解为精油才具有香味。这些芳香物质对刺激食欲、帮助消化有较好作用。由于成分不同，表现出各种果实特有的芳香气味。苹果中含有醋酸戊酯和微量苹果油。柑橘中有柠檬醛、癸醛、松油醇，含油量1.2%~2.5%。香蕉的芳香则是含丁酸戊酯、2,5-二甲基-4-甲氧基-3-氢呋喃酮。大蒜的气味是硫化二丙烯，姜中挥发性物质是姜酮。

(5)色素　果蔬中含有各种不同的色素物质，共有三大类:吡咯色素、酚类色素和多烯色素，表现出多种颜色。主要有叶绿素、类胡萝卜素、花青色素、叶黄素等。果蔬固有的色泽是品种的特征，是鉴定果实品质的重要指标。它们可赋予蔬菜一定的色泽，增强感官效果，可刺激食欲。

(6)含氮物质　果实中含氮物质一般为0.2%~1.2%。核桃仁、杏仁中含量则比较丰富，可高达15%~25%。蔬菜中含氮物质包括蛋白质、氨基酸、酰胺、糖苷类等，其含量为0.6%~9%。豆类含量最多，叶菜类次之，根菜类、果菜类最低。此外糖苷是由糖与醇、醛、酚类含氮物质构成的化合物，如黑芥子苷存在于十字花科蔬菜中。

3.3.2 野菜、野果和食用蕈的营养价值

适于食用的野菜、野果和蕈类分布广泛、种类繁多、资源十分丰富，有许多是味美可口、营养价值较高的食品。

1.野菜　其营养特点是富含胡萝卜素、核黄素、抗坏血酸、叶酸等维生素，其含量均超过寻常的蔬菜，见表3-13。它们的蛋白质含量也稍高于蔬菜，氨基酸组成比较平衡。其中色氨酸和赖氨酸相对丰富，可补充各类谷物蛋白质缺陷，但蛋氨酸含量低。有些植物如萝根、蕨根含有丰富的淀粉，可提取加工作食用。但野菜虽富含有多种维生素，也常混有毒性物质，不宜生食，必须先经烫、煮，再用清水浸泡，除去涩味和苦味，但这样的处理结

果可致营养素严重损失。

表 3-13　　常见几种野菜的维生素和钙、铁含量(mg/100g)

名称	胡萝卜素	核黄素	维生素 C	钙	铁
苜 蓿	3.28	0.36	92	332	8.0
启明菜	3.98	0.27	28	250	5.2
刺儿菜	5.99	0.33	44	254	19.8
苦 菜	1.79	0.18	12	120	3.0
灰 菜	5.16	0.29	69	209	0.9
野苋菜	7.15	0.36	153	6.0	—
马齿菜	213	0.11	23	85	15
酸 模	3.2	—	70	440	—

2.野果　我国现已发现具有开发价值的野果主要有猕猴桃、沙棘、刺梨、酸枣、金樱子等，其特点是富含维生素 C，并有大量的胡萝卜素、有机酸和生物类黄酮。据报道生物类黄酮能维护血管的正常功能，是间接通过维生素 C 而发挥作用的，它还是一种抗氧化剂，可防止维生素 C 的氧化破坏。

沙棘又名醋柳，盛产于山西、陕西、四川、甘肃，在我国西北、西南分布较广，其果实含油脂 6.8% 左右，种子含脂肪约 12%，其中含有较多的胡萝卜素(20.2μg/100g)及维生素 E，金樱子(野蔷薇)在高地山区分布广泛，每 100 克中维生素 C 含量高达 1000～3000mg，可制成浓缩液 或加工成千粉作维生素 C 增补剂，猕猴桃含维生素 C 40～400mg/100g，最高可达 2000mg/100g，含胡萝卜素 130μg/100g。研究表明猕猴桃果汁在模拟胃液条件下，能阻断 N－亚硝酸基化合物的形成，效果高于相同浓度的维生素 C。刺梨的维生素 C 含量比柑橘类高 50～100 倍，生物类黄酮更达 6000～12000mg/100g。

这些野果各具特色风味，可加工成果汁饮料、果酱、果脯、罐头等多种产品。在这方面，我国还刚起步，野果资源极为丰富，发展潜力巨大，是开发食物新资源中的重要部分，见表 3－14。

表 3-14　　常见几种野果中营养素含量(mg/100g)

名称	胡萝卜素	核黄素	维生素 C	钙	铁
刺 梨	2.9	0.03	2585	68	2.9
番石榴	0.05	0.44	358	97	7.3
沙 棘	—	—	1000～2000	—	—
猕猴桃	—	—	700～1300	—	—
酸 枣	—	—	1200	270	3.4
金樱子	—	—	1500～3700	—	—

3. 食用菌　食用菌种类繁多，据报道世界上已发现的食用菌有2000多种，可分为野生和人工栽培两大类。仅野生食用蕈类就达200多种。目前已被人们利用的有400种左右，并能够进行人工栽培的有40余种，如香菇，花菇，黑木耳，银耳，竹荪，猴头菇，松茸，金针菇，平菇，牛肝菌，灰树花等。

食用菌类蛋白含量丰富，鲜菇达3%～4%，干菇类达40%以上，并含有多种必需氨基酸;食用菌脂肪含量很低，是理想的高蛋白低脂肪食品。大多数食用菌类有降血脂的作用，木耳所含脂贡中有卵磷脂、脑磷脂和鞘磷脂等，对心血管和神经系统有益。

食用菌所含糖类以蛋白多糖为主，食用菌的种类不同，构成蛋白多糖中的单糖和氨基酸种类不同，其生理功能亦不相同。如香菇多糖有抗癌、降血脂、抗疲劳作用;银耳多糖可增强巨噬细胞的吞噬能力，提高人体的免疫功能等。一般的食用菌多糖对白细胞减少、病毒性肝炎等有一定功效，同时又具有降低胆固醇、抗癌、降血脂、抗疲劳等功能，只是根据蛋白多糖的结构不同，各种功能的大小有差异而已。因此食用菌类被誉为世界现代保健食品之一。

不同的食用菌所含的鲜味物质不同，如香菇含有5′－鸟苷酸与肉类中的5′－肌苷酸鲜味相似，但显味能力要比5′－肌苷酸强2～3倍。

此外，食用菌类还含丰富的B族维生素，特别是维生素B_0。含量比奶酪和鱼高。且还含有丰富的钙、镁、铜、铁、锌等多种矿物元素。

3.3.3 加工、烹调对营养价值的影响

蔬菜在食用时均需经过烹调加工，主要方法有炒、煮和凉拌等。若加工烹调方法不当，可使蔬菜中水溶性维生素及矿物质破坏和损失，尤其是维生素C。蔬菜生吃、凉拌虽然可以充分保持各种营养素，且在炎夏也是一种增进食欲的好方法，但应注意食用前彻底洗涤消毒，严防肠道致病菌和寄生虫及其虫卵的感染。

蔬菜烹饪前的清洁过程会导致部分营养素流失，应尽可能保持在完整的状态下漂洗，切忌先切后洗或长时间在水中浸泡，更忌烫后切挤的加工方法，否则会使营养素严重丢失。

胡萝卜素不溶于水，性质较稳定，除光可促使其氧化外，一般的烹饪加工条件不致使其破坏流失，保存率可达80%～90%以上。

维生素C的化学性质极不稳定，多种外界因素可促其氧化破坏，在烹调加工时，食物切碎程度、切后放置时间和条件、烹调方式、用水量及pH、加热温度及时间、调味品的使用、烹调用具的性质都可以影响其保存率，因此合理烹调的原则是尽可能地保护维生素C，如急火快炒、减少用水量、缩短加热时间等，适于生食的蔬菜以凉拌生吃为好，或先在热水中短时热烫，然后调拌食用，这样可破坏其酶活性，软化组织，又可卫生消毒，稳定色泽，改善风味，并最大限度地保护维生素C。

水果在一般情况下基本是生食，仅有一部分加工成各种制品，如罐头、果干、果脯等，大多数加工方法即以保藏为主。在此过程中，其营养素会有不同程度的损失。

3.4 肉类及鱼类的营养价值

肉类食品在我国居民膳食结构中的地位以及对现阶段我国居民膳食结构下的不同人群的营养需求有一定的认识。

肉类食品包括畜禽的肌肉、内脏及其制品。其营养成分酌分布，因动物种类、年龄、肥瘦程度、部位等有很大关系，肥瘦比例不同的肉类中，蛋白质和脂肪的含量变化很大，而内脏中脂肪含量相对较少，富含蛋白质、矿物质和维生素。肉类食品营养价值高、消化吸收率高、饱腹作用大，并可烹调成各种美味佳肴。

3.4.1 肉类及鱼类化学组成及营养价值

1. 蛋白质　肉类食品蛋白质含量约10% ~20%，主要是肌浆蛋白(20% ~30%)、肌原纤维蛋白(40% ~60%)和基质蛋白(10% ~20%)，基质蛋白又称为结缔组织蛋白，包括胶原蛋白(40% ~60%)和弹性蛋白(10% ~20%)。其分布因动物种类、年龄、肥瘦程度以及部位而异。

肉类和鱼类蛋白质的氨基酸组成基本相同，为完全蛋白质，含有人体所需的各种必需氨基酸。因其氨基酸模式与人体比较接近，生物价一般都在80%以上，是生物利用率很高的优质蛋白。但通常牛、羊肉的蛋白质含量高于猪肉，若以部位看，蛋白质含量最高的是脊背的瘦肉，如猪脊背瘦肉蛋白质含量为21%，奶脯蛋白质含量仅8%。家畜内脏的蛋白质含量也较高。如肝脏蛋白质含量约20% ~22%。肉类蛋白质结缔组织中所含胶原蛋白和 弹性蛋白缺乏色氨酸和蛋氨酸等必需氨基酸，故常称为不完全蛋白质。

鱼类肌肉中水分含量高，脂肪较少，肌纤维细而短，基质蛋白较少，故组织柔软细嫩，比畜肉易消化；鱼类含蛋白质15% ~20%，利用率高达85% ~90%，营养价值与畜肉相接近，唯色氨酸含量较低；鱼的结缔组织与软骨组织中的含氮物主要为胶原蛋白和黏蛋白，加水煮沸冷却后即成凝胶态。

2. 脂肪　肉类脂肪的含量约10% ~30%，肥肉可高达80%以上，大多积于皮下、肠系膜、心、肾周围及肌间，其含量因动物种类、肥瘦情况而有很大变化。

畜类脂肪多半是以饱和脂肪酸为主的甘油三酯，熔点较高。羊肉中含辛酸和壬酸较多，故有令人难受的羊膻味。胆固醇在瘦肉中约70mg/100g，肥肉中约为瘦肉的2 ~3 倍，内脏中含量较高，达到4 ~5 倍，脑中含量最高可达2 571mg/100g。

禽类脂肪熔点较低(33 ~34℃)，易于消化吸收，所含亚油酸占脂肪含量的20%，鸡肉脂肪含量约9.0%，鹅、鸭等水禽较高，约为19.0%。

鱼类脂肪含量约0.5%～11%，一般为3%～5%，不均匀分布于全身、皮下。内脏周围较高，而肌肉中含量很低，鱼类脂肪多为不饱和脂肪酸，熔点低，消化吸收率较高，达95%左右。鱼类脂肪碳链较长(14～20℃)，多不饱和脂肪酸含量高，海鱼中不饱和脂肪酸含量高达70%～80%，可防治动脉粥样硬化和冠心病。鱼类中胆固醇含量一般为60～114mg/100g，鱼籽中为354～934mg/100g，虾籽中高达940mg/100g，蟹黄为466mg/100g。

3. 糖类　动物体内的糖类主要以糖原形式贮藏于肝脏和肌肉。动物宰杀后，在尸僵和成熟过程中，因酵解作用，糖原含量迅速下降，乳酸相应增多，pH降低，这样有利于肉的嫩化。

4. 矿物质　肉类中矿物质的总量一般为0.8%～1.2%，其中钙含量较低，肉类为磷和铁的良好来源，并含有铜，其中的铁以血红素铁形式存在，生物利用率高，不受食物中其他因素的干扰。鱼类的矿物质含量高于其他肉类，为钙的良好来源，尤其是虾皮，钙含量可达991mg/100g。海产鱼类富含碘。

5. 维生素　畜肉中所含维生素比较低，如维生素B_1含量约0.03mg/100g，维生素$B_2$0.04mg/100g，烟酸1.76mg/100g，维生素A约20.0μgRE/100g。但内脏尤其是肝脏却富含多种维生素，如维生素A_{II}935μg/100g，维生素B_1约0.19mg/100g、维生素$B_2$1.36mg/100g、尼克酸16.3mg/100g。

鱼类也是一些B族维生素如维生素B_2和烟酸的良好来源，如鳝鱼含维生素$B_2$0.95mg/100g。海产品类的肝脏中维生素A和维生素D含量丰富，是制备药用鱼肝油的食品，一些生鱼中有硫胺素酶，故生吃鱼虾既不卫生也不符合营养学原理。

3.4.2 加工、烹调对肉类营养价值的影响

畜禽肉、鱼等动物性食物在加工烹调中，除水溶性维生素外，其他营养素含量变化不大，通常的加工烹调方法对蛋白质的影响也不大。各种炖、煮的方法可增加矿物质、含氮物质及水溶性维生素的丢失，但这些营养素一般溶于汁液和汤中，常被一起食用，真正损失的较少，但在制作罐头时，B族维生素破坏较大。

1. 肉类蛋白质冷冻时的主要变化

所谓冻肉营养价值不如鲜肉的说法是不科学的，在合理的解冻和冷冻工艺条件下，两者营养素含量无明显差别，当然在缓慢冷冻和快速解冻时，肉中部分营养素(主要是维生素及矿物质)会有滴漏损失，合理的方法是快速冷冻和低温下缓慢解冻。

2. 肉类蛋白质加热时的主要变化

肉类在加热时肌肉表面的蛋白质在50℃左右就开始变性，肌球蛋白分子的多肽链开始伸展，随着温度的升高(约70℃以上)，由于副键的作用，多肽链的相互交联卷曲使肉体收缩，并由表及里地推进，同时蛋白质的分子表面的一些基团脱落，如巯基(－SH)脱落后被还原成H_2S放出，因鸡肉中蛋白质含硫较多，受热时产生H_2S量较多，肌肉中尿素受热

分解成 NH_3，这些物质给肉带来的不良气味，由烹饪中加入的调味品遮掩和反应去除，有的受热挥发去除。

在用水作传热介质的烹制方法中，随着加热时间的延长，卷曲的蛋白质开始水解，氨基酸的含量逐渐增多，糖原水解生成的葡萄糖也不断增加，脂肪的分解和氧化反应加剧，使羰基化合物不断产生，羰氨反应的速率加快，大量的香气物质生成，并与各类风味物质综合成特有的肉香，肌肉纤维质松散，肉体酥烂。

用油、金属、空气作传热介质时，能形成较高的温度环境。当表面温度达 120℃以上时，氨基酸和蛋白质分解反应加速，生成低分子的含氮有机物和含硫有机物，还有硫化氢和氨，羰氨反应也开始进入最终阶段，使肉品呈现黄色，同时由于脱水，脂肪在此阶段不断地从内部流出聚合于表面，使外表发亮。此阶段应注意火候的控制，使肉的各种成分的化学变化恰到好处。

如果加热温度过高，表面温度过高，或在热油锅中较长时间加热，就会使肉内部的水分受到损失，肉表面的结合水也开始流失，氨基酸和蛋白质会分解出有害物质，使肉的营养价值下降。

若肉的表面温度再继续升高，氨基酸和蛋白质会完全分解并焦化，其他物质也能发生分解炭化，随着加热时间的拖延，焦化过程由表及里推进，使肉失去食用价值。在烹制时应合理地掌握成菜的质量，尽量避免不利的变化出现。

温度在 65℃左右时，结缔组织、皮、筋中的胶原蛋白变性，胶原纤维中螺旋状结构被破坏，接着突然收缩，使筋、膜、皮紧缩，同时部分肌肉组织和脂肪细胞受压破裂，脂肪和肉汁开始外逸随着加热时间的延长及盐的渗透作用，肌肉组织不断地被破坏，肉汁大量外逸，肉汁中的氨基酸、肌酸、肌肽、肌苷酸与脂肪溶解的香气的物质，综合在一起赋予肉汤鲜香醇厚的风味。

肉中的肌红蛋白由于溶于水，表色、色泽逐渐变浅，在 45 ~ 55℃左右时蛋白质变性，血红素游离出来，肉的内部呈粉红色，而肉的表面由于温度高、氧气多，很快被氧化成 Fe^{3+} 使肉表面呈褐色。在小型的肉片、丁、丝熟制时，肉的色泽变化表示已断生，此时蛋白质刚变性还未凝固、肉质较嫩，如果肉发生卷曲收缩，蛋白质已开始凝固，肉质变老不易嚼碎。涮羊肉片放人涮锅汤中当肉色刚一变性就取出，蘸调料即可食用。

3.5 奶及奶制品的营养价值

奶类为哺乳动物哺育其幼仔最理想的天然食物。所含营养素种类齐全、比例适宜、容易消化吸收，能适应和满足初生幼仔迅速生长发育的全部需要。各种动物奶的营养成分有些差别。一般来说，生长发育越快的动物奶中蛋白质和矿物质愈丰富。对新生儿来说，母乳是最理想的天然食物，母乳不足可用其他动物乳经调制后替代。此外，奶类食品也是青少年、孕妇、病人和老年人的滋补品。奶类及其制品含有丰富的优质蛋白，而且其中的钙不仅含量高并且容易吸收。因此发展乳品工业，增加奶类食品，对改善我国人民的膳食结构，增加优质蛋白质和钙的供应具有重要意义。

3.5.1 奶类的组织结构特点和性质

奶类是一种乳白色的复杂的胶态系统，其中主要成分为水，占83%；组分中粒子小于1nm的矿物质、乳糖及水溶性维生素与水形成真溶液；蛋白质中的酪蛋白粒子约80~120nm，白蛋白与球蛋白为1~100nm，它们与真溶液形成胶体；脂肪粒子直径约1.0～10.0μm，与真溶液及胶体结合形成乳悬液；因此奶是多级分散的乳胶体，性状不太稳定，当奶放置一定时间时，有部分脂肪粒相互密集融合浮于奶的表面，称为稀奶油，这也是一种乳胶体，但脂肪含量高。

正常鲜奶的白色是由于呈胶体分散的酪蛋白胶粒和脂肪球对光的反射，微黄色来自其中的胡萝卜素和核黄素两种色素，故奶的色泽受饲料因素和季节的影响。经微生物污染变质时奶的颜色会有改变。

奶的味道温和，微甜。特有香味来自一些的低相对分子质量的化合物如丙酮、乙醛、二甲醛、短链脂肪酸和内酯。正常奶的相对密度(d_4^{20}平均为1.032，相对密度大小与奶中固形物含量有关。奶中各种成分的变化范围基本稳定，唯乳脂含量变化较大，其含量可受多种因素的影响。当测定脂肪含量和相对密度后，可近似地推算奶中其他固体物质的含量:故相对密度是一种简便地评价鲜奶质量的指标。

牛奶蛋白质氨基酸中含较多酸性氨基酸和自由羟基，易受柠檬酸、磷酸盐等影响。正常鲜奶呈微酸性，可用碱溶液滴定法测定，并以“^{0}T”表示酸度，这也是反映鲜奶质量的一个重要指标。

牛奶可经冻结后长期保存，但冻结奶常有不良气味，因为冻结过程易使不饱和脂肪酸氧化。可用加抗氧化剂的方法防止。

初乳及断奶期前的末乳，由于成分和滋味特殊，不适于人类食用。

3.5.2 奶的化学组成及营养价值

一般情况下，奶中各种成分比较稳定，但也受动物的品种、乳期、畜龄、饲料、季节等的影响而变化，且都是适应自身生长特点的，因此组成上有一定差别，见表3－15。

1. 蛋白质　奶中的蛋白质含量平均为3.3%，主要为酪蛋白，占80%左右；其次为乳白蛋白和乳球蛋白及少量的脂肪球膜蛋白等。酪蛋白为含磷的复合蛋白质，不溶于水而溶于稀碱，在正常奶酸度(pH6.6)下，常与钙、磷等结合，形成酪蛋白胶粒，酪蛋白胶粒对pH变化很敏感，当脱脂奶加酸调节pH至4.6时，酪蛋白即沉淀。在糜蛋白酶作用下，酪蛋白变为副酪蛋白，在钙的存在下形成不溶性的副酪蛋白盐的凝块，这是制奶酪的主要理论基础。

表3-15　　人奶与畜奶的营养组成(每100g)

营养素	人奶	牛奶	羊奶	马奶	水牛奶
水分/%	87.6	87.0	86.9	90.0	82.2
蛋白质/g	1.5	3.5	3.3	2.1	4.7
脂肪/g	3.7	4.0	4.1	1.1	7.5
糖类/g	6.9	5.0	4.3	5.8	4.8
热能/kcal	67	69	67	42	105
灰分/g	0.3	0.7	0.9	0.4	0.8
钙/mg	34	120	140	—	—
磷/mg	15	93	106	—	—
铁/mg	0.1	0.2	0.1	—	—
维生素A/IU	250	140	80	—	160
硫胺素/mg	0.01	0.04	0.05	—	—
核黄素/mg	0.04	0.13	0.13	—	—
尼克酸/mg	0.1	0.2	0.3	—	—
抗坏血/mg	6	1	—	—	—

奶中酪蛋白经分离去磷后，剩余的液体为乳清(whey)，其中含有乳清球蛋白和乳白蛋白，这三种蛋白质为完全蛋白质。但酪蛋白消化率不如白蛋白，而牛奶中酪蛋白含量多而白蛋白较少，人乳则恰相反，这是牛奶蛋白质生物价不如人奶高的主要原因。在乳品加工时，加乳白蛋白调整牛奶的蛋白质组成，使接近人奶，就可生产出母乳化的婴幼儿乳制品。

另外，人奶中常含有双歧杆菌生长因子，可促进肠道乳酸杆菌的和平共处，抑制大肠杆菌繁殖，对婴儿腹泻有预防和治疗作用，而牛奶中双歧杆菌生长因子相对值仅为人乳的1/100～1/50。

2. 脂肪　奶中脂肪平均含量为3.5%，常以较小的微粒分散在乳浆中，故极易消化。牛奶中油酸占30%，亚油酸和亚麻酸分别为5.3%和2.1%，硬脂酸及软脂酸为40%，其余是一些低级或中级脂肪酸，其中一些是挥发性脂肪酸。

3. 糖类　奶中的糖类基本为乳糖，平均含量为4.5g/100g，乳糖有调节胃酸、促进钙的吸收和消化腺分泌的作用，并促进肠道中乳酸杆菌的生长和繁殖，抑制腐败菌的生长，改变肠道菌丛，预防肠道疾病发生。在肠中乳糖经乳糖酶作用分解为葡萄糖和半乳糖。乳糖酶在新生儿消化道内存在较多，但随年龄增长其含量逐渐减少。因此成年人在食用牛奶后，由于牛奶不能被分解，而产生腹痛、腹泻等症状，称为乳糖不耐症。在生产乳制品时可加乳糖酶使乳糖分解，这样既可增加牛奶制品的甜度，又可防止乳糖不耐症的发生。

4. 矿物质　奶是多种矿物质的良好来源，含量约0.7%，包括钙、磷、钠、钾、镁、硫等，尚有部分铜、锌、锰等微量元素。牛奶中钙∶磷为1.2∶1，而人奶中为1∶1。牛奶是一种贫铁食品，喂养婴儿时要注意补充。

5. 维生素　牛奶含有人体需要的各种维生素，但含量变化较大，一般在青饲料较多时，牛奶中胡萝卜素、维生素A及维生素C含量较高，夏季日照较多，奶中维生素D含量也相应高些。另外，核黄素含量较多。瓶装鲜奶存放可使奶中维生素D和核黄素因光照（紫外线）全部被破坏，故要注意防护。

3.5.3 奶制品的营养价值

牛奶挤出后经巴氏消毒后直接供饮用的称鲜奶。而乳制品是指根据不同需要，用特殊加工方法消灭或阻抑微生物在奶中的繁殖和酶的活性，而将鲜奶加工成的制品。常见的奶制品有：奶粉、调制奶、酸奶、炼乳、奶酪、奶油等。

巴氏消毒法主要有两种，一是低温（63℃，30min）巴氏消毒法，另一种是高温（90℃，1min）快速巴氏消毒法，现在一般使用后者。正确的巴氏消毒对奶的营养成分影响不大，但对热不稳定的维生素C和维生素B_1可有部分损失（约20%～25%）。

1. 炼乳　炼乳是浓缩奶的一种，有淡炼乳和甜炼乳之分。淡炼乳是鲜奶经巴氏消毒和均质后，在低温真空条件下浓缩，挥发约2/3水分，装罐密封，再经加热灭菌后而制成。这种制品在胃酸或凝乳酶作用下，容易形成凝块，且凝块较柔软，因而更易消化，另外因蛋白质在加工时发生改变，也适于鲜奶过敏的人食用，但工艺过程中高温灭菌，可导致赖氨酸的一定损失，维生素遭受不同程度破坏。如果用维生素D（400IU/L）进行强化，按适当比例冲稀后，营养价值基本同鲜奶，适于婴儿食用。

甜炼乳是鲜奶加约15%的蔗糖进行浓缩制成，产品中蔗糖浓度达40%以上。因含糖量过高，冲稀后，蛋白质和矿物质仅及鲜奶的一半，故不适于婴儿食用。

2. 奶粉　由于应用目的不同，奶粉分为全脂奶粉、脱脂奶粉、乳清粉和调制奶粉等。奶粉由鲜奶经脱水、喷雾、干燥而制成，因工艺过程中脱水速度快，时间短，产品溶解性能好，奶粉冲调后的感官性状、营养成分保存较满意，与鲜奶相差不大。奶粉有加糖或不加糖的两种。

脱脂奶粉与全脂奶粉生产工艺相同，食品须先经离心分离出奶油，相对而言，它是一种蛋白质营养密度较高的食品。

3. 调制奶粉　调制奶粉以牛奶为基础，参照母乳的营养组成模式和特点，在营养素组成上加以调制和改善，使更适合于婴幼儿生理特点的需要。其营养成分的变化是：蛋白质质量上以脱盐乳清粉改善乳清蛋白与酪蛋白的比例，使两者之比接近人奶；在脂肪质量上，牛奶中亚油酸含量低（2.2%左右，而人奶为12.8%），甘油三酯含量高，且这种甘油三酯大多为人体消化吸收差的棕榈甘油三酯，因此用与人乳同型的顺式亚油酸提高亚油酸含量；牛奶中乳糖含量低于人乳，因此要按α－乳糖、β－乳糖4∶6的比例添加乳糖，并使其平衡，同时添加可溶性糖。

牛奶中的矿物质比人乳高2倍，需要脱去牛奶中的一部分钙、磷和钠盐，使保持钾/钠为

2.88，钙/磷为1适宜。另外调制奶粉中还强化了维生素A、维生素D、维生素B_1、维生素B_2和维生素C以及铁、锌、锰等微量元素。

4.酸奶　在消毒后的鲜奶中接种适量的嗜酸性乳酸菌，并控制在一定的条件下生长、繁殖，奶发酵成的产品称为酸奶。乳类被发酵后，其中的乳糖被转化为乳酸。乳酸的存在增加了人体对钙、磷、铁的吸收率；在乳酸杆菌的作用下，酪蛋白也可以发生一定程度的降解，形成一种预备消化状态，增加了人体对酪蛋白的利用；受乳酸杆菌的作用，部分乳脂发生分解，变成易被人体消化吸收的状态；发酵过程中，乳酸杆菌还产生少量维生素B_1、维生素B_2、维生素B_1、烟酸和叶酸等B族维生素。酸奶易消化吸收，还可刺激胃酸的分泌，利于营养素的吸收利用；乳脂酸菌在肠道繁殖，又可抑制一些腐败菌的繁殖，调整肠道菌丛，防止腐胺类对人体的不良作用。另外，因奶中的乳糖已被发酵为乳酸，食用后不会出现腹胀、腹泻等现象，可防止乳糖不耐症的发生。

3.6 蛋类的营养价值

蛋类主要是指鸡蛋、鸭蛋、鹅蛋和鹌鹑蛋等，其中鸡蛋食用量最大，食品工业中使用最广泛。

鸡蛋的蛋白质转化率仅次于牛奶，在动物性食品中按蛋白质含量计是最廉价的食品。蛋类是一种营养价值很高，同时又是不耐热、不耐冻而易破碎的天然食物，而且本身还是一种方便食品。

3.6.1 蛋的结构

各种禽蛋的结构都相似，主要由蛋壳、蛋清、蛋黄三部分组成。

蛋壳是一层由碳酸钙构成的硬膜，有保护蛋内容物的作用，蛋壳上有大小为4～40/μm的小气孔；蛋壳外有一层胶质的薄膜，可防止蛋内水分的蒸发并保护蛋免受微生物的侵袭，若蛋放置时间过长或受潮则会脱落；壳的内面还紧贴一层70μm的角质膜，在蛋的钝端角质膜还分离成一个气室，鲜蛋气室小，随放置时间增长，蛋的水分蒸发多，气室会逐渐增大。蛋壳的颜色由白到棕色，深度只与鸡的品种有关，与蛋的营养价值毫无关系。

蛋清为黏稠、透明的半流体物，蛋清的外层为中等黏度的稀蛋清，内层为胶质冻样的稠蛋清，它包围在蛋黄的周围，蛋清还有两条系带，分别与卵黄膜和内蛋壳膜相连，其作用是固定蛋黄的位置使蛋黄处于蛋的中央。

蛋黄由蛋黄膜、蛋黄液和胚胎组成。蛋黄膜透明并具有韧性和较强的弹性，膜使蛋黄为球形，它把蛋黄和蛋清分开。蛋黄液为黄色的浓稠物构成，因品种不同，蛋黄液有橙黄、淡黄和乳白色几种，蛋黄的中央为黄白色，胚胎便位于其中。

3.6.2 蛋的组成成分与营养价值

各种蛋类在营养成分上大致相同。蛋壳不能食用，蛋壳的95%为碳酸钙，其次为少量的角蛋白、碳酸镁、磷酸钙、磷酸镁等，蛋壳经洗涤、消毒、烘干、粉碎后可作为钙粉的原料。蛋的可食部分为蛋清和蛋黄，全蛋蛋白质几乎能被人体全部吸收利用，是食物中最理想的优质蛋白质。在进行各种食物蛋白质营养评价时，常以全蛋蛋白质作为参考蛋白，全蛋中蛋氨酸、色氨酸和赖氨酸含量都很丰富，可补充普通食物中这些氨基酸的不足。由于蛋清和蛋黄在组成上存在一定区别，因此其营养价值也有差异。蛋各部分的主要营养素组成，见表 3－16。

表 3－16　蛋各部分的主要营养组成(%)

	全蛋	蛋清	蛋黄
水分	75.8	85.7	49.5
蛋白质	12.7	12.7	15.7
脂肪	9.00	0.30	33.0
矿物质	1.00	0.60	1.10

蛋清水分含量为 85.7%、蛋白质 12.7%、脂肪仅为 0.3%、糖类 0.7%、矿物质 0.6%。蛋清中的蛋白质主要是卵白蛋白质，它的各种必需氨基酸种类齐全，构成合理，属完全蛋白，除其消化吸收率和生物利用率都较高外，还含组氨酸，是婴儿生长所必需。蛋清中还有少量的黏蛋白及卵胶黏蛋白等。蛋清中的糖类主要是与蛋白质结合的甘露糖和半乳糖；蛋清中的维生素主要是水溶性的 B 族维生素，维生素 B_2 含量丰富，维生素 B_1 相对较少。蛋清中的矿物质主要是钠、钾、磷、铁等，蛋清中还有蛋白酶、二肽酶、淀粉酶、氧化酶、溶菌酶等多种酶类。

蛋黄水分含量为 49.5%、脂肪 33%、蛋白质 15.7%、糖类 0.4%、矿物质 1.1%。蛋黄中的蛋白质主要是卵黄蛋白，也属完全蛋白，而且含胱氨酸和铁丰富。蛋黄中的脂质呈乳融状态，其中有 1/3 为卵磷脂和脑磷脂，甘油三酯中不饱和脂肪酸的含量为 57%，还有一部分游离脂肪酸，因此蛋黄中的脂质不仅易于消化吸收，而且对于人体脑和神经组织的发育和维护有重要作用。此外蛋黄中胆固醇含量较一般普通食物高。蛋黄中还含丰富的维生素 A、维生素 D 及维生素 B_2，含 少量维生素 C、胡萝卜素和叶黄素。矿物质有磷、镁、钙、硫、铁、铜、锌、氟等，其中钙含量低于牛奶，但铁、铜、锌、硒等微量元素高于牛奶。

蛋黄及蛋清分别约占总可食部分的 1/3 和 2/3，铁、磷及钙等矿物质多集中于蛋黄中，维生素 A、维生素 D、维生素 B_1、维生素 B_2 也主要分布在蛋黄。由此可见，蛋黄比蛋清含有更丰富的多种营养成分。

维生素 D 的含量随季节、饲料组成和鸡受光照的时间而有一定的变化，蛋黄颜色深浅不同但与维生素 A 含量并不一致。不过在同样饲养条件下，蛋黄中总色素含量高时，往往也含较多胡萝卜素。蛋的脂肪大部分都在蛋黄中，其中中性脂肪约占 39%，卵磷脂约占 15%，胆固醇也较多(占 3%～5%)，每个鸡蛋约含胆固醇 250～300mg。

鸡蛋虽然含磷脂较多，但含有较高的胆固醇，约 1500mg/100g。蛋类的铁较多，但因有卵黄高磷蛋白的干扰，其吸收率只有3%。另外，牛蛋清中含有抗生物素和抗胰蛋白酶物质，对生物素的利用和胰腺的功能有不利影响。故蛋应加热煮熟使之钝化后食用。

3.6.3 加工、烹调对蛋类营养价值的影响

我国传统的蛋类加工食品有皮蛋、咸蛋、糟蛋。这些蛋制品经加工处理后形成了特殊的风 味，深受我国广大消费者的喜爱，它们的营养价值基本与鲜蛋相似，经加工后，蛋白质易于消化吸 收，如皮蛋加工需用碱进行处理，因而对B族维生素的影响较大，损失较多。糟蛋在加上过程中 除乙醇外还有醋酸生成，醋酸可软化蛋壳，使蛋壳中的钙渗入蛋内，因此糟蛋钙含量可比普通蛋 高出数十倍。在制作皮蛋的过程中因加入烧碱使蛋清发生一系列变化，蛋清呈暗褐色透明休，蛋 黄呈绿褐色，B族维生素被破坏，且传统工艺上用铅，使食品中铅含量增高，这对人体是不利的。近年来开发出的无铅皮蛋工艺，用氧化锌代替铅，既减少铅对人体的毒性作用，又增加了锌的摄入。

在一般的烹调条件下，如煎、炸、炒或带壳煮时，对蛋的营养价值影响较小，仅维生素B_1、和维生素B_2有少量损失(8% ~15%)，如炒蛋时维生素B_2损失10%，油炸损失16%，煎荷包蛋时损失为13%，煮蛋时蛋山质变得软且松散，易消化吸收，蛋黄则无论生熟均易被人体利用。

鸡蛋在食品加工中有广泛的用途，如搅打鸡蛋白可以发泡，利用此特性可使糕点膨松。利用鸡蛋白加热凝固的特性来烹制 些甜羹和馅饼心，利用蛋黄的乳化性和鲜艳的黄色来制作许多人们喜好的食品，因此可以说鸡蛋无论加到哪一种食品中都可增加食品的质量和提高其营养价值。

为适应加工食品的需求，现代化的加工蛋制品有蛋黄粉、蛋白粉、全蛋粉，它们可广泛应用于各类糕点、而食、冷食品、调味品、婴幼儿食品、罐肠类制品中。

第 4 章　营养相关疾病的预防与控制

营养性疾病是指因营养素摄入不足、消化吸收障碍和消耗增加引起营养缺乏以及营养素过剩或营养代谢异常而引起的一类疾病。由于营养素摄入不足或其他原因不能满足人体正常营养需要可发生各种营养缺乏病，如蛋白质 - 能量营养不良、脚气病、坏血病、营养性贫血、地方性甲状腺肿等。由于过量摄入营养素可致营养过剩或中毒，如维生素 A 过多症、肥胖症等。由于遗传因素或药物的影响可致营养代谢障碍而发生疾病，如苯丙酮尿症、乳糖不耐症、叶酸缺乏症等。还有一些与营养因素密切有关的疾病，如糖尿病、冠心病、痛风病等，称为营养相关疾病。

4.1 营养性疾病发生原因及防治原则

4.1.1 营养性疾病发生的原因

1. 营养缺乏或不足

营养缺乏病发生原因可分为原发性营养缺乏病和继发性营养缺乏病。原发性营养缺乏病主要是由于膳食中营养素摄入不足；继发性营养缺乏病是由于消化吸收不良、体内利用障碍、营养素需要量增加或排泄过多而引起。营养缺乏病的形成有一个过程，开始先引起身体组织中营养素含量减少，继之发生生物化学改变，进一步引起功能障碍而出现症状，最后导致病理形态和功能的变化。

2. 营养过剩或比例失调

造成营养过剩或比例失调的主要原因如下。

(1)膳食结构不合理　膳食中动物性食物比重过大，植物性食物比重过小，精制食物多，蔬菜、水果少，这是导致营养过剩和营养不平衡的主要原因。

(2)不良的饮食行为和习惯　进食高钠饮食、大吃大喝、暴饮暴食、追求饮食享受以及优质食物集中消费等不良饮食习惯和行为是造成营养过剩的重要原因。

4.1.2 营养性疾病的防治原则

1. 指导并大力发展食物生产，优化食物结构

根据营养与消费需要发展食物生产，调整和优化结构是防治营养性疾病的基础。

（1）按照植物性食物为主、动物性食物为辅　我国人民长期以来形成的以粮食为主，搭配适量蔬菜和一定量肉食的膳食结构是基本合理的。这种膳食结构将长期存在下去，并以此指导食物生产。

（2）加强指导，优化结构　在保证粮食生产的同时，注意发展豆类，尤其是大豆的生产。改变肉类以猪肉为主的不合理结构，发展耗粮少、蛋白质转化率高的畜、禽、蛋、奶及水产品生产，提高这些食物的消费水平。

（3）依据食物的合理消费结构，发展食品加工　注重发展营养、保健、益智和延缓衰老食品的加工，如妇幼食品、学生食品、老人食品等。发展营养较全面的方便食品、快餐食品及营养饮料。

（4）根据我国情况积极发展绿色食品和有机食品　绿色食品和有机食品的生产加工以营养和卫生为前提，既注重营养，更强调安全，对人类的健康有积极作用，值得大力发展。

2. 加强营养宣传教育，指导食品消费

（1）加强营养专业人才培养和队伍建设　以便开展营养宣传、咨询、监测和管理工作。

（2）普及营养知识，提高食品科学消费的自觉性　尤其要宣传我国营养学会制订的膳食指南。

（3）采用立法和经济手段引导合理消费　如通过市场价格等引导消费，鼓励大豆及其制品的生产，对节粮型、脂肪含量不高的禽类及水产品的生产给与优惠政策等。加强对营养食品的监督管理，如制定营养食品标准，严格审批制度，反对虚伪夸大的广告宣传等。

3. 加强营养监测

从微观和宏观两个方面调查研究人群的营养状况，发现和掌握营养性疾病发生及其发展的规律，以便采取措施，防治营养性疾病，改善人群的营养状况。

（1）食物消费量的调查　调查个体或群体在特定时期内的食物消费量，以了解人体各种营养素摄入量及膳食结构等，较常用的方法有称量法、记账法和询问法等。

膳食史法和食物频率法已应用于膳食习惯与某些疾病关系的研究。膳食史法主要是询问一般的膳食方式，长时间的饮食习惯，有无偏食、忌食等；食物频率法是指一定期间内，食用某食物的频次和数量，可反映长期的营养素摄取情况。

（2）人体测量　包括身高或身长、体重、头围、皮褶厚度等。测量的准确性受测定时间、测定者训练程度及测量工具的标准化等因素影响。人体测量虽然在短期内不能直接看

出营养失调，也不能确定哪种营养素缺乏，但能反映生长发育动态，反映人体营养状况与趋势。

(3) 实验室生化检查　合适而准确的生化检查能发现临床前期的营养缺乏状况，且不受被测者的主观因素影响，是较客观的评价指标。

(4) 临床检查　指既往病史询问和常规体格检查，了解和发现与营养有关疾病和体征。

4.2 营养与肥胖的防治

肥胖是"由贫变富"人群中较常见的一种营养失调性疾病，是指机体脂肪过度积聚与脂肪组织过量增加，超出了生理适应范围。1992 年调查显示，我国城市居民体重过重者为 9.8%，农村为 6.9%。2002 年营养与健康状况调查结果显示我国城市居民超重和肥胖患病率呈明显上升的趋势。我国成人超重率为 22.8%，肥胖率为 7.1%，估计人数分别为 2.0 亿和 6000 多万。大城市成人超重率与肥胖患病率分别高达 30.0% 和 12.3%，儿童肥胖率已达 8.1%，应引起高度重视。与 1992 年全国营养调查资料相比，成人超重率上升 39%，肥胖率上升 97%，预计今后肥胖患病率将会有较大幅度增长。尤其是肥胖儿童的出现和数量增加，预示着肥胖问题已相当严重，应引起人们的重视。

4.2.1 肥胖发生的原因

肥胖的病因至今仍不完全清楚，一般认为长期饮食过度、能量摄入过剩或能量消耗过少致使机体能量过剩是肥胖的直接原因，但与遗传、内分泌、代谢及精神因素等也有密切关系。

1. 饮食因素　造成能量摄入过多的主要原因有饮食过度、膳食结构不合理。精神、情绪方面的原因也可使部分人过度进食，某些不良的饮食习惯等都可能引起肥胖。

2. 体力活动因素　青年时期体力活动量较大，一般不易发生肥胖，中年后体力活动逐年减少，这是肥胖发病率随年龄增大而增高的主要原因。有研究表明，正常体重者体力活动水平能调节摄食量，而肥胖者的这种调节机制紊乱，也是不可忽视的因素。

3. 生化因素　不同个体所含 Na^+、K^+, ATP 酶及脂蛋白脂酶的数量和活性不同，这种差别在肥胖形成之前就存在，肥胖形成后更明显。有研究认为，体脂合成与分解时，脂肪酸在脂肪辅酶 A 的作用下形成脂酸辅酶 A，这类酶有两种：一种专司合成，另一种专司分解。如果前者的数量和活性高于后者，则易于促成肥胖。

4. 其他因素　遗传因素、内分泌等也与肥胖有一定关系。

4.2.2 肥胖的判断

由于准确测定人体脂肪或脂肪组织的量比较困难，故常根据体重、身体质量指数

(bodymassindex, BMI)及皮褶厚度等来判断。

1. 身高标准体重法　鉴于体脂的积聚和脂肪组织的增容常导致体重的增加，故可根据体重来判断肥胖。但须考虑种族、年龄、性别及体格类型等的差异。我国目前尚无统一标准，多用标准体重(或理想体重)来估计。

婴幼儿：1～6个月正常体重(kg) = 月龄×0.6kg + 出生体重(平均为3kg)

7～12月正常体重(kg) = 月龄×0.5kg + 出生体重

1岁以上(7岁以下)正常体重(kg) = 年龄×2kg + 8kg

成年人身高标准体重(kg) = 身高(cm) - 100(Broca公式)[或 = 身高(cm) - 105](Broca改良公式)；也可以用平田公式：身高标准体重(kg) = [身高(cm) - 100]×0.9。

亦可根据实测体重，当体重超过当地(或全国平均值)同龄同身高的平均体重加2个标准差时，即视为肥胖。

肥胖度 = [(实际体重(kg) - 身高体重标准)/身高标准体重(kg)]×100%

判断标准：肥胖度≥10%为超重；20%～29%为轻度肥胖；30%～49%为中度肥胖；≥50%为重度肥胖。学龄前儿童营养状况评价：WHO推荐的不同性别、年龄的身高、体重参考值，常用的评价指标是Z评分。

2. 身体质量指数(BMI)　BMI = 体重(kg)/L[身高(m)]^2，我国学者参考亚洲和欧洲的评价标准于2001年提出了中国成年人群肥胖与超重的体质指数分类以及肥胖相关疾病的危险评价标准(表4-1)。成年人(18岁以上)WHO标准：BMI≥25超重；BMI≥30肥胖。WGOC标准：BMI≥24超重；BMI≥28肥胖。WHO中心性肥胖标准：男性腰围≥102cm；女性腰围≥88cm。WGOC中心性肥胖标准：男性腰围≥85cm；女性腰围≥80cm。

表4-1　肥胖与超重的体质指数分类以及肥胖相关疾病的危险

体质指数(BMI)		相关疾病危险	
数值	分类	腰围 男<85cm 女<80cm	腰围 男≥85cm，女≥80cm
<18.5	体重过低	考虑存在其他健康问题	--
18.5～23.9	体重正常	--	疾病危险增加
24.0～27.9	超重	疾病危险增加	疾病危险高
≥28.0	肥胖	疾病危险高	疾病危险极高

3. 皮褶厚度　皮下脂肪厚度常用皮褶厚度表示。由于人体不同部位皮下脂肪分布不同，一般用几个部位之和表示。

4. 上臂围，上臂肌围　上臂围为上臂中点周长，上臂肌围 = 上臂围 - 3.14×三头肌皮褶厚(cm)，其标准值为男25.3cm，女23.2cm。

4.2.3 肥胖的防治原则

肥胖病人常易诱发糖尿病、高血压、动脉粥样硬化、冠心病、痛风、胆结石及某些肿瘤等，而且应激能力、对环境的适应能力及抗感染能力下降。一旦患有肥胖后，治疗和减肥十分困难，成效甚少，因此防治肥胖的发生就显得十分重要。

1. 合理饮食，维持机体能量平衡

婴幼儿及儿童是人一生中的生长旺盛期，长期能量过剩，将使体内脂肪细胞增生，数量增多，为肥胖打下脂肪库增大的解剖学基础，因此防治肥胖应从婴儿抓起。人到中年后，应注意调整饮食，保持体重相对稳定。

2. 加强锻炼，坚持适当体力活动

增加体力活动即可增加能量消耗，尤其有氧代谢为主要特征的体力活动，如中快速步行、慢跑、体操、爬山、打太极拳等。

此外，儿童青少年肥胖可能有激素分泌障碍等，应及时检查治疗。许多肥胖病人往往伴有精神情绪变化，因此保持良好的精神状态和有规律的生活节奏也十分重要。疾病恢复期、妊娠及冬春季易于体脂积聚，这些时期也应注意饮食平衡，防止体重过量增加。

4.3 营养与心血管疾病的防治

心血管疾病是危害人类健康的严重疾病。发生在心脏冠状动脉的粥样硬化称冠心病；发生在脑动脉的粥样硬化称脑血管病。近年来我国心血管病的发病率及死亡率均有增长趋势。本病病因复杂，除与遗传、年龄、体质、吸烟、糖尿病、肥胖、紧张、缺乏运动等因素有关外，膳食因素占重要地位，故合理膳食已成为防治心血管疾病的重要措施之一。

4.3.1 营养与动脉粥样硬化

1. 脂肪

脂肪总摄入量，尤其是饱和脂肪酸与动脉粥样硬化发病率和死亡率呈显著正相关，膳食脂肪可促进胆固醇的吸收，使血胆固醇升高，饱和脂肪酸对血胆固醇的升高影响明显，而多不饱和脂肪酸及单不饱和脂肪酸有降低血胆固醇的作用。n－3 不饱和脂肪酸的作用近年来受到广泛关注，富含 n－3 系列不饱和脂肪酸（主要为 EPA、DHA）的鱼油可抑制血浆肾素活性，有降血胆固醇、血甘油三酯的含量和抗血小板凝集、降低血压等作用。

饱和脂肪酸(SFA)如月桂酸、肉豆蔻酸和棕榈酸具有较强的升高血胆固醇的作用；单不饱和脂肪酸（MUFA）如橄榄油和茶油能降低血胆固醇的浓度；多不饱和脂肪酸（PUFA）n－3 和 n－6 系列不饱和脂肪酸均有降低血胆固醇的作用。

2. 胆固醇

体内的胆固醇直接来源于膳食的约占 30%～40%，其余主要在肝脏内合成。人群调查发现膳食胆固醇摄入量与动脉粥样硬化发病率呈正相关。

3. 能量与糖类

膳食中总能量摄入大于机体对能量的消耗则引起单纯性肥胖，同时可使血甘油三酯升高引起高甘油三酯血症；糖类对血脂的影响主要与种类有关，果糖的作用大于葡萄糖；膳食纤维有降低血胆固醇的作用，尤其是果胶作用明显。

4. 蛋白质和氨基酸

适当的蛋白质摄入不影响血脂。但在动物实验中发现，高蛋白膳食可促进动脉粥样硬化的形成。牛磺酸具有保护心脑血管功能的作用。

5. 维生素

抗坏血酸有降低血胆固醇，减缓动脉粥样硬化的作用。维生素 E 有抗氧化的作用，并可提高对氧的利用率，使机体对缺氧耐受力增高，增强心肌代谢及应激能力。烟酸有防止动脉硬化的作用。尼克酸在药用剂量下有降低血清胆固醇和甘油三酯，促进末梢血管扩张等作用。维生素 B_6 与构成动脉管壁的基质成分酸性黏多糖的合成以及脂蛋白脂酶的活性有关，缺乏时可引起脂质代谢紊乱和动脉粥样硬化。

6. 矿物质

镁、钙与血管的收缩和舒张有关，钙有利尿作用，有降压效果，镁能使外周血管扩张。锌铜比值高时，冠心病发病率高，铜缺乏可影响弹性蛋白和胶原蛋白的关联而引起的心血管损伤，也可使血胆固醇含量升高。过多的锌则降低血中高密度脂蛋白含量。食盐过量可使血压升高，促进心血管病发生。过量铁可引起心肌损伤、心律失常和心衰等，应用铁螯合剂可促进心肌细胞功能和代谢的恢复。体内铁贮存过多使冠心病危险性增高的可能机制是游离铁可催化氧自由基的形成，从而促进脂质的氧化修饰和心肌损伤。碘可减少胆固醇在动脉壁的沉着，硒对心肌有保护作用，钒有利于脂质代谢。可见膳食中种类齐全、比例适当的常量和微量元素有利于减少心血管疾病。

4.3.2 营养与高血压

高血压（hypertension）是一种以动脉血压升高为主要表现的心血管疾病。无论在发达国家还是发展中国家都是一种常见病，患病率一般在 10% ~20%，可导致脑血管、心脏和肾脏病。2002 年营养与健康状况调查结果显示我国城市居民高血压患病率有较大幅度升高，18 岁及以上居民高血压患病率为 18.8%，估计全国患病人数 1.6 亿多。与 1991 年相比，患病率上升 31%，患病人数增加约 7000 多万人。农村患病率上升迅速，城乡差距已不明显。大城市、中小城市、一至四类农村高血压患病率依次为 20.4%、18.8%、21.0%、19.0%、20.2% 和 12.6%。我国人群高血压知晓率为 30.2%，治疗率为 24.7%，控制率为 6.1%；与 1991 年的 26.6%、12.2% 和 2.9% 相比有所提高，但仍处于较差水平。高血压可分为：① 原发性高血压，以血压升高为特征，原因不明的独立疾病，占高血压的 95% 以上；② 继发性高血压，血压升高是某些疾病的一部分表现，其中肾脏疾病占 70% 以上。

超重和肥胖、膳食中摄入过量的钠、长期大量饮酒、遗传因素是确认的高血压的重要危险因素;而钾摄入量与血压呈负相关。还有一些不确定的危险因素如膳食钙摄入水平、避孕药、吸烟、体力活动和精神紧张或应激等。

1999 年世界卫生组织和国际高血压学会给出了新的高血压诊断标准和分类, 如表 4-2 所示。我国 1999 年高血压诊断标准和分类基本上采用这一新的建议。

表 4-2　1999 年新的血压水平定义和分类

分类	收缩压/mmHg	舒张压/mmHg
理想血压	<120	< 80
正常血压	<130	< 85
正常偏高	130~139	85~89
高血压 I 级(轻度)	140~159	90~99
亚组:临界高血压	140~149	90~94
高血压 II 级(中度)	160~179	100~109
高血压 III 级(重度)	≥180	≥110
单纯收缩期高血压	≥140	< 90
亚组:单纯收缩期高血压	140~149	< 90

国内外大量研究证实高血压是心、脑血管疾病中最重要的危险因素。不论是收缩压(SBP)还是舒张压(DBP)的血压水平, 与心血管疾病及脑卒中的危险均有高度相关。对中年人研究发现:

平均舒张压持续下降 5mmHg, 脑卒中危险减少 35%~40%。

一项对 9 个前瞻性研究资料的分析结果表明:血压与冠心病的发病相关, 呈直接、连续、独立的关系;舒张压升高 5mmHg, 发病的危险性至少增加 21%;舒张压升高 10mmHg, 危险性增加 37%。Framingham 的研究也证明了血压升高对冠心病的发生具有重要作用。我国许多流行病方面的研究也得出了类似结论。如国内 10 组人群前瞻性研究结果表明, 收缩压升高 10mmHg 冠心病发病的危险性增加 28%, 舒张压升高 5mmHg, 冠心病发病的危险性增加 24%。老年人中, 血压与脑出血(intracerebral hemorrhage)和脑梗死(cerebral embolism)的发生呈正相关。血压水平与冠心病死亡或非致死性心肌梗死(myocardial infarction)之间也呈正相关。其联系强度约为脑卒中的三分之二。

此外, 血压与心力衰竭、复发性心血管病事件也有关。有证据表明, 有高血压史者, 心力衰竭的危险为正常血压者的 6 倍多;有脑血管病史和心肌梗死史的病人中, 血压水平与这类疾病的再发危险之间呈正相关;脉压和许多心血管疾病呈正相关。

4.3.3 营养与血脂异常

人体内血液中脂质一种或几种成分的升高或降低称血脂异常。血脂异常易诱发动脉粥样硬化和冠心病及损害身体的健康。其中血液中某些脂质成分升高称高脂血症或高脂蛋白血症。

2002年营养与健康状况调查结果显示我国城市居民成人血脂异常患病率为18.6%，估计全国血脂异常现患人数1.6亿。不同类型的血脂异常现患率分别为：高胆固醇血症2.9%，高甘油三酯血症11.9%，低高密度脂蛋白血症7.4%。另有3.9%的人血胆固醇边缘升高。值得注意的是，血脂异常患病率中、老年人相近，城乡差别不大。

1. 血脂异常的划分标准

流行病学的调查表明，世界各地人群的血脂相差悬殊，可以说正常与异常血脂间的划分是人为的。20世纪80年代以来，国内外学者主张以血脂水平异常与冠心病危险性增加的关系和需要治疗这两个方面的因素来确定血脂异常的划分标准为宜（表4-3）。

表4-3　血脂异常的划分标准

指标及参考值范围	结果判断
血清总胆固醇	
5.20 mmol/L(200mg/dL)	合适范围
5.21~5.71 mmol/L(201~219mg/dL)	边缘升高
5.71mmol/L(219mg/dL)以上	升高
血清甘油三酯	
1.70mmol/L(150mg/dL)	合适范围
1.70mmol/L(150mg/dL)以上(含)	升高
血清高密度脂蛋白胆固醇(HDL-C)	
0.91mmol/L(35mg/dL)以上(含)	合适范围
0.91mmol/L(35mg/dL)以下	升高

1993年美国国家胆固醇教育规划（NFP）第二次报告中，对无冠心病的成年人血浆TC <200mg/的dL为理想水平，200~239mg/dL为临界高水平，超过240mg/dL则冠心病危险性迅速上升；HDL-C <35mg/dL，作为低值，低水平的HDL-C构成冠心病危险因素之一；TG水平分为四级，即正常水平<200mg/dL，临界高水平200~400mg/dL，高水平400~1000mg/dL，极高水平>1000mg/dL；LDL-C <30mg/dL为合适水平，130~159mg/dL为高危水平。

2. 影响血脂的因素

（1）遗传因素　一般而言，有血脂代谢异常家族史者后代出现血脂异常的机会较多。因此，对于这一人群应经常检查血脂，平日注意环境因素对血脂代谢的影响。

（2）环境因素

① 肥胖　单纯性肥胖尤其是中心型肥胖者随着体重指数的增加，使血清TC、LDL、TG、apo-B升高，HDL和apo-Al降低，TC/HDL-C值升高。

② 膳食结构。

A、含饱和脂肪酸为主的食物可升高血清TC、LDL。此类食物摄入占总热量百分率每增加1%，可使血清TC增加2mg/dL,研究表明只有含12(月桂酸C12∶0)、14(豆蔻酸C14∶0)、6（棕榈酸C16∶0)个偶数碳链的饱和脂肪酸食物才使血清TC升高，而含18个碳原子和10个及以上碳原子的饱和脂肪酸食物对血清TC浓度影响不大。

B、单价不饱和脂肪酸的食品。加油酸(C18∶1)的橄榄油和其他植物油替代膳食中的饱和脂肪酸可降低血清LDI－C水平而保持HDL－C水平。

C、多价不饱和脂肪酸的食品主要有n－6多不饱和脂肪酸和n－3多不饱和脂肪酸。前者主要有亚油酸(C16∶2)，在玉米油、棉籽油、豆油中约含50%～60%，红花子油含75%;后者主要在海产鱼类中，常见的有EPQ(C20∶5，n－3)、DHA(C22∶5,n－3)。此外，核桃中也含有较多的多价不饱和脂肪酸。以此类食品代替含饱和脂肪酸者，可降低血清TC，尤其是LDL－C和TG8一般多价不饱和脂肪酸补充占总热量的7%即可。

D、膳食中每日摄入胆固醇含量在300～600mg者可使血清TC升高;食物中每增加100g/4200 kJ(1000 kcal)的胆固醇可使血清LDL－C上升8～10mg/dL。

③ 吸烟　每日吸烟量与血清TC、LDL－C、TG/HDL－C值呈正相关，与HDI－C呈负相关。这可能与烟草中含有的硫氰酸盐有关。

④ 饮酒　适当的酒精含量(约白酒50g/d)与血清TC、HDL－C水平呈正相关而与TG和TC/HDL－C值呈负相关。适量酒精对动脉血管壁有一定保护作用，主要是通过增加了血清HDL_2－C和HDL_3－C浓度所致。

⑤ 茶和咖啡　有饮茶习惯能使血清TC水平下降，国外报道咖啡可增加血清TC水平。

⑥ 运动和体力活动　国外研究认为运动可使血清TC、TG降低而HDL－C升高。我国调查表明重体力劳动者血清TC、LDL－C水平比轻体力劳动者低，而HDL－C及TG无明显差异。

⑦ 药物　甲状腺激素可使血清TC降低，双氢克尿塞能增加血清TC和TG水平，速尿使血清HDL－C水平降低，心得安使血清TG引高而HDL－C降低，利血平町增加血清TC而降低HDL－C，哌唑嗪使血清TG降低而HDL－C升高，绝经后妇女服用女性激素替代治疗者能使血清TC降低而HDL－C水平升高。

⑧ 季节因素的血脂波动　血清TC以冬季达高峰而夏季降低，季节差异可达12mg/dL。男性的季节性变化大于女性。血清TG也在冬季最高(尤其是女性明显)而夏季较低，季节差异为20mg/dL。血清HDL－C在冬末初春最高，夏季降低，季节差异达6.19mg/dL。血清LDL－C在秋冬比春夏高，季节差异为10.5mg/dL，尤其是男性冬季最高。HDL－C/TC值以冬末早春为最大。

⑨ 情绪波动　紧张的情绪可增加血清TC、TG的水平。

(3) 其他因素

① 年龄　随年龄增加血清TC和TG水平也升高，60－70岁以后升高的趋势逐渐减少。

② 性别　绝经前妇女的血清 HDL－C 水平高于同龄男性，TC 低于男性；绝经后，同龄的两性 HDL－C 水平相似，女性的血清 TC 水平高于男性。

4.3.4 心脑血管疾病的综合防治

依据 WHO 专家委员会建议，采取三方面的预防策略：① 群体策略，即针对主要病因，以群体为对象的策略，包括改变社会经济因素、行为因素及生活方式因素等；② 高危人群策略，即对有特殊危险性的个体采取预防措施；③ 三级预防策略，避免复发和防止病情发展。胡大一提出五道防线：一是防发病，即一级预防，综合控制多种危险因素，预防或减少疾病的发生。二是防事件 预防和减少脑卒中等可能致残或致死的主要不良心血管事件。三是防后果，一旦发生严重事件，应尽可能挽救心肌，挽救生命。四是防复发。五是规范防治慢性心力衰竭。

1. 第一级预防

（1）健康教育　健康教育是第一级预防的重要环节，一项涉及 94 万人的调查结果显示，我国仅 26.8% 的高血压患者知道自己是高血压病人，服药率和控制率比较低，由此可见高血压患者对该病状况的知晓率很低，而在未治疗的原发性高血压病人中，70% ～80% 死于脑卒中。

健康教育旨在改变有关疾病的知识结构和信念的基础上，进而改变不健康的行为和生活方式，达到促进健康的目的。我国部分地区及国外的心、脑血管疾病的防治经验，均肯定了健康教育和健康促进在心、脑血管疾病防治工作中的作用。

在防治心、脑血管疾病中，健康教育应以全人群为对象，而针对不同人群的特征，采取降低及控制危险因素的措施，以降低人群中危险因素水平。这是对一般人群的预防，对全体居民采取一些一般性的措施，如控制体重，限制钠盐的摄入量，控制饮酒，戒烟，纠正膳食结构和饮食习惯，消除不良的社会心理因素，加强体育锻炼等，其效果远远超过一般单纯的治疗。

（2）改善生活方式　通过改善生活方式可以降低血压，增强药物的降压效果，控制原发性高 血压的危险因素及作为人群高血压和有关心、脑血管疾病的一级预防。

改善生活方式可通过以卜儿个方面。

① 合理膳食　平衡膳食、合理营养，提供种类齐全、数量充足、比例适当的各种营养素。控制总能量，限制总脂肪和胆固醇的摄入脂肪摄入量占总能量 20% ～25% 为宜，增加多不饱和脂肪酸的摄入，降低饱和脂肪酸摄入量，使饱和脂肪酸、单不饱和脂肪酸、多不饱和脂肪酸的比值为 1∶1∶1；控制膳食胆固醇摄入在每日 300mg 以下。肥胖是导致高血压病的原因之一，与摄入过多能量有关。当体重超出标准体重的 10%，血压将会升高 0.88kPa（6.6mmHg）。对于高血压合并肥胖病人，应限制能量摄入，控制体重，限制食盐，减少精制糖的摄入，限制酒精摄入和增加运动，每口运动 30min 每周 3 次以上，有降压效果。

WHO 建议成人每人每日摄盐量应控制在 5g 以下。而目前我国人群的摄盐量在 7～20g。流行病学研究和临床观察均显示盐摄入量与高血压的发生密切相关。人群平均收缩压与平均尿钠呈直线正相关。在控制盐量摄入时，可监测尿钠的排出量。限制食盐摄入量在每天 6g 以下，适当补充钾的摄入量，另外应补充镁、钙等矿物质的摄入量。人体摄入含钠量较高的食物会增加 钠吸收和钠在体内积蓄，导致血容量增加，心脏收缩和血管平滑肌细胞反应增强，同时增加了肾脏负荷，需要排出过量的钠和水。当肾脏功能有限时，心脏负荷加强。另外，钠还会增加血管的对升压物质的敏感性，引起小动脉痉挛，外周血管阻力增高，而导致高血压乃至并发症的发生和发展。增加钾摄入量有利于钠和水的排出，有利于高血压病的防治。

多吃植物性蛋白质，少吃甜食。增加优质蛋白质供给，尤其多采用豆类蛋白以避免过多摄入与动物蛋白并存的动物脂肪。减少精制糖的摄入。

适当多吃保护性食品：多选用富含钙、镁的食品如牛奶、虾、鱼类、蛋类、香菇、菠菜、豆制品类、桂圆等。

增加蔬菜、水果的摄入量，保证维生素 C、维生素 E 和 B 族维生素的供应，以减少脂质过氧化，保证每天有足够的膳食纤维，尤其是果胶。

② 戒烟限酒　少饮酒，多饮茶，建立良好的饮食习惯和膳食制度、定时、定量，少量多餐。

戒烟是高血压病人预防心血管病最有效的生活方式措施。酒精消耗量与血压水平及人群高血压患病率之间呈线性关系。酒精可减弱降压药物的效果，有饮酒习惯的高血压病人应建议限饮酒量，男性每口酒精量不；超过 20～30g；女性不超过 10～20g 应告诫忌狂饮。

③ 适量运动　经常性参加适当体育活动对控制体重、增强心血管的功能极为有益。根据人群归因危险度百分比的计算，如将体质指数等于和大于 24 的人群的体质指数控制到低于 24，可防止此人群中 38%～45% 高血压、33%～37% 糖尿病、23%～33% 低清 HDL 胆固醇、50%～60% 高甘油三酯血症和 50% 危险因素聚集的发生。如将体质指数等于和大于 28 的人群的体质指数控制在低于 28，则可分别防止男性和女性危险因素聚集 14.7% 和 17.7%。腰围在 85cm 以上的男性人群如能控制腰围小于此值，约可防止 60% 危险因素的聚集、54% 高甘油三酯血症、41% 高血压的发生。对超重和肥胖人群来说，每降低 BMI2 个单位，则有可能使冠心病事减少 14%，缺血性脑卒中事件减少 16%。

并非任何运动都有益于健康，只有有氧代谢运动才是增进健康的最佳方式。有氧代谢运动指那些以增强人体吸人、输送以及使用氧气能力为口的的耐久性运动。如步行、游泳、骑车、跳舞等，这些运动能有效地改善心、肺与心血管的机能。

④ 心态平衡　生活中难免遇到不快与不幸之事，要学会随时调节自己的不良情绪，保持心态平衡和乐观开朗，用快乐的心情，有意识地营造健康生活。

2. 第二级预防

这是对高危人群的预防通过人群监测对任何年龄的门诊患者、健康检查者及其他保健对 象，都应把测量血压作为常规检查项目，早期发现并积极治疗高血压及与头脑血管疾病有关的各危险因素，如肥胖、糖尿病等，以减少诱发因素。

（1）建立完善的信息监测系统　开展人群心、脑血管病防治的首要工作，为建立一个完善的信息监测系统，包括收集发病、死亡和危险因素等资料的信息网络。

（2）早期发现病人及高危人群的筛检　血压的监测、控制及危险同素的逆转，可以降低心、脑血管疾病的发病率。

① 原发性高血压是一种隐匿性疾病，因为常无症状，许多患者不会主动就医，因此测量血压作为健康检查的常规，目前我国的一些城市正在试行 35 岁以上首诊病人测量血压制度，以便早发现病人，还有不少地区在社区内建立了血压测量点及高血压病人的管理、登记制度。

② 为早期发现冠状动脉粥样硬化，美国心脏协会(AHA)建议，在 20 岁时可做基线心电图，血压正常的人，在 40 ~ 60 岁再进行复查。运动后的心电图比静止时的心电图具有较高的敏感性和特异性。据一持续 13 年的研究表明，有 5% ~46% 的人运动后 ST 段下降者发展为冠状动脉疾病，如心绞痛和心肌梗死等。为早期筛检出无症状冠状动脉疾病的患者，AHA 建议在下列情况下对年龄超过 40 岁的人进行运动后心电图检查：A、影响公共安全的职（如飞行员、消防员、警察、公共汽车或卡车驾驶员、火车司机）；B、有两个以上心脏病危险因素如 Dml 清胆固醇超过 6.2mmol/L(240mg/dL)、血压超过 21/12kPa (160/90 mmHg)、吸烟、糖尿病、冠状动脉疾病发生在 55 岁前的家族史）；C、久坐作业者进行剧烈运动的人。但为尽量减少心电图假阳性结果及对身体、心理和经济的影响，应重点放在高危人群中进行。

高血清胆同醇电是心、脑血管疾病的主要危险因素，故血也胆固醇的检查也可选作为筛检指标，对 20 岁以上的成年人每隔 5 年进行常规的非空腹血清胆固醇检查的建议已得到美国国家胆固醇协调委员会的认可。

美国儿科研究院建议对有高脂血症或早期心肌梗死家族史的 2 岁以上儿童进行高血胆固醇的检查。

对脑卒中高危的人群，需建立健康档案，进行定期检查，并实施强化健康教育及提供有关戒烟、有规律身体锻炼及减少饮食中脂肪摄入方面的咨询，以期降低各项危险因素的水平。

3. 第三级预防

在积极治疗高血压的基础上，进行心理和功能的康复治疗。并定期随访，预防并发心、脑血管疾病。

(1)防事件　即已发病的病人，防止发生心肌梗死，让其长期稳定。其中稳定斑块、抗栓治疗是防事件的关键，没有血栓就没有事件。早期使用他汀类药物，既可发挥降脂以外的稳定斑块的作用，又可以改善内皮细胞，抗炎症。联合使用不同机制的抗血栓药物，不但是新的研究方向，而且已成为新的医疗实践。

(2)防后果　如果出现了心肌梗死、脑卒中等严重后果，就要考虑如何尽快地、用科学的手段规范地救治病人。医院组建胸痛中心，开通绿色通道，家属应及时送患者去医院挽救生命。无论是溶栓还是介入治疗，都要强调时间。时间就是心肌，时间就是生命。作为病人，只要有胸痛就要上医院以争取获救的机会。对于低危险病人应联合使用不同的、及时的抗栓药物，对于高危险病人应该及早地介入干预，早期使用他汀类药物。

(3)防复发　成功挽救病人后，做好三级预防，防止再次梗死，防止意外死亡，减慢或防止心力衰竭的发生。首先要重视生活方式的改变，得过心肌梗死的病人必须戒烟，并使用预防药物，如阿司匹林、β阻滞剂、他汀类降脂药物、血管紧张素转换酶抑制剂等。选择有效的药物，还要达到有效的剂量。

4.4 营养与糖尿病防治

糖尿病(diabetes mellitus, DM)是由于胰岛素分泌绝对或相对不足而引起糖类、脂肪、蛋白质、水及电解质代谢紊乱。表现有糖耐量降低、高血糖、尿糖出现多饮、多食、多尿、消瘦乏力(三多一少)的症状。易并发心血管、肾、眼部及神经系统等病变，重症病例可发生酮症酸中毒及糖尿病性昏迷。2002年营养与健康状况调查结果显示我国城市居民糖尿病患病率增加，我国18岁及以上居民糖尿病患病率为2.6%，空腹血糖受损率为1.9%。估计全国糖尿病现患病人数2000多万，另有近2000万人空腹血糖受损。城市患病率明显高于农村，一类农村明显高于四类农村。与1996年糖尿病抽样调查资料相比，大城市20岁以上糖尿病患病率由4.6%上升到6.4%，中小城市由3.4%上升到3.9%。

糖尿病是一种原因不明的综合征，目前公认病因有遗传因素、生理病理因素、社会环境因素等，环境因素中的饮食因素的关键在于营养过剩、能量摄入过多而导致肥胖，致使发病率增高。肥胖是成年型糖尿病的重要诱发因素之一。据临床分析，超重10%者，糖尿病发病率为正常体重的1.5倍;超重20%者为3.2倍;超重25%者为8.3倍。该类病人病前能量摄入过多，血糖经常处于高水平状态，致使胰岛素分泌增多而失代偿，或由于肥胖者周围组织的胰岛素受体减少，使胰岛素的敏感性减弱，必须分泌多量胰岛素才能自满足需要。结果使胰岛细胞处于应激状态，久之，胰岛功能衰竭，分泌减少，引发糖尿病。

据调查，在缺乏膳食纤维或微量元素铬或锌的人群中，糖尿病的发病率较高。长期以木薯为主食的热带地区，由于蛋白质摄入过低，且木薯所含氰化物在体内积聚，可损伤胰岛，使之钙化或纤维化，亦可引起糖尿病的发生。

目前糖尿病分三种类型，即胰岛素依赖型糖尿病或称作1型糖尿病，非胰岛素依赖型糖尿病或称作2型糖尿病，其他型糖尿病包括妊娠糖尿病，由于胰腺损伤、严重胰岛素抵抗或受体异常及内分泌疾病而导致的继发性糖尿病。其中，以 2 型糖尿病为最常见的类型，占全世界糖尿病病人总数的 90%，其发病与肥胖和缺少体力活动呈显著正相关。

4.4.1 糖尿病判断标准

糖尿病及空腹血糖受损诊断标准：诊断依据为 WHO（1999 年）糖尿病及空腹血糖受损标准。

1. 糖尿病（DM） 符合下列条件之一者确诊为糖尿病：

（1）本次调查中空腹血糖（FBG）≥7.0mmol/L；

（2）本次调查中口服葡萄糖耐量试验（OGTT），服糖后 2h 血糖≥11.1mmol/L；

（3）经县级以上医院确诊。

2. 空腹血糖受损（IFG） 空腹血糖≥6.1mmol/L，但 <7.0mmol/L。

3. 正常人群（NGT） 无糖尿病史，本次调查 FBG <6.1mmol/L，OGTT 服糖后 2h 血糖 <7.8mmol/L。

4.4.2 膳食控制

饮食治疗是治疗糖尿病行之有效的基本措施。通过饮食的调节和控制，对轻型糖尿病常可达治疗目的；对重型糖尿病，在用药物治疗的同时配合饮食控制，可使病情稳定，并可减少药物的用量。其治疗原则如下。

1. 合理控制总能量 控制能量摄入是糖尿病饮食调控的主要原则，其能量供给以能维持或略低于理想体重为宜，应根据个人身高、体重、年龄、劳动强度并结合病情和营养状况来确定每日能量供给量，体重是检验总能量摄入量是否合理控制的简便有效的指标，建议每周称 1 次体重，并根据体重不断调整食物摄入量和运动量。

2. 选用高分子糖类 糖类供给量占总能量的 50% ~60% 为宜。糖类能改善葡萄糖耐量，提高胰岛素的敏感性，而不增加胰岛素的需要量。人体如摄入糖类不足，则需动用体内脂肪和蛋白质供能，一旦体内脂肪分解，酮体产生增多而胰岛素不足，不能充分利用酮体时，可引起酮症酸中毒。一般成人轻体力劳动糖类摄入量控制在 150 ~350g/d（相当于主食 200 ~400g）。糖类最好选用吸收较慢的多糖，如米、麦、玉米、荞麦、燕麦、红薯等，忌食单糖与双糖类食物，如蜂蜜、砂糖等（低血糖时例外）。

不同种类含等量糖类的食物进入体内所引起的血糖值也不同，这可以用血糖指数（glycemic index，GI）来反映。GI 指分别摄入某种食物与等量葡萄糖 2h 后血浆葡萄糖曲线下面积之比，以百分比表示。在常用主食中，面食的血糖指数和吸收率比米饭低，而粗粮和豆类又低于米面，如莜麦 GI 值为 75，燕麦、荞麦为 80，绿豆、玉米面为 85，籼米、小米、标准面粉为 90，粳米、白薯、糯米为 95。故糖尿病人应多选用低 GI 食物，注意适当增加粗粮和面食的比例。土豆、山药等块根类食物，因所含淀粉为多糖类，含量在 20% 左右，可代替部分主食。水果类含果糖较高，不同的水果其含糖量不同。含糖量在 10% ~20% 的水果，因其吸收较快，对空腹血糖控制不理想者应忌食，对空腹血糖控制较好者应限制食用。对米、面等粮谷类，糖尿病病人按规定量食用。蔬菜类含少量糖类，含纤维素较多，吸收缓慢，可适量多用。另外，对于部分病人如喜欢甜食者可选用甜叶菊、木糖醇、糖蛋白或糖精等甜味剂。

3. 控制脂肪和胆固醇的摄入　为防止或延缓糖尿病的心脑血管并发症，必须限制脂肪的摄入，脂肪所供能量占总能量的20% ~30%，并限制饱和脂肪酸的摄入，以防止和延缓心血管并发症的发生，每日胆固醇摄入量应低于300mg，高胆固醇血症者应限制在200mg以下。要合理选择脂肪的种类，严格控制饱和脂肪酸摄入，其应不超过总能量的10%。饱和脂肪酸:单不饱和脂肪酸:多不饱和脂肪酸 = 1:1:1。豆油、花生油、芝麻油、菜籽油等植物油富含不饱和脂肪酸，可适当选用。

4. 选用优质蛋白质　由于糖尿病病人体内糖原异生旺盛，蛋白质消耗量大，故应保证蛋白质摄入。蛋白质供给量占总能量的15% ~20%，或成人每日1.0 ~2.0g/kg，儿童2.0 ~3.0g/kg，多选用大豆、兔、鱼、禽、瘦肉等食物。糖尿病肾病时，因尿中丢失蛋白质较多，在肾功能允许条件下酌情增加蛋白质摄入，但在氮质血症及尿毒症期，须减少蛋白质摄入，一般每日不超过30 ~40g每日摄入蛋白质尽可能保证有1/3来自动物蛋白，因其含有丰富的必需氨基酸，保证人体营养中蛋白质代谢的需要。

5. 提供丰富的维生素、矿物质和微量元素　糖尿病患者由于主食和水果的摄入受到限制，且代谢相对旺盛，所以常有维生素的缺乏，继而引起各种并发症与糖尿病关系最密切的是D族维生素，B族维生索是糖和蛋白质等代谢过程中许多酶的辅酶，缺乏时可加重糖尿病的代谢紊乱。其次是维生素C和维生素A。糖尿病患者尿量较多，糖异生旺盛，导致B族维生素丢失，消耗增加。而维生素B_1在糖代谢多个环节中起重要作用，它的缺乏可导致或加重糖尿病神经病变。故食物中应注意摄入充足的维生素B_1、维生素B_2、维生素B_{12}和维生素B_6。补充维生素C可预防因其缺乏引起的微血管病变，平时多吃粗粮及绿叶蔬菜，必要时可使用维生素制剂。

微量元素与胰岛功能有相关关系。微量元素锌参与构成人体的新牛细胞和蛋白质合成，能协助葡萄糖在细胞膜亡转运，并与胰岛素活性有关。临床实践发现补锌能加速愈合老年糖尿病患者的下肢溃疡。糖尿病患者出现尿糖或酮症酸中毒可使过量的镁从尿中丢失，导致低镁血症，引起胰岛素抵抗，补充镁后胰岛素分泌能力得到改善，缺镁与部分糖尿病视网膜病和缺血性心脏病有关。补充三价铬以提高葡萄糖耐量因子的活性。酮症酸中毒时要注意纠正电解质的紊乱。

6. 增加可溶性膳食纤维的摄入　建议每日膳食纤维供给量约为40g，以降低空腹血糖和防止餐后血糖快速升高。

7. 减少酒和钠的摄入　长期饮酒对肝脏有损害，因每克酒精虽可供29kJ(7.1kcal)热量，但它不含其他营养索，而且容易引起高甘油三酯血症，对应用胰岛素治疗病人易发生低血糖。糖尿病病人多数伴有高血压和肥胖症，应低钠饮食，每天钠摄入以5~6g为宜。

8.食物多样化，并有合理的进餐制度　一般每日3~6餐，定时，定量，少量多餐。

4.5 恶性肿瘤的预防

恶性肿瘤(malignant lumor)，又称为癌症，是一组严重威胁人类生命和健康的常见病、多发病，由100多种不同部位的肿瘤组成。据国际癌症研究中心(the international agency for research on cancer，IARC)估计，1996年全球有1000多万人患癌症，有700多万人在1年内死亡。过去十年间，全球癌症的发病及死亡增长了约22%。2000年全球新发癌症病人1010万，死亡620万。据预测到2025年将有2000万人死于与吸烟有关的疾病，其中癌症占50%。

在各恶性肿瘤中，多数国家肺癌的发病率和死亡率都在增长，肺癌已成为全球最主要的癌症，年发病达120万，死亡110万。全球癌症发病顺位依次为肺癌、乳腺癌、结直肠癌及胃癌，死亡顺位依次为肺癌、胃癌、肝癌及结直肠癌。

我国从20世纪70年代前期到80年代末期，恶性肿瘤年发病人数为160万，死亡130万，已占总死亡率的18.6%；恶性肿瘤在各类死因中的位次，城市已从第三位升至第一位，农村从第四位升至第二位。2000年全国死于癌症的人数上升到150万人。

4.5.1 流行趋势

从世界范围来看，近年来，无论在发达国家或发展中国家，恶性肿瘤的发病率和死亡率逐年上升，且除宫颈癌和食管癌外，所有恶性肿瘤都呈上升趋势。1997年全世界死于癌症者约为623.5万人，占总死亡率的12%，其中发达国家为253万人，发展中国家为361万人，分别占总死亡率的9%和21%。据世界卫生组织专家预测，2020年全球人口80亿，癌症新发病例将达2000万，死亡1200万，其中2/3将发生在发展中国家。癌症将是新世纪人类的第一杀手，并成为全球最大的公共卫生问题。

工业发达国家肺癌的发病率和死亡率维持或上升在一个较高水平，目前英美等国的肺癌死亡率都已达到50/10万上下。近10年来，由于全球控烟行动的开展，欧美发达国家肺癌死亡率逐渐趋于平稳，在年轻男性人群中，肺癌发病率更呈现出下降趋势。而发展中国家随着工业化速度加快，肺癌的发病率和死亡率增幅显著。女性肺癌在世界大多数国家都明显增长。

世界范围内，美国的癌症流行趋势尤其引人瞩目。从1990年开始，美国癌症的发病率和死亡率均呈下降趋势，在前10位癌症中，8位下降或持严。其中男性肺癌、前列腺癌和结直肠癌发病率和死亡率均下降，女性乳腺癌死亡率也明显下降。

按照全国肿瘤防治办公室对我国20年恶性肿瘤死亡率趋势研究，我国恶性肿瘤的调整死亡率由 20 世纪 70 年代的 84.58/10 万上升为 20 世纪 90 年代的 94.36/10 万，上升 11.56%。增多的主要恶性肿瘤是肺癌、乳腺癌和白血病，乳腺癌发病率的上升与早期筛检效应有关。减少的主要恶性肿瘤足宫颈癌、鼻咽癌和食管痛，其中肺癌上升 111.85%，肝癌上升 41.17%，宫颈癌下降 69%。

4.5.2 恶性肿瘤的主要危险因素

恶性肿瘤的发生大多是多个致癌因素综合作用并经过多阶段的过程。直接导致癌症发生的因素称为“致癌因素”或“致癌危险因素”。癌的发生除了病因之外，还需要有其他的发病条件，称之为致癌的辅助因素或恶性肿瘤的促进因素。一个强烈的致癌因素的单独作用可能引起癌症，但实际上在发展成为临床癌症之前的漫长过程中，人们接触到的绝非是孤立的一种致癌因素或一种促癌因素。

恶性肿瘤的时间趋势以及在不同地区和人群间的分布特点，与恶性肿瘤危险因素的分布特点和变化有关。许多恶性肿瘤的病因至今仍不够明确，只是有许多证据表明，恶性肿瘤的发生与一些危险因素关系密切，包括环境因素、个人的行为生活方式、遗传因素等。

1. 环境因素

WHO 指出，人类恶性肿瘤的 70% ~80% 与环境因素有关，环境中一切物理的、化学的与生物的因素都属于环境因素，其中最主要的是与环境中化学因素有关。环境因素是肿瘤发病的重要因素之一。饮食习惯、营养素摄入不足或过多或不平衡都可导致肿瘤的发生；食物中某些污染物如 N－亚硝基化合物、多环芳烃类化合物、蛋白质和氨基酸的热解产物、黄曲霉毒素等则为致 癌物；膳食中某些因素可抑制肿瘤的发生，如一些具有抗氧化作用的营养素（维生素 E、维生索 C、硒、β－胡萝卜素）、膳食纤维等。另外，肿瘤病人因代谢改变或在接受治疗过程中也须注意营养问题，以增强抵抗力、提高疗效、改善机体状况、延长寿命。

(1) 化学因素　由于环境被含致癌物质的“三废”污染，致使大气、水体、土壤中含有多种致瘤物质。动物实验表明，有致癌作用的化学物质种类很多，估计有 1000 种左右，但国际癌症研究中心在对 500 多种化学物质进行评价研究后认为，经流行病学调查可以肯定与人类癌症有关的化学物质或生产过程至少有 30 种。根据致癌物对人及动物的致癌实验结果，可将化学致癌物分成三类。

① 确认致癌物　动物实验和流行病学调查都已证明具有致癌性的致癌物称为确认致癌物（proved carcinogens）。这类致癌物主要有砷、铬、镍和它们的某些化合物以及石棉、多环芳烃、β－萘胺、联苯胺、4－氨基联苯、苯、氯乙烯等。

② 可疑致癌物　这类物质按其可疑程度又分为甲、乙两组，甲组（高度可疑）有黄曲霉毒素、亚硝胺、镉及其化合物等；乙组（低度可疑）有丙烯腈、铍及其某些铍化合物、四氯化碳、硫酸二甲酯、环氧乙烷、右旋糖酐铁、多氯联苯等。

此外，在饮用水污染中，一种称为“藻类毒素”的物质正日益引起各国科学家的重视。早在20世纪70年代初，我国学者已提出饮水污染与肝癌的论断。20世纪90年代初，日本学者报道了饮水中藻类毒素与肝癌有关的动物实验，我国学者随后也证实了此点。目前，藻类毒素与黄曲霉毒素同时存在，有联合致癌作用已被证实，即藻类毒素为促进剂，黄曲霉毒素为启始剂。

③ 潜在致癌物　这类化学物质有铅和某些铅化合物、苯乙烯、氯霉素、氯丹等，它们在动物实验中已获阳性结果，但尚缺乏人群流行病学资料。这种差异可能是由于实验条件与人类实际生活有很大不同，或者实验剂量过高，也可能是由于动物与人之间的种属差异。但是不能轻易地认为它们对人类不造成危害。随着时间的推移，潜在致癌物可能“升级”为确认或可疑致痛物。

例如氯乙烯、双氯甲醚的致癌性，就是这样被肯定的。

WHO近日公布了一项最新发现：西方人的饮食习惯存在潜在威胁，其煎、烤、烘、焙食物中含有致瘤毒素——丙烯酸氨化物（简称丙毒）。它属于哪一类化学致癌物还有待于进一步研究。有一些化学因素，现在并不十分明确其对人的致癌作用，可是却与某些恶性肿瘤的发病有明显的相关性，故只能概括地称之为“致癌危险因素”。周围环境中某些化学元素的不足（缺失）或过多（中毒），也可能引起某些器官组织的病变，此类“致癌危险因素”数量多，与人的接触密切，影响大，尽管目前对这些危险因素还难以进行实验分析研究，未能从生理学、生物化学的角度明确阐明它们与人类恶性肿瘤发病相关的原理，但随着对恶性肿瘤发病机制尤其是多阶段致癌过程的深入研究，必将逐步揭示这些相关危险因素确切的作用机制。

（2）物理因素

① 电离辐射　在物理致癌因素之中，电离辐射诱发人类癌症问题，早就引起人们的注意。德国在16世纪就报道一矿区矿工肺癌与氡有关。地处云南省个旧市的云南锡业公司矿工肺癌发生率位居全国之首，男性矿工肺癌发生率是中国其他地方的10倍，研究证实职业因素（氡子体、砷和粉尘）是矿工肺癌高发的主要原因。1902年有人报道X射线诱发皮肤癌；1911年又有人报道电离辐射致白血病。特别是当美国于1945年日月在日本广岛和长崎投下两颗原子弹致使幸存者白血病发病增高之后，更引起人们对物理致癌因素的重视。许多实验表明，只要放射线能够达到敏感细胞，几乎所有器官组织均能引起癌症。各类电离辐射，不论α、β、X和γ射线或中子，体外或体内照射，在一定条件下都有诱发癌症的可能。

② 紫外线照射　长期受紫外线照射的户外作业人员，如长期受强烈日光照射的海员、渔民、农民、牧民等在身体暴露区的皮肤基底细胞癌及鳞癌发病率明显升高，皮肤恶性黑色素瘤死亡率也有所增高。大气臭氧层的改变，正在影响人类接触紫外线的强度和频度，其结果将是在未来的岁月中，皮肤癌的发病率明显地上升。病人多为老年男子，平均年龄在

70岁以上，病变初期为色素沉着和角化增生，继之发生癌变。

③ 机械性刺激　锐齿、龋齿、错颌牙机械性与外伤性长期刺激，可发生黏膜白斑、溃疡以至癌变。手指、脚跟和腰部等易受磨擦处的黑痣，恶变趋势亦较大。

(3)生物因素

① 寄生虫　国内外对寄生虫与恶性肿瘤的关系了解得较清楚，如血吸虫病与膀胱癌、中华支睾吸虫与胆管癌。凡是感染了此种寄生虫的病人，较未感染的对照组恶性肿瘤的发病率要高得多，其他血吸虫(如日本血吸虫)的蔓延和结直肠癌的发病也有一定的关系。

② 病毒　自从1908年发现鸡白血病病毒以来，已分离到动物肿瘤病毒有30余种150多株。它们分布非常广泛，从两栖类、禽类、啮齿类、哺乳类直至灵长类动物。

实验动物中的一些癌症，已证实是由病毒引起的。但确认人类癌症与病毒有关尚缺乏充分的证据。当前在人类肿瘤病因学研究中，认为有可能构成因果关系的如鼻咽癌与EB病毒。在单纯性疱疹Ⅱ型病毒与宫颈癌、乙型肝炎病毒与原发性肝癌的关系方面，也已经取得了一定的研究成果。近年，国际癌症研究中心(IARC)和WHO认为人类乳头状瘤病毒为感染宫颈癌的主要原因。另有报道阴道癌与该病毒有关。北京大学临床肿瘤学的一项最新研究发现，人类乳头状瘤病毒感染是食管癌的重要发病因素。原上海医科大学肿瘤医院分子病理研究室证实EB病毒与乳腺癌发病有关。此外，近几年应用分子生物学和基因工程技术的探索研究证明除乙型肝炎病毒以外，丙型和丁型肝炎病毒也可致肝细胞癌。

③ 细菌　幽门螺杆菌与胃癌的关系受到广泛的重视，专家们认为，慢性胃炎和萎缩性胃炎病人，发现幽门螺杆菌阳性者，可认为是胃癌的前期病变，需加强随访复查。

(4) 医源性致癌因素　能够引起人类癌症的各种诊断、治疗药物和医疗措施，称为医源性致癌因素。与人类肿瘤有关的医源性致癌因素有20种左右。

临床治疗中应用或不合理应用的各种化学药物，有些已被证实，可能有致癌或诱癌的危险。

① 抗癌药　如左旋溶肉瘤素、苯丁酸氮芥和环磷酰胺等烷化剂用于癌症患者化疗，在生存一年以后，将比正常人有更大的患白血病危险。

② 止痛药　如含有非那西丁的止痛合剂能增加患肾癌和其他尿道上皮肿瘤的危险。

③ 免疫抑制剂　如硫唑嘌呤可诱发皮肤瘤。

④ 激素　特别是一些性激素，可诱发生殖系统的肿瘤。

其他的一些如放射性同位素、抗生素可能引起白血病等。

(5) 膳食因素

有关营养与肿瘤发病关系的资料，主要来自流行病学调查、实验动物观察及细胞和分子生物学的研究结果。近年来，细胞及分子生物学的资料表明某些营养素可抑制癌细胞的生长，诱导细胞分化，抑制癌基因的表达等，进一步说明营养素与肿瘤的发生发展有着重要的关系。

① 脂质

营养素与癌关系的研究中认为与脂质的相关性明显。高脂肪膳食可使乳腺癌、结肠癌、前列腺癌的发病率和死亡率增高。动物实验表明，在总脂肪摄入量高的情况下，脂肪能增强化学致癌物对动物的致癌作用。其原因可能是脂肪促使胆汁分泌增多，胆汁中初级胆汁酸在肠道厌氧菌的作用下转变成脱氧胆酸从石胆酸，脱氧胆酸和石胆酸都是促癌物质。此外，高脂肪膳食使胆汁分泌增多的同时，也促使雌激素分泌增多，雌激素中的雌酮和雌二酮有致癌作用，故高脂膳食可促进乳腺癌的发生。

A、烹调与加工中产生：第一，在高温环境下的热分解产物，如富含脂肪和糖的食物热解产生多环芳烃类化合物(PAH)，富含蛋白质的食物(如肉、鱼等)会热解产生杂环胺类物质。动物实验表明，这些物质可引起肿瘤，包括结肠癌与乳腺癌。第二，腌制食物时，如咸肉等可产生业硝胺类致癌剂，可诱导胃癌、食管癌和肝癌，目前对动物的致癌性是肯定的。

B、不合理的膳食结构：是助长或促进多种癌症发生发展的重要原因之一。长期大量摄入富含动物肉类(尤其是家畜肉，又称红肉等)食物，可增加结肠、直肠、胰腺、乳腺、前列腺和肾癌的危险性。

② 不良的饮食习惯：A、多盐可诱发胃癌发生，与食盐可刺激胃黏膜层发生退行性变，提高胃对致癌物的敏感性有关。B、酗酒也是引起一些癌症的危险因素，尤其是引起直接接触部位癌(如口腔和咽喉癌)；酒精还可与黄曲霉毒素 B_1 协同致癌，可能的机理是酒精可增加自由基的产生以及酒精转变成乙醛以后抑制 DNA 修复酶等。C、暴饮暴食和生气进食者等均可增加胃黏膜的损坏，导致黏膜细胞暴露于致癌物，从而引发癌症。

③ 生物性污染：玉米或花生等粮食污染了黄曲霉毒素 B_1 可引起多种动物诱发多部位的肿瘤，包括肝癌、胃腺癌、肾痛、直肠小肠痛及乳腺癌等。有研究显示，人群膳食黄曲霉毒素 B_1 水平与原发性肝癌的发生串呈正相关，其致癌性与其环氧化反应有关。

2. 生活行为因素

生活行为因素包括社会、经济、文化、行为、习惯等多个方面，近二三十年来的各类研究结果表明，许多常见的恶性肿瘤的发生与人们日常的生活行为方式有关，有人把与生活行为方式有关的癌症统称为“生活方式痛”。

(1)吸烟与被动吸烟　烟草是恶性肿瘤的罪魁祸首，吸烟与三分之一的癌症有关。早在 1939 年，德国进行的病例对照研究中就已经把吸烟与恶性肿瘤发生率的增高联系起来了，此后又进行的多次病例对照和回顾性研究，约有 150 多项流行病学研究均证明吸卷烟可致肺癌，吸烟与肺癌危险度的关系与烟草种类、开始吸烟年龄、吸烟年限和吸烟量有关。吸烟引起鳞状细胞肺癌的归因危险度男女分别为 61.44% 和 53.79%。一般认为吸卷烟可提高肺癌死亡率 10 倍以上。吸烟的数量与肺癌发病之间有剂量—反应关系，如每天吸烟在 20 支以上，肺癌发病的危险比不吸烟的人要高 15 ~ 20 倍，吸用其他种类的烟草也表现出肺癌的发病率增高。除肺癌外，目前已知烟草可导致膀胱癌、口腔癌、胰腺癌、肾癌、胃癌、喉癌和食管癌，还可能包括结肠癌。

目前，我国有3.2亿吸烟者，其中男性3亿，女性2000万。另有统计，在我国20岁以上居民因吸烟导致死亡者占肺癌死亡人数的60.3%。它给国家、社会、家庭和个人带来难以估量的损失。

近年的流行病学研究获得直接证据，不吸烟的人(如吸烟人的妻子)如经常在被稀释了的烟雾环境中生活，被动吸烟也增加了患肺癌的危险。使用"无烟"的烟草(如口中嚼烟)，会增加患口腔癌的危险。

(2) 饮酒　1997年世界癌症研究基金会(WCRF)和美国癌症研究所(A1CR)的专家组认为酒精可增加口、咽、喉、食管癌危险性的证据是充分的；如果饮酒者同时吸烟这种危险性会大大增加：酒精增加原发性肝癌危险性(很可能是通过酒精中毒性肝硬化)的证据也是充分的。即使饮酒量很少也很可能增加结肠、直肠癌和乳腺癌的危险性。一般说来，危险性随饮酒量而变化，饮酒量越多，危险性的增加越明显。酒精可能作为一种辅助致癌物起作用，也可能作为一种促癌物。

(3) 性生活及生育　性生活与生育方式也能造成患癌的危险，直接例证有宫颈癌，间接的例证主要是通过性接触，传递致癌因素和有关雌激素致癌的可能。

3. 遗传因素

大多数恶性肿瘤的发生，环境和遗传因素可能都是十分重要的，对于遗传性癌瘤来讲，那些带有缺陷基因的人，有80%～90%将会发生癌瘤。另外，有遗传(原发性)或获得性(继发性)免疫缺陷的人，更易于发生恶性肿瘤，淋巴网状细胞肿瘤就是最常见的一种。

许多过去被认为由环境因素引起的癌症现在发现是环境暴露与遗传易感性的交互作用所致。肿瘤遗传易感性的生物机制可能与抑癌基因、DNA修复基因和影响致癌剂代谢的基因缺陷有关。遗传因素在儿童及青壮年癌症病人身上的作用显而易见，通常患癌症的危险性随年龄而增长，但在儿童患者中却并非如此，后者通常是接受了前辈的突变基因而致病。欧美国家妇女中最常见的乳腺癌有约30%的病例出现遗传倾向。我国多见的鼻咽癌遗传倾向比较明显。在我国肝癌、食管癌病发地区也发现了一定数量的高发家族。少数的几种肿瘤，如视网膜母细胞瘤、先天性神经纤维瘤等被认为有明显遗传倾向。此外，胃癌、肺癌、宫颈癌等恶性肿瘤的遗传倾向问题，都有一些报道。然而，要确定人类肿瘤与遗传的关系，尚需继续进行深入的研究。

4. 社会心理因素

(1) 精神心理紧张　精神刺激和心理紧张因素在部分癌症患者的发病中起了不可忽视的促进作用。精神、心理长期处于紧张状态，可使机体免疫功能发生改变，其他有害因素可乘虚而入，成为恶性肿瘤的诱因。精神心理紧张是普遍存在的，除了特殊的天灾、人祸之外，主要来自紧张生活事件，如丧失亲人、家庭纠纷、人际关系紧张、事业失败、工作学习紧张过度时，常常伴随着发生一系列强烈的或持久的消极情绪，而促进癌症的发生，尤其是生活中巨大精神刺激引起的恶劣情绪往往是癌细胞的“激活剂”。我国胃癌流行病学研究提示，受过社会刺激和爱生闷气的人，特别是吃饭生闷气的人较其他人易患胃癌。

（2）个体性格特征　个体的性格特征如忧郁、内向、易怒、孤僻等也与癌症的发生有一定的关联。据研究发现，“C ”型个性特征被认为是恶性肿瘤易患型性格。这种性格表现为比较内向，惯于自我克制，倾向于心理防御性反应；易于接受或容忍外界的权威，情绪比较压抑而内蕴，而且往往过度地压抑消极情绪如愤怒、怨恨等，并体验着较多的忧郁和绝望的情绪倾向。

（3）社会因素　在社会因素中，起决定作用的是社会制度。社会制度对肿瘤的发生和流行有很大影响。

4.5.3 恶性肿瘤的预防

恶性肿瘤的预防是一个系统工程，必须全方位、多环节、有步骤、有计划地开展。我国的癌症防治工作在过去50年间，取得了不少成绩。我国已建立了全国癌症防治网，在部分地区开展了癌症发病、死亡登记，通过20世纪70年代和20世纪90年代两次回顾性死因调查，基本查清了主要癌症的流行病学特征。此外，对癌症高发现场的综合性干预研究，也为今后的癌症防治奠定了基础。

WHO在1984年发表癌症控制方案提出：① 通过卫生教育以改进生活方式。通过医药干预防止病因因素，有1/3的癌症是可以预防的；② 通过早期发现、早期诊断，采取手术、放射、药物等治疗。估计有1/3的癌症是可以治愈的；③ 对于一些无法治疗的晚期病人也可以采用药物减轻其痛苦。这个方案包括了恶性肿瘤的三级预防措施。

1. 第一级预防

环境因素和生活方式因素应列为重点，包括鉴定环境中的致、促癌剂，改变不良生活方式，建立疫苗接种和化学预防方法，合理营养膳食等。具体措施如下。

（1）鉴定环境中的致、促痐剂　尤其应加强对已明确的致癌剂的检测、控制和消除，制定其环境浓度标准，保护和改善环境，防止环境污染，减少或消除环境中致癌因素。对于职业危险因素，应尽力去除或取代，在不能去除这些因素时，应限定工作环境中这些化合物的浓度，提供良好的保护措施，尽力防止工人接触。对经常接触致癌因素的职工，要定期体检，及时诊治。加强劳动保护、注意厂矿合理布局和“三废”治理，以保护生活及劳动环境。通过多学科的协作努力，依靠科技进步开展动物实验及流行病学调查研究，鉴定恶性肿瘤的危险因素和发病条件，了解和阐明癌变机制，设法消除病因或避免接触致癌物，实现癌症的预防和控制。

（2）建立化学预防方法　药物干预的化学预防为恶性肿瘤控制开辟前景，应用非细胞毒性的营养素和药物抑制或逆转克隆和恶化的发生发展。相对于致癌剂作用的启动阶段、促进发展阶段和演变阶段，化学预防可阻止致癌化合物的形成和吸收，预防致癌剂达到和作用于靶细胞，降低致癌剂暴露的剂量和时间，防止细胞的赘生和表达。

（3）改变不良生活方式　吸烟与肺瘤的因果关系已被多项流行病学研究所确定，并为发达国家的控烟实践所证明。控制吸烟可减少大约80%以上的肺癌和30%的总癌症死亡。我国的烟草消费占全球总量的30%以上，且以每年5.3%的速度上升。成年男性吸烟率超过60%，根据现有的吸烟水平，21世纪中叶我国每年将有300万人死于烟草所致疾病，其中15%为肺癌。在全人群劝阻吸烟对预防肺癌等与烟草相关疾病，提高人群健康水平，降低国家疾病负担具有重大意义。控烟措施主要包括两方面：一是吸烟者个人戒烟；二是创造不利于吸烟的环境，并通过健康教育改变人们的不良行为。

（4）平衡膳食、合理营养　目前，日本、美国以及西欧一些国家胃癌死亡率下降，多数人认为与饮食改善、营养摄入量增加及适当的食物保存方法有关。要注意饮食、营养平衡，减少脂肪、胆固醇摄入量，多吃富含维生素A、C、E和纤维素的食物，不吃霉变、烧焦、过咸或过热的食物。

根据世界癌症研究基金会和美国痛症研究会专家小组提出防癌膳食建议制定膳食调控原则。

① 食物多样化　选用平衡的膳食结构，选择粗加工、富含淀粉的主食，以营养适宜的植物性食物为主。适当增加蛋白质和钙，多饮牛奶或豆浆，多食菌藻类食物。动物性肉类食物尽可能多地选择鱼肉和禽肉，减少家畜肉及其制品的摄入量。降低脂肪摄入量，尤其要限制动物脂肪摄入，使其占总能量的20%～25%；选择植物油也要限量，注意多不饱和脂肪酸、单不饱和脂肪酸与饱和脂肪酸三者之间适宜的比例，即P∶M∶S＝1∶1∶1。

② 多吃蔬菜、水果　大量癌症研究结果一致表明，蔬菜和水果的日摄入量与大多数上皮癌，特别是消化道、呼吸道癌症以及子宫、卵巢癌的危险性呈显著负相关，这与蔬菜和水果中存在着大量预防人体多种癌症的因素有关，且这种保护机体的作用在选用多种蔬菜或水果比选用单一种类效果更明显。蔬菜和水果增加保护性营养素摄入，如增加新鲜蔬菜、水果摄入，以满足机体有足够的抗氧化营养素及膳食纤维，如每日摄入新鲜蔬菜400～800g，提供的能量占总能量的7%～14%；特别注意摄入富含维生素A原的深色蔬菜和富含维生素C的水果。

A、蔬菜、水果中抗癌成分如下：

a、维生素　流行病学调查认为维生素A及β－胡萝卜素摄入量和肺癌、胃癌、食管癌、膀胱癌、结肠癌等肿瘤呈负相关。这可能与其防止上皮细胞的转化、修复上皮细胞损伤的功能有关。有资料表明，食管癌、胃癌高发区居民维生素C摄入量不足，癌的发病率与人群维生素C摄入量呈负相关，其原因可能与其阻断体内N－亚硝基化合物合成作用有关。也有调查发现维生素C摄入量与喉癌、宫颈癌呈负相关。动物实验表明，维生素E能对抗多种致癌物作用，亦具有阻断N－亚硝基化合物的作用。维生素A和β－胡萝卜素与肿瘤预防之间的关系尚有争议，需做进一步研究。

b、膳食纤维　膳食纤维摄入量增加与结肠癌死亡率呈负相关。可能与其促进肠蠕动，减少汤道与致癌物的接触时间，影响肠道菌群的分布，改变胆酸的成分等有关。动物实验表明. 麦麸、纤维素、果胶等能明显降低多种致癌物引起的动物肿瘤发生率。但仍需深入研究膳食纤维的各个成分的作用。

c、微量元素　流行病学调查发现食管瘤病人血清、头发、组织中锌低于正常人及其他病人，同时饮水、食物、血中锌量与发病率呈负相关。用甲基苄基亚硝胺作食管癌致癌剂，缺锌动物诱发的肿瘤发病率高，且发癌时间早于不缺锌动物。但也有人认为，肿瘤细胞生长需要锌，锌缺乏可阻止肿瘤细胞的生长，需进一步研究方可得出结论。流行病学调查还发现硒水平与癌死亡呈负相关。动物实验表明硒可抑制多种化学致癌物的致癌作用，饲料中硒水平高者小鼠自发性乳腺癌发生率低；硒对移植性肿瘤（例如 Ehrlich 腹水瘤等）有抑制作用。有作者认为硒能通过抗氧化作用阻抑致癌物与宿主细胞结合，增强机体的解毒作用。镁可减少肿瘤的发生；钼缺乏可增加食管癌的发病率。

d、植物化学物质　植物源食物中的非营养素成分如异硫氰酸盐、酚和多酚、类黄酮、有机硫化物与植物固醇等。这些成分在发挥抗癌作用中互相渗透，其主要作用机制为提高机体的抗氧化能力，阻止自由基形成，抑制致癌物的合成，稀释和结合消化道的致癌物，改变激素的代谢，减少 DNA 低甲基化和染色体断裂等。

③ 经常食用大豆　多数流行病学研究表明，高大豆摄入可降低乳腺癌、胃癌、胰腺癌、自肠癌等癌症发生的危险性。抗癌成分：膳食纤维、叶酸、异黄酮、染料木黄酮、黄豆苷原、特殊的氨基酸模式、蛋白酶抑制剂与植酸。抗癌机理：异黄酮是一种植物雌激素，能与雌激素竞争结合受体，进而抑制雌激素促进的癌（如乳腺癌），而且可能抑制非激素相关的癌症；染料木黄酮具有抑制酪蛋白激酶、抑制血管瘤的形成，抗氧化作用和弱雌激素样作用等。

④ 多饮茶　茶叶中可能的抑癌成分有茶多酚与维生素 C、维生素 E、β－胡萝卜素和硒等，抑癌机理与提高机体抗氧化能力等有关。

⑤ 限制甜食、盐与酒精饮料的摄入，改变加工食品的经过　甜食提供能量应控制在总摄入能量的 10% 以下；限制食盐摄入，成人每天不要超过 6g；尽量避免吃加工不合理的食品；养成良好的饮食习惯，不吸烟，少饮酒，尤其反对过度饮酒。减少食物种的致癌物和前致癌物的摄入。如减少腌制和熏制食品的摄入，不食油炸、霉变食物。

（5）控制感染　感染因素与癌症关系密切，如 HBV 感染与原发性肝癌，EB 病毒感染与鼻咽癌等。在这些感染中，乙型肝炎的控制刻不容缓，乙型肝炎表面抗原携带率在我国高达 10% 以上，是造成慢性肝炎、肝硬化和肝癌的主要原因。乙型肝炎的控制措施较明确，主要为新生儿接种乙型肝炎疫苗，切断母婴传播和保证输血安全。另外，人乳头瘤病毒（HPV）感染与宫颈癌密切相关，目前美国研制的 HPV 疫苗已进入Ⅲ期临床试验，有望在人群中建立大规模免疫。

(6) 健康教育和行为干预　高危人群应列入重点。通过咨询(门诊)教育，向人群提供健康信息，加强防癌健康教育和行为干预，使广大群众特别是青少年了解各种不良生活行为方式与肿瘤的关系，让群众自己起来同不良生活习惯作斗争，有关部门也应采取一些切实措施，逐步改变群众的不良生活习惯，以达到减少致癌危险因素的目的。要加强心理卫生保健知识教育，使广大群众懂得自我心理调节的必要性及方法，做好群体保健和自我保健工作。

(7) 保持体力活动，维持适宜体重　每天至少1h快步走加上每周1h跑步或类似运动量;控制总热能摄入，维持理想体重，使成人个人BMI可维持在18.5～25，避免体重过轻或过重。

2. 第二级预防

早期发现、早期诊断并积极治疗早期癌症是恶性肿瘤防治的关键。

(1) 依据常见肿瘤的十大前驱症状自我检查　及早发现，以便进一步筛选。这些症状如下：

① 身体任何部位，如乳腺、颈部或腹部的肿块，尤其是逐渐增大的。

② 身体任何部位，如舌、颊、皮肤等处没有外伤而发生的溃疡，特别是经久不愈的。

③ 不正常的出血或分泌物，如中年以上妇女出现不规则阴道流血或分泌物增多。

④ 进食时胸骨后闷胀、灼痛、异物感或进行性加重的吞咽困难。

⑤ 久治不愈的干咳，声音嘶哑或痰中带血。

⑥ 长期消化不良、进行性食欲减退、消瘦，又未找出明确原因时。

⑦ 大便习惯改变或有便血。

⑧ 鼻塞、鼻衄，单侧头痛或伴有复视。

⑨ 赘生物或黑痔的突然增大或破溃、出血，或原来有的毛发脱落时。

⑩ 无痛性血尿。

(2)早期筛检试验　早期筛检是恶性肿瘤二级预防的有效手段，对于早期发现癌有积极意义。

① 乳腺癌的筛查　对30岁以上,妇女推行乳房自我检查,检查最好在每次月经干净后做一次。40岁以上妇女应每年做一次临床检查,50岁以上妇女每年应进行临床检查,必要时进行X射线摄片筛查。

② 宫颈癌的筛查　妇女从有性生活开始起应2～3年进行一次宫颈脱落细胞涂片检查，国际癌症研究中心(IAR)和WHO认为，通过细胞学筛查早期发现癌前损伤很可能在相当时间上是全球控制宫颈癌的主要举措。

③ 结肠、直肠癌的筛查　40岁以上人群应每年进行一次直肠指诊,50岁以上人群，特别有家族肿瘤史、家族息肉史、息肉溃疡史及结肠直肠癌病史者,应每年进行一次大便隐血

试验,隔3~5年做一次结肠镜检查。

(3)高危人群的监测　高危人群如癌症高发地区或有明显家族史者,因职业而接触致癌源者,以及有癌前病变者，通过检测以达到早期检出的目的很重要。例如，乳腺癌应注意30岁以后初孕、12岁以前月经初潮、50岁以后绝经、肥胖者、高脂肪膳食者、有卵巢疾病史及患子宫内膜炎等高危人群的检测。肺癌的高危人群是大于45岁、每日吸一包烟、持续20年以上的男性。乙型和丙型慢性肝炎,尤其是肝硬化病人乃是肝癌的高危人群,应通过定期(依病情酌定每隔6~12个月)随访检测,当前主要手段为B型超声检查和甲胎蛋白化验，尽早发现癌变和癌前病变。

(4)高新科学技术的应用　为恶性肿瘤早期诊断开辟了新的前景。

3.第三级预防

癌症一旦发生，多数病人需要手术治疗，还需配合放射或化学治疗，部分病人需要康复和支持疗法。癌症的二级预防要求规范化诊治方案，为患者提供康复指导。对癌症病人要进行生理、心理、营养和锻炼指导。对慢性患者开展姑息止痛疗法。通过综合治疗，防止手术后残疾和肿瘤细胞的转移，并尽可能减轻患者的痛苦，延长病人寿命。注意临终关怀，提高晚期癌症病人的生存质量。

4.6 蛋白质-能量营养不良

蛋白质-能量营养不良(PEM)主要见于儿童和婴幼儿，严重时可引起生长发育障碍和智力迟钝，并常有抵抗力低、易感染、死亡率高等现象，住院病人也可发生。

4.6.1 发病原因

原发性蛋白质-能量营养不良是由于长期摄入蛋白质和能量不足所引起，常见于喂养不足，不正确添加辅助食品，母乳不足，乳汁成分差，早产儿先天性营养不足等。成人中偶见哺乳期妇女由于食物不足所致。

继发性蛋白质-能量营养不良的发生原因，主要是由于疾病的影响，如慢性胃炎、消化不良、中毒性腹泻等使营养素不能正常消化吸收;长期发热或严重消耗性疾病而营养素未能及时补充;长期患有妨碍进食的疾患或食欲不良。

4.6.2 临床表现

1.消瘦型(marasmus)　患者体重降低，皮下脂肪减少或消失，肌肉萎缩但无浮肿。

2.恶性营养不良(kwashiorkor)　患者表现为浮肿、体重降低、肝肿大、毛发改变、腹泻、神经系统症状等。

3.混合型蛋白质-能量营养不良　明显表现是皮下脂肪消失、肌肉萎缩、明显消瘦，生长迟滞。体重和身高明显低于正常标准，体重降低更为明显。患者急躁不安或表情淡漠，有明显饥饿感或食欲不振，体温亦可降低；经常伴有腹泻、腹壁变薄、腹部凹陷呈舟状腹，或有肝脾肿大；易合并感染，或同时有维生素缺乏症。

4.6.3 诊断

根据膳食情况和患者的临床表现，体重变动的情况，生化检查可见血清总蛋白和白蛋白明显降低。运铁蛋白变化较敏感，1～5 岁健康儿童为 3.0g/L 而消瘦型、恶性营养不良型分别为 0.84g/L、0.45g/L。血浆氨基酸比值升高，正常儿童非必需氨基酸与必需氨基酸的比例为 2∶1，而在蛋白质营养不良时可升高到(5∶1)～(10∶1)。尿中羟脯氨基酸排出量明显下绛，尿肌酐排出量减少。

4.6.4 治疗

应采取综合治疗，除加强营养外，还应注意护理及防治并发症等。

1. 加强营养　对婴儿应争取母乳喂养或合理的人工喂养，并要及时科学地添加辅食。

2. 加强护理　安排好患者活动，注意个人卫生，防止褥疮或其他并发症的发生。

3. 对症处理　有腹泻和脱水者应纠正水和电解质紊乱；有肺和胃肠道感染者，则可给予抗生素；重症者可输少量全血或血浆。必要时可用助消化的药物。

4. 积极治疗并发症　防治肺炎、消化不良、贫血、佝偻病、肠道寄生虫病是治疗蛋白质－能量营养不良的重要环节。

4.6.5 预防

1. 营养指导　鼓励母乳喂养，选用正确的人工喂养。

2. 合理安排儿童的生活制度　鼓励儿童经常参加户外活动，加强体格锻炼，增强体质。

3. 预防疾病　做好各种传染病和肠道寄生虫病的防治。

4. 定期体格检查　注意儿童生长发育的监测，对体重增长迟缓的儿童，查明原因，早期防治。

4.7 缺铁性贫血

国内外缺铁性贫血的发病率较高，尤其是早产儿、婴幼儿、女青少年和孕妇，多为低血色素小细胞性贫血。1992 年缺铁性贫血的患病率；学龄前儿童 14.6%，中小学生(6～14岁)17.2%，成年男性 14.6%，成年女性 22.7%，孕妇 35%；1998 年育龄妇女贫血患病率城市 27.5%，农村 41.2%，平均 36.6%；2000 年食物营养监测：5 岁以下儿童贫血患病宰城市 12.3%，农村 26.7%，农村 6 个月的婴儿 50%；贫血母亲儿童患贫血的危险是非贫血母亲儿童的 1.5～1.7 倍。

4.7.1 发病原因

1. 早产婴儿及低出生体重儿铁储备量不足　早产及低出生体重儿的铁总量减少，储存亦少，易发生贫血。脐带早期结扎亦可使铁储存不足。

2. 人体对铁的需要量增加而摄入不足　早产儿对铁的需要量增加，婴儿5个月后铁储存也减少，若不及时补充含铁丰富的辅食，则易发生缺铁。女子每天需要0.6g铁补偿月经损失;妊娠妇女及乳母需铁量亦增加。

3. 慢性失血　小儿可因牛奶过敏致肠道损伤而慢性失血，其他如溃疡性结肠炎、胃及十二指肠溃疡、痔出血、月经过多、钩虫病、过量水杨酸药物等可造成长期铁损失。

4. 铁吸收障碍　腹泻、胃酸缺乏、吸收不良综合征、维生素C缺乏、植酸过多、磷酸盐过高均可影响铁的吸收。

4.7.2 临床表现

患者面色苍白、口唇黏膜及眼结膜苍白。早期常见疲倦、乏力;头晕、耳鸣、记忆力减退和低热。活动后有呼吸急促。中度贫血可出现缺氧代偿性改变，如心跳加快、心搏增强、收缩期延长，可见心电图改变。严重者可出现充血性心力衰竭。

消化系统有食欲减退、恶心、腹胀、腹泻、异食癖等;泌尿系统有肾功能改变，出现蛋白尿;育龄妇女可出现月经过少或停经;婴儿常不爱哭、萎靡不振、不爱活动、智商低下等。

临床检查可见:红细胞数减少、血红蛋白降低。血象呈小细胞和低血色素性。血清铁及总铁结合力降低。测定红细胞平均体积(MCV)、红细胞平均血红蛋白量(MCH)及红细胞平均血红蛋白浓度(MCHC)有助于诊断。

我国《儿童少年贫血筛选标准》规定，儿童少年血红蛋白标准值:6~11岁(男、女)为110g/L;12~14岁为男120g/L，女115g/L;15~17岁为男125g/L，女115g/L。

4.7.3 治疗

铁剂为治疗缺铁性贫血的特效药，每次口服硫酸亚铁1.5~2.0mg/kg体重，一日3次;用铁强化食品治疗儿童缺铁性贫血，亦有良好效果。维生素C可促进铁的吸收，可与铁剂同时使用。此外，应注意及时治疗引起出血、失铁的疾病。

4.7.4 预防

孕妇及乳母应补充足够量的铁，每天28mg。婴儿应及时补充含铁丰富的辅食，如肝泥、蛋黄、绿色蔬菜、豆制品等;积极治疗婴儿的感染性疾病;及时治疗慢性失血性疾病;注重合理膳食，多吃含铁和维生素丰富的食物和适量的动物性食品。

我国将采用铁强化酱油预防缺铁性贫血，强化剂选用吸收率高、不受铁抑制剂影响的EDTA钠铁(NaFeEDTA)。

4.8 锌缺乏症

锌是多种酶的组成成分，缺锌可引起一系列生化物质代谢紊乱、生理功能异常、儿童生长发育和智力发育受阻等。

4.8.1 发病原因及临床表现

锌缺乏主要原因有摄入量不足、消化吸收障碍、需要量增多或体内储存量减少。高能量输液也可引起锌缺乏症。

锌缺乏症状与缺乏程度及时间有关，可分急性和慢性两类症状。急性缺乏时，以皮肤症状为主，四肢末端、口腔周围、眼睑、肛门周围或外阴部以及易受刺激的部位，形成糜烂、水疸和脓疮，并出现毛发脱落。一般认为，血清锌值 <500μg/L 时，可出现上述症状。

慢性缺乏时，首先出现生长障碍和性腺发育不全，皮肤干燥、粗糙、食欲不振、创伤愈合延迟、易感染和味觉障碍等。

4.8.2 治疗及预防

治疗：选用硫酸锌或醋酸锌，口服每日 1mg/kg 体重；高能量输液应同时输入 100 ~ 150μg/kg 体重。

预防　锌缺乏症应多食含锌丰富的食物，如牡蛎、瘦肉、动物肝脏、鱼贝、鸡蛋、核桃、花生等；注意药物对锌吸收的影响，如青霉素、四环素、EDTA、多价磷酸盐等均可干扰锌的吸收；营养不良时易伴发锌缺乏，应注意补充锌。

4.9 维生素过多症

4.9.1 维生素 A 过多症

本症多见于儿童，成年人较少发生。长期或一次摄入过多的维生素 A，可发生慢性或急性中毒。

儿童每日摄入 2.5mg 维生素 A，成人每日超过 100mg，连续 6 个月可出现慢性中毒。表现为生长停滞、皮肤粗糙、头发无光泽且易脱落、肝脾肿大、骨骼疼痛、长骨骨干有骨质增生、韧带肌腱钙化，可引起运动障碍。

短时期内大量摄入维生素 A 可引起急性中毒，表现为头痛、视力模糊、复视、恶心呕吐、眩晕、嗜睡、颅内压升高等。

治疗的办法主要是立即停止维生素 A 的摄入，数周后症状可缓解。

维生素 A 过多症，在儿童多由于误将浓缩鱼肝油作为淡鱼肝油大剂量服用，在成人多由于误食大量海鱼肝脏所引起。

4.9.2 维生素 D 过多症

维生素 D 中毒，往往是长期大剂量服用浓缩鱼肝油精所致。

临床症状表现为食欲不振、体重下降、乏力、易疲劳、恶心、呕吐、腹泻、多尿、烦躁；血浆钙磷浓度明显升高；动脉、心肌、肺、肾等软组织有转移性钙化，易发生肾结石；可引起继发性肾水肿，严重时可致肾功能衰竭。

治疗的主要办法是立即停服维生素 D，限制钙盐摄入。出现肾功能衰竭者应采用综合性内科治疗。

第5章 营养素供给量与平衡膳食

5.1 膳食营养素供应量建议

5.1.1 营养素的需要量

营养素是一些从食物中摄取的物质，它们通过新陈代谢可以为身体提供所需的能量，并促进生长发育，维持身体的各项功能和修补细胞组织。

人体对营养素的摄取是按一定比例进行的，在生理代谢过程中获得的各种营养素具有质量和数量的要求，营养素不宜过多，也不能过少；如果长期过多或不足，就有可能危害人体健康，发生营养过剩性疾病或营养缺乏病。那么，人体从食物中摄取多少营养素才合适呢？这取决于人体对各种营养素的需要量。

营养素的需要量(nutritional requirement)是指维持人体正常的健康状态，达到应有的发育水平和能充分发挥效率地完成各项生活、劳动活动所需要的热能和营养素的必要量，也称为营养生理需要量。低于这个量人体将不能维持健康，人体对营养素的需要量与年龄、性别、体形、活动强度、生长发育情况、健康情况等有关，同时受外界环境影响。为了满足绝大多数人对各种营养素的需要，安全地摄入各种营养素，避免可能产生的营养素缺乏或营养素过多的危害，其摄入量应有一定的标准。

5.1.2 膳食营养素参考摄入量

我国自1955年开始采用"每日膳食中营养素供给量(recommended dietary allowance, RDA)"来表达建议的营养素摄入水平，同时RDA作为膳食的质量标准、设计和评价群体膳食的依据及制订食物发展计划和指导食品加工的参考。

随着科学研究和社会的发展，国际上自20世纪90年代初期就逐渐开展了关于RDA的性质和适用范围的讨论。英国、欧洲共同体和北欧诸国先后使用了一些新的概念或术语。美国和加拿大的营养学界进一步发展了 RDA 的包含范围，增加了可耐受最高摄入量（UL），形成了比较系统的新概念——膳食营养素参考摄入量（dietary reference intakes），简称 DRIs。

中国营养学会于 2000 年 10 月制订了中国居民膳食营养素参考摄入量（Chinese DRIs），作为保证我国人民身体健康的膳食质量标准。

膳食营养素参考摄入量（DRIs）是在 RDA 基础上发展起来的一组每日平均膳食营养素摄入量的参考值，包括 4 项内容：平均需要量（EAR）、推荐摄入量（RNI）、适宜摄入量（AI）和可耐受最高摄入量（UL）。

1. 平均需要量（estimated average requirement，EAR） 是根据个体需要量的研究资料制订的。EAR 是指根据某些指标判断可以满足某一特定性别、年龄及生理状况群体中 50% 个体需要量的摄入水平，这一摄入水平不能满足群体中另外 50% 个体对该营养素的需要。EAR 是制订 RDA 的基础。

2. 推荐摄入量（recommended nutrient intake，RNI） RNI 相当于传统使用的 RDA，是可以满足某一特定性别、年龄及生理状况群体中绝大多数（97% ~98%）个体需要量的摄入水平。长期摄入 RNI 水平，可以满足身体对该营养素的需要，保持健康和维持组织中有适当的储备。RNI 的主要用途是作为个体每日摄入该营养素的目标值。RNI 是以 EAR 为基础制订的。如果已知 EAR 的标准差，则 RNI 定为 EAR 加两个标准差，即 RNI = EAR + 2SD。如果关于需要量变异的资料不够充分，不能计算 SD 时，一般设 EAR 的变异系数为 10%，这样 RNI = 1.2 × EAR。

3. 适宜摄入量（adequate intakes，AI） 在个体需要量的研究资料不足不能计算 EAR，因而不能求得 RNI 时，可设定 AI 来代替 RNI。AI 是通过观察或实验获得的健康人群某种营养素的摄入量。例如纯母乳喂养的足月产健康婴儿，从出生到 4 ~6 个月，他们的营养素全部来自母乳。母乳中供给的营养素量就是他们的 AI 值，AI 的主要用途是作为个体营养素摄入量的目标。

AI 与 RNI 相似之处是二者都用作个体摄入的目标，能满足目标人群中几乎所有个体的需要。其区别在于 AI 的准确性远不如 RNI，可能显著高于 RNI。因此使用 AI 时要比使用 RNI 更加小心。

4. 可耐受最高摄入量（tolerable upper intake level，UL） UL 是平均每日可以摄入某营养素的最高量。这个量对一般人群中的几乎所有个体都不至于损害健康。如果某营养素的毒副作用与摄入总量有关，则该营养素的 UL 是依据食物、饮水及补充剂提供的总量而定。如毒副作用仅与强化食物和补充剂有关，则 UL 依据这些来源来制订。

表 5 -1、表 5 -2、表 5 -3 分别介绍了中国居民膳食能量和蛋白质 RNIs 及脂肪供能比、常量和微量元素 RNIs 或 AIs、维生素的参考供应量。

表 5－1　中国居民膳食能量和蛋白质的 RNIs 及脂肪供能比

年龄	体力活动	能量 RNI/MJ 男	能量 RNI/MJ 女	能量 RNI/kcal 男	能量 RNI/kcal 女	蛋白质 RNI/g 男	蛋白质 RNI/g 女	脂肪 占能量百分比/%
0～		0.4MJ/kg		95kcal/kg＊		1.5～3g/(kg·d)		45～50
0.5～								35～40
1～		4.60	4.40	1100	1050	35	35	
2～		5.02	4.81	1200	1150	40	40	30～35
3～		5.64	5.43	1350	1300	45	45	
4～		6.06	5.83	1450	1400	50	50	
5～		6.70	6.27	1600	1500	55	55	
6～		7.10	6.67	1700	1600	55	55	
7～		7.53	7.10	1800	1700	60	60	25～30
8～		7.94	7.53	1900	1800	65	65	
9～		8.36	7.94	2000	1900	65	65	
10～		8.80	8.36	2100	2000	70	65	
11～		10.04	9.20	2400	2200	75	75	
14～		12.00	9.62	2900	2400	85	80	25～30
18～	体力活动 轻	10.03	8.80	2400	2100	75	65	20～30
	中	11.29	9.62	2700	2300	80	70	
	重	13.38	11.30	3200	2700	90	80	
孕妇			＋0.84		＋200	＋5，＋15，＋20		
乳母			＋2.09		＋500	＋20		
50～	体力活动 轻	9.62	8.00	2300	1900			20～30
	中	10.87	8.36	2600	2000			
	重	13.00	9.20	3100	2200			
60～	体力活动 轻	9.62	7.94	1900	1800	75	65	20～30
	中	10.87	9.20	2200	2000			
70～	体力活动 轻	7.94	7.10	2300	1900	75	65	20～30
	中	8.80	8.00	2600	2000			
80～		7.74	7.10	1900	1700	75	65	20～30

各年龄组的能量的 RNI 值与其 EAR 值相同。＊为 AI 值，非母乳喂养应增加 20%。（凡表中数字缺如之处表示未制定该参考值。）

5-2 常量和微量元素的 RNIs 或 AI

年龄	钙(Ca) AI/mg	磷（P） AI/mg	钾（K） AI/mg	钠（Na） AI/mg	镁（Mg） AI/mg	铁（Fe） AI/mg		碘（I） RNI/μg	锌（Zn） RNI/mg		硒（Se） RNI/μg	铜（Cu） AI/mg	氟（F） AI/μg	铬（Cr） AI/μg	锰（Mn） AI/mg	钼(Mo) AI/μg
0~	300	150	500	200	30	0.3		50	1.5		15(AI)	0.4	0.1	10		
0.5~	400	300	700	500	70	10		50	8.0		20(AI)	0.6	0.4	15		
1~	600	450	1000	650	100	12		50	9.0		20	0.8	0.6	20		15
4~	800	500	1500	900	150	12		90	12.0		25	1.0	0.8	30		20
7~	800	700	1500	1000	250	12		90	13.5		35	1.2	1.0	30		30
						男	女		男	女						
11~	1000	1000	1500	1200	350	16	18	120	18.0	15.0	45	1.8	1.2	40		50
14~	1000	1000	2000	1800	350	20	25	150	19.0	15.5	50	2.0	1.4	40		50
18~	800	700	2000	2200	350	15	20	150	15.0	11.5	50	2.0	1.5	50	3.5	60
50~	1000	700	2000	2200	350	15		18.0	15.0		45	1.8	1.5	50	1.5	50
孕妇 早期	800	7000	2500	2200	400	15		200	11.5		50					
孕妇 中期	1000	700	2500	2200	400	25		200	16.5		50					
孕妇 晚期	1200	700	2500	2200	400	25		200	26.5		50					
乳母	1200	700	2500	2200	400	25		200	26.5		21.5					

注：凡表中数字缺如之处表示未制订该参考值。

5-3 中国居民膳食维生素参考供应量

年龄/岁	VA(RNI*)	VD(RNI)	VE(AI)	VB_1(DRIs)		核黄素(RNI)	VB_6(AI)	VB_{12}(AI)	VC(RNI)	泛酸(AI)	叶酸(DRIs)		烟酸(DRIs)	
	μgER/d	μg/d	mg/d	mg/d		mg/d	mg/d	mg/d	mg/d	mg/d	μg/d		mgNE/d	
				RNI	UL						RNI	UL	RNI	UL
0~	400	10	3	0.2(AI)		0.4(AI)	0.1	0.4	40	1.7	65(AI)	—	2(AI)	—
0.5~	400	10	3	0.3(AI)		0.5(AI)	0.3	0.5	50	1.8	80(AI)	—	3(AI)	—
1~	500	10	4	0.6	50	0.6	0.5	0.9	60	2.0	150	300	6	10
4~	600	10	5	0.7	50	0.7	0.6	1.2	70	3.0	200	400	7	15
7~	700	10	7	0.9	50	1.0	0.7	1.2	80	4.0	200	400	9	20
11~	700	5	10	1.2	50	1.2	0.9	2.4	90	5.0	300	600	12	30
14~	男 800 女 700	5	14	男 1.5 女 1.2	50	男 1.5 女 1.2	1.1	1.8	100	5.0	400	800	男 15 女 12	30
18~	男 800 女 700	5	14	男 1.4 女 1.3	50	男 1.4 女 1.2	1.2	2.4	100	5.0	400	1000	男 14 女 13	35
孕妇 初期	800	10	14	1.5	—	1.7	1.9	2.6	—	6.0	600	1000	15	—
孕妇 中期	900								130					
孕妇 晚期	900								130					
乳母	1200	10	14	1.8	—	1.7	1.9	2.8	130	7.0	500	1000	18	—
50 岁以上	—	10	14	—	—	—	1.5	—	—	—	—	—	—	—

注：*建议儿童及成人膳食维生素 A1/3~1/2 以上来自动物性食物；但孕妇膳食维生素 A 来源应以植物性食物为主。

中国居民膳食糖类适宜供应量(AI):根据我国居民膳食糖类的实际摄入量。参考国外对糖类的推荐量，建议除了2岁以下的婴幼儿外，糖类应提供55%～65%的膳食总能量。这些糖类应来自不同食物，如淀粉、非淀粉多糖和低聚糖类等。应限制纯能量食物如糖的摄入量，提倡摄入营养素与能量密度比值高的食物，以保障人体能量充足和营养素的需要，并能改善胃肠道的环境及预防龋齿。1g糖类可产生16J能量，因此若需要8368J的能量，则至少需要糖类的量为288g(占能量比的55%)。每克不消化的糖类和蔬菜水果中的糖类可产生8J热量。

中国居民膳食维生素K适宜摄入量(AI):由于目前缺乏有关中国居民维生素K的人群摄入资料和营养状况实验数据,中国营养学会专家组考虑维生素K的膳食适宜摄入量只能暂时提出成年人的推荐数值。依据参考人体重计算,男女分别为120μg/d和106μg/d。为简化表达,不分性别计为120μg/d。如有必要计算青少年的膳食适宜摄入量可以根据2μg/(kg体重·d)计算。

5.2 食物结构与膳食指南

5.2.1 食物结构

合理营养的基础首先是具备合理的食物结构。食物结构也称为膳食结构，是指居民每日消费食物的种类及其数量的相对构成。它表明膳食中各种食物间的组成关系，对人们的营养起着决定性作用。

1. 食物的种类

食物的种类按来源可分为动物性食物和植物性食物两大类，而营养学家通常把食物分成五大类：

(1) 谷类　包括米、面、杂粮、薯类，主要提供糖类、蛋白质、B族维生素、膳食纤维和能量。

(2) 动物性食物　包括畜、禽、蛋、奶、水产品等，主要提供蛋白质、脂肪、矿物质、A族维生素和B族维生素。

(3) 大豆及其制品　主要提供蛋白质、脂肪、膳食纤维、矿物质和B族维生素。

(4) 蔬菜水果类　主要提供膳食纤维、矿物质、维生素C和胡萝卜素。

(5) 纯热能食物　包括动植物油、食用糖和酒类，主要提供热能。

2. 食物结构的类型

食物结构即膳食结构的类型有两种划分方法，一是按食物来源不同可分为三大类，即动物性食物为主的膳食结构，植物性食物为主的膳食结构和动物性、植物性食物摄取比较均衡的膳食结构。此外不同国家居民的膳食结构不同，它受各个国家的经济发展状况、人口和可食性资源状况、农业发展和食品业生产水平、居民的消费能力和民族饮食习惯等诸因素的制约和影响。因此按国家不同，当今世界的膳食结构大体又可分为另外三种类型。第一种类型是西方"三高"型膳食，即高蛋白、高能量、高脂肪，它以欧美发达国家为代表，称为"欧式模式"；第二种类型是东方型膳食，以多数发展中国家为代表，称为"发展中国家模式"；第三种类型是以日本为代表，既保留了东方膳食的一些特点，又吸收了西方膳食的一些长处，称为"日本模式"。这两种划分方法不是孤立的，它们彼此关联，如"欧式模式"的膳食结构即以动物性食物为主，"发展中国家模式"的膳食主要以植物性食物为主，而"日本模式"主要指动植物性食物摄取比较均衡的膳食结构。

（1）欧美膳食结构的特点　欧美国家经济发达，年人均粮食占有量为800～1500kg，国民谷物消费量少，动物性食物消费量大，属于高热量、高脂肪、高蛋白质、低纤维素，即"三高一低"型的膳食结构（表5－4）。在食品消费方面，以畜、禽、蛋、鱼、奶，以及动物制品为主，而谷类与蔬菜等植物性食物，摄取比重较低。虽然膳食质量比较好，但营养过剩。据联合国粮农组织统计，这些国家每人每天摄入总热量为3500kcal，脂肪150个，蛋白质100g（其中70个来自动物性食品）。三种产热营养素占总热量的比例为蛋白质12%，脂肪42%，糖类46%（其中淀粉占22%，蔗糖24%）。这样的膳食结构对人体健康是不利的。

表5－4　发达国家人均年食物消费情况

食物种类	谷类	肉类	奶类	蛋类	食糖
人年均消费量/kg	60～70	100	100～150	15	40～60

目前普遍认为这种高热量、高脂肪、低纤维素的膳食与肥胖、高血脂症、冠心病、糖尿病以及某些肿瘤的发病率有着密切的关系。近年来，美国的营养决策单位提出了膳食结构的改进方向：首先增加谷类食物的摄入量，糖类的供给量要达到总热量的55%～60%，其中淀粉食物占40%～45%，蔗糖15%；其次是减少脂肪的摄入量。由占总热量的42%下降到30%（其中饱和脂肪酸占10%，不饱和脂肪酸20%）；三是胆固醇的摄入量下降到每人每日300mg；四是适当减少动物性食品和蔗糖的梢费，注意多摄入含粗纤维丰富的食物，如粗制谷类、土豆和蔬菜等。美国农业和卫生部的专家咨询委员会提出了经过修订的膳食指南，其内容是：食用多种多样的食物；所食食物要与人体的体力活动保持平衡，保持或改善体重；选择低脂肪、低饱和脂肪和低胆固醇膳食；所食食物要有多种多样的谷类食品、蔬菜和水果类；选择含糖适量的食物；选择食盐和钠适量的食物；若饮用酒精饮料，则应适量而止。

（2）发展中国家膳食结构的特点　发展中国家由于经济不发达，食物结构长期以谷类和薯类食品为主，动物性食品摄取量不足，从而呈现出高糖类、低脂肪、低蛋白质的膳食结构，这种膳食质量不高，蛋白质、脂肪摄入量都低。例如，印度摄入的营养素是：人均总热量为1998kcal，蛋白质48.5g，脂肪29.5g。其中植物性食品供给的营养占全部营养素的95%。据国际有关资料统计表明，发展中国家三大产热营养素供给量占总热量的比例分别为:糖类占78.3%,蛋白质占10%,脂肪占11.7%。因此,发展中国家膳食处在半温饱型或准温饱型之间,营养缺乏仍是这些国家中比较严重的社会问题。

(3)日本膳食结构的特点 战后日本人的膳食结构既继承了东方国家重视摄入谷物的传统,同时又吸取了欧美国家好食动物性食物的特点,将动物性食品的摄入量由20%增加到49.6%,而将谷类食品的摄入比重由72%下降到50.4%,形成了动植物食物平分秋色的状况,并且注重豆类(特别是豆制品)、蔬菜、水果的消费,改变了传统的饮食结构,从而使国民平均寿命男性居世界第一,女性居世界第二;人均身高增长5~10cm;体重增加4kg。日本膳食结构总体上是比较合理的,成为营养型膳食结构的典型,其动、植物性食物消费量比较均衡,能量、蛋白质、脂肪及糖类摄入量基本符合营养要求。日本膳食的具体结构是:人均每日摄入热量2210 kcal(9246.6kJ),蛋白质77.6g,脂肪61.4g。同时还规定了摄取动物、植物和鱼类脂肪比例为4:5:1,是平衡性优质脂肪。提出了食物纤维目标摄取量,成人每日20~25g;儿童、老年人为10g。维生素和钙、铁等营养素也提出了指导摄入量。

3. 中国居民的膳食结构

中国居民的膳食结构传统上绝大多数以植物性食物为主。但改革开放以来,随着国民经济的发展和农业生产水平的提高,我国居民的食物结构和营养状况发生了很大的变化,食物消费水平不断提高(表5-5)。

表5-5 我国与日本城市居民人均食物消费量比较(单位:kg/a)

食物类别	粮食	油脂	猪肉	鲜蛋	家禽	鲜奶	鱼类	蔬菜	食糖
中国八大城市	132.04	6.7	22.97	13.58	5.01	12.04	8.11	117.82	5.43
日本三大城市	124.2	5.4	18.9	12.7	14.84	28.54	31.41	111.68	5.61

中国:北京、天津、上海、成都、乌鲁木齐、沈阳、武汉。

日本:东京、大阪、横滨。

2004年营养调查的结果显示,我国城乡居民能量及蛋白质摄入得到基本满足,肉、禽、蛋等动物性食物消赞量明显增加,优质蛋白比例上升。城乡居民动物性食物分别由1992年的人均每日消费210g和69g上升到248g和126g。与1992年相比,农村居民膳食结构趋向合理,优质蛋白质占蛋白质总量的比例从17%增加到31%,脂肪供能比由19%增加到28%,糖类供能比例从70%下降到61%,这说明居民膳食质量明显提高。

但油脂的摄入量增加比较快,需要控制。在微量营养素方面,中国人有明显的缺陷。微量营养素包括维生素和矿物质两大系列。在维生素中,中国人摄入量普遍偏低的主要有维生素A和维生素B_2,维生素B_1和维生素C也可以适当增加一些。在矿物质中,普遍缺乏的是钙和铁,特别是钙,摄入量偏低,铁的摄入量比钙稍好些,但也远远没有达到要求。而钠的摄入量偏高,说明食盐应该减少。

从2004年营养调查的结果可以看出,虽然目前我国城乡居民的膳食、营养状况有了明显改善，营养不良和营养缺乏患病率继续下降，但我国仍面临着营养缺乏与营养过度的双重挑战。

(1)首先可以肯定的是居民的营养与健康状况得到了明显改善，主要表现在：

① 居民膳食质量明显提高。

② 儿童青少年生长发育水平稳步提高婴儿平均出生体重达到3309g，低出生体重率为3.6%，已达到发达国家水平。全国城乡3～18岁儿童青少年各年龄组身高比1992年平均增加3.3cm。但与城市相比，农村男性平均低4.9cm，女性平均低4.2cm。

③ 儿童营养不良患病率显著下降5岁以下儿童生长迟缓率为14.2%，比1992年下降55%，其中城市下降74%，农村下降51%；儿童低体重率为7.8%，比1992年下降57%，其中城市下降70%，农村下降53%。

④ 居民贫血患病率有所下降城市男性由1992年的13.4%下降到10.6%；城市女性由23.3%下降到17.0%；农村男性由15.4%下降至12.9%；农村女性由20.8%下降至18.8%。

(2)与此同时居民的营养与健康问题不容忽视。主要表现在：

① 城市居民膳食结构不尽合理　畜肉类及油脂消费过多，谷类食物消费偏低。2002年城市居民每人每日油脂消费量从1992年的37g增加到44g，脂肪供能比达到35%，超过世界卫生组织推荐的30%的上限。城市居民谷类食物供能比仅为47%，明显低于55%～65%的合理范围。此外，奶类、豆类制品摄入过低仍是全国普遍存在的问题。

② 一些营养缺乏病依然存在儿童营养不良在农村地区仍然比较严重，5岁以下儿童生长迟缓率和低体重率分别为17.3%和9.3%，贫困农村分别高达29.3%和14.4%。生长迟缓率以1岁组最高，农村平均为20.9%，贫困农村则高达34.6%，说明农村地区婴儿辅食添加不合理的问题十分突出。

铁、维生素A等微量营养素缺乏是我国城乡居民普遍存在的问题。我国居民贫血患病率平均为15.2%；2岁以内婴幼儿、60岁以上老人、育龄妇女贫血患病率分别为24.2%、21.5%和20.6%。3～12岁儿童维生素A缺乏率为9.3%，其中城市为3.0%；农村为11.2%；维生素A边缘缺乏率为45.1%，其中城市为29.0%，农村为49.6%。全国城乡钙摄入量仅为391mg，相当于推荐摄入量的41%。

③ 慢性非传染性疾病患病率上升迅速，主要表现在以下几个方面：

A、高血压患病率有较大幅度升高我国18岁及以上居民高血压患病率为18.8%，估计全国病人数1.6亿多。与1991年相比，患病率上升31%，患病人数增加约7000多万。而且农村患病率上升迅速。

B、糖尿病患病增加我国18岁及以上居民糖尿病患病率为2.6%，空腹血糖受损率为1.9%。估计全国糖尿病现患病人数2000多万，另有近2000万人空腹血糖受损。城市患病率明显高于农村。

C、超重和肥胖患病率呈明显上升趋势。我国成人超重率为22.8%，肥胖率为7.1%，估计人数分别为2.0亿和6000多万。大城市成人超重率与肥胖现患率分别高达30.0%和12.3%，儿童肥胖率已达8.1%，应引起高度重视。与1992年全国营养调查资料相比，成人超重率上升39%，肥胖率上升97%，预计今后肥胖患病率将会有较大幅度增长。

D、血脂异常值得关注我国成人血脂异常患病率为18.6%，估计全国血脂异常人数1.6亿。不同类型的血脂异常现患率分别为:高胆固醇血症2.9%，高甘油三酯血症11.9%，高密度脂蛋白血症7.4%。另有3.9%的人血胆固醇边缘升高。值得注意的是，血脂异常患病率中、老年人相近，城乡差别不大。

E、膳食营养和体力活动与相关慢性病关系密切营养调查结果表明，膳食高能量、高脂肪和少体力活动与超重、肥胖、糖尿病和血脂异常的发生密切相关;高盐饮食增加了高血压的患病风险;饮酒又使高血压和血脂异常的患病危险增大。特别应该指出的是脂肪摄入最多、体力活动最少的人，患上述各种慢性病的机会最多。

4. 中国营养改善的目标

从总体来看，中国膳食结构的特点仍以营养摄入不足为主，同时存在营养过剩的现象。不论是不足，还是过剩，都归属于调整膳食结构问题。总的调整原则如同我国古代医学的经典著作《黄帝内经》所述:“五谷为养，五畜为益，五果为助，五菜为充”。这句话既阐明了合理膳食应当包括的食物种类，又阐明了各类食物在合理膳食中应占的比重。

中国营养改善的总目标是:通过保障食物供给，落实适宜的干预措施，减少饥饿和食物不足。降低热能-蛋白质营养不良的发生率，预防、控制和消除微量营养素缺乏症;通过正确引导食物消费，优化膳食模式，促进健康的生活方式。全面改善居民的营养状况，预防与营养有关的慢性病，减缓与膳食有关的慢性病发病率上升的趋势。

5. 膳食结构“4+1”金字塔方案

参照国内外膳食指标，营养学家提出了膳食结构“4+1”金字塔方案，“4+1”指每日膳食应当包括“粮、豆类”、“蔬菜、水果”、“奶及奶制品”、“肉、鱼、蛋”四类食物作为支柱。适当增加一类“油、盐、糖”(图5-1)。

食物按人均计。每日粮豆类摄取量为400~500g,粮与豆之比为10:1;菜、水果摄取量300~400g,蔬菜与水果之比为8:1;奶及奶制品摄取量为200~300g;肉、鱼、蛋为100~200g。按质量堆砌恰似金字塔,塔尖为适量油、盐、糖。

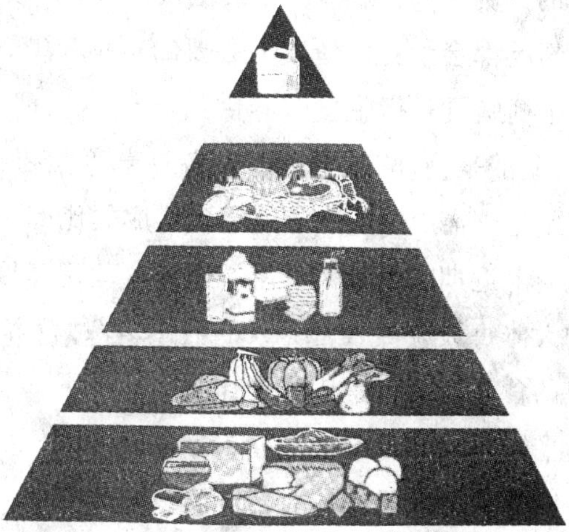

图5-1　膳食结构“金字搭案”

5.2.2 平衡膳食与合理营养

自古以来健康就是人类追求的美好目标。影响健康的因素很多，但饮食营养无疑是最重要的条件之一，因为它提供了健康的物质基础。随着我国人民生活水平的不断提高，在温饱问题解决后，吃得科学以及以膳食营养促进健康已成为人们追求的目标。要想达到这一目标，最关键的是要了解并掌握平衡膳食、合理营养的知识。

随着人们生活水平的提高，对饮食的考虑也从“吃饱”转向“吃好”，但是由于营养知识的缺乏，不少人对“吃好”的认识出现偏差，误认为将肥甘厚味、香甜美味的东西吃个心满意足，就是“吃好”，以至于过量摄入油脂、糖类等高热量食物，结果是在一部分经济条件较好的人群中肥胖病、糖尿病、高血脂病等与膳食营养摄入不当有关的疾病显著增多。这说明物质条件改善后普及营养知识，教会人们合理营养是一项紧迫而又十分艰巨的任务。

合理营养是科学、合理地使机体摄取、消化、吸收和利用食物中的营养素，以维持生命活动的整个过程。也就是合理地掌握膳食中各种食物的数量、质量及其比例搭配，以及卫生质量的要求；并通过烹调加工来改进膳食，使之适应人体的消化机能和感官需要，从而使人体的营养生理需求与人体通过膳食摄入的各种营养素之间建立起平衡关系。合理营养是健康的物质基础，如果人体的营养生理需求与膳食平衡之间的平衡关系出现失调，即膳食不适应人体的营养和卫生要求，就会对人体健康产生各种不利的影响。

营养的核心是“合理”，就是“吃什么”、“吃多少”、“怎么吃”，合理营养是一个综合性概念，它既要求通过膳食调配提供满足人体生理需要的能量和各种营养素，又要考虑合理的膳食制度和烹调方法，以利于各种营养物质的消化、吸收与利用。此外，还应避免膳食构成的比例失调，某些营养素摄入过多，以及在烹调过程中营养素的损失或有害物质的形成等情况都会给身体造成不必要的负担，甚至引起代谢的紊乱。

平衡膳食是指膳食营养供给与机体生理需要的平衡，主要包括能量供给与消耗的平衡、氨基酸平衡、酸碱平衡以及各种营养素摄入量之间的平衡。这样的膳食既能满足人体的正常生理需要，又能避免膳食构成的比例失调和某些营养过量而引起机体不必要的负担与代谢上近期或远期的紊乱，达到合理营养目的。建立平衡膳食是为保证人体的健康而提出的人体每天应摄入营养素的数量、各种营养素之间的适当比例，以及各种具有不同营养特点的食品在膳食中应占的比重。

平衡膳食的基本要求如下：

1. 膳食要满足人体对营养素的需要

膳食中要有充足的热量来源以维持体内外的机能活动；要有充足的生理价值较高的蛋白质来修补身体组织；要有丰富的无机盐和维生素来调节生理作用及增强机体的抵抗力；

要有适当的维生素和水分来帮助人体的排泄、维持体内各种生理程序的正常进行。

2. 营养素之间比例要适当

人体摄入营养素是按一定比例进行的，营养素在人体中的代谢也是按一定比例进行的，当一种营养素缺乏或不足时，就可能导致机体代谢紊乱，造成营养素比例的失衡，从而会对人体健康造成不同程度的危害，甚至危及生命。例如食物中糖类或脂肪含量不足时，蛋白质在体内水解成的大多数氨基酸转变为葡萄糖来提供热能，而此时机体内氮的平衡就无法正常维持；又如体内缺乏维生素 A、维生素 B_1 或维生素 B_2，可使维生素 C 含量急剧下降；当维生素 D 摄入量不足时可影响钙在体内的吸收利用；过量的锌会干扰铜的代谢；过量的铜又会大大地抑制铁的吸收等等，因此营养素之间的比例要适当。

3. 膳食组成应多样化

营养科学告诉我们，没有一种食物能提供我们身体所需的全部营养物质；另一方面，营养学家又说“没有不好的食物，只有不好的膳食”。任何一种食物都可提供一些营养物质，关键在于调配多种具有不同特点的食物，组成合理的膳食。多样化膳食能保证各种营养素的供给。平衡膳食必须由多种食物构成，因为各种食物所含的营养素的数量、种类和性质等都有一定的差异，也就是说各种营养素在食物中的分布是不均衡的，其营养学效应差别也大。因此，在制定膳食时应根据各种食物的营养价值及特点，调整营养素在膳食中的位置和比例，使进餐者获得合理的营养。

4. 合理烹调，促进食物的消化吸收

各种食物经过合理的烹调加工后，食物中的营养素就变得容易消化吸收，营养价值也大大提高。此外，烹调加工还可以对食物进行消毒，并使食物具有令人愉快的感官性状。食物的色、香、味、形等感官性状能大大地刺激人的食欲。所以采取不良合理的烹调方法，不仅能保证饭菜的色彩协调、香气宜人、滋味鲜美，还可以保持大脑皮层的适度兴奋，促进人的食欲，有利于食物的消化吸收，并能减少因烹调方法不当而使营养素破坏损失。

5. 建立合理的膳食制度

所谓膳食制度是指把全天的食物定质、定量、定时地分配食用的一种制度。在一天内的不同时间，人体所需要的能量和各种营养素的数量不完全相同，加之大脑兴奋抑制过程和胃肠对食物的排空时间与人体生理需要相适应，并有一定的规律性，因此针对人们不同的生活工作情况，拟定出适合他们各自生理需要的膳食制度是极为重要的。合理的膳食制度一经确定后，本身又成为一个条件刺激因素，只要到了用膳时间，就会出现食欲，分泌适当的消化液，保证摄入的食物被充分消化、吸收和利用。所以合理的膳食制度能保证机体的进食量，对维持身体健康极其有益。

确定膳食制度时应注意以下几个问题：

（1）考虑胃肠道消化能力，使食物中营养物质能被充分利用。

（2）安排的进餐间隔时间不宜太长，也不宜太短。一般来说，混合性膳食胃排空时间大约是4～5h。间隔时间过长，可引起饥饿感，血糖降低，影响工作效率；间隔时间太短则没有食欲，且容易导致消化不良。大多数人一天的主要工作在上午，因而特别要注意吃好早餐，不吃早餐不但会降低工作效率，还会损害身体。

（3）注意全天各餐食物分配比例，通常早餐摄入的能量应占全天总能量的30%，午餐占40%，晚餐占30%。

营养学家们曾作过每日进食二、三、四、五或六餐制的研究，其中以每日三、四餐制效果最好，消化道对蛋白质的消化吸收效率也以三、四餐制为最高。因此，在正常工作情况下，以一日三餐为宜。两餐之间的间隔要保持4～6h，因为一般混合食物胃中的排空时间是4～5h，在三餐量的分配比例上，早餐应占全日总热量的30%，午餐占40%，晚餐占30%。这种分配比例既照顾了我国人民的饮食习惯，又能使身体更好地来消化食物和吸收利用营养素。

（4）每日进餐时间应与生活工作制度即活动内容和作息时间相适应。

总之，膳食原则是膳食中热量要充足，各种营养素种类要齐全，数量要充足，比例要适当；保持膳食平衡及满足机体对营养素的需要；注意食物的多样化及烹调方法，做到色、香、味、形俱全，减少烹调时营养素的损失，并建立合理的膳食制度。

5.2.3 膳食指南的主要内容

膳食指南是营养工作者根据营养学原理，提出的一组以食物为基础的建议性陈述.以指导人们合理地选择与搭配食物。它是倡导平衡膳食和合理营养，减少与膳食有关的疾病，促进健康的宣传材料。中国营养学会于1997年4月修订的《中国居民膳食指南》，它是根据营养学的原则结合中国居民膳食的实际情况制订的。它的目的是指导群众利用平衡膳食，获得合理营养来促进身体健康。

1.《中国居民膳食指南》的主要内容

（1）食物多样、谷类为上　我国的食物是多种多样的，各种食物所含的营养成分不完全相同，且任何一种天然食物都不能提供人体所需的全部营养素。所以平衡膳食必须由多种食物组成，才能满足人体对各种营养素的需要，达到合理营养、促进健康的目的，因而要提倡人们广泛食用多种食物。

营养学家把多种食物分成五大类：谷类和薯类、动物性食物、豆类及其制品、蔬菜水果类及纯能量食物。谷类食物是中国传统膳食的主体。两千多年前我国的中医书《黄帝内经·素问》就提出了“五谷为养，五畜为益，五果为助，五菜为充”的“古代膳食指导思想”。两千多年来，我国人民正是以这种以谷类为主的膳食繁衍昌盛，谷类含有较全面的营养素，还可以与其他食物搭配制成多种多样的食物，如花卷、饺子等，但随着经济的发展和生活水平的提高，人们倾向于食用更多的动物性食物。2004年全国第四次营养调查的结果表明，一些家庭中动物性食物的消费量已经超过了谷类的消费量，这种“西方化”或“富裕型”的膳食提供了较高的能量和脂肪，而膳食纤维含量过低，导致儿童肥胖者居多，中老年人慢性病发病率上升。因此中国居民膳食指南提出谷类为主是为了提醒人们保持我国膳食的良好传统，防止发达国家膳食的弊端。

以谷类为主的同时要注意粗细搭配，食物不宜太精，经常吃一些粗粮、杂粮等。稻米、小麦不要碾磨太细，否则谷粒表层所含的维生素、矿物质等营养素以及膳食纤维将大部分流失于糠麸之中。长期食用这种过精的粮食，就会造成营养缺乏。饮食中注意粗细搭配，经常吃一些粗粮、杂粮，各取所长，可以起到营养素互补的作用。例如成年男子，早餐吃一碗小米粥，一个玉米饼，配以鸡蛋、小青菜为副食；中午标准粉面条，辅助西红柿、黄瓜、肉末等；晚餐吃大米和黑米蒸的二米饭，再加一碗玉米面熬的粥，这样粗粮所占比例为30%左右，是一个很好的粗细搭配的例子。中国膳食营养指南建议正常成年人每天应摄入300～500g粮食，同时要注意食用含优质蛋白质的副食以获得全面营养。

（2）多吃蔬菜、水果和薯类　蔬菜和水果含有丰富的维生素、矿物质和膳食纤维等。蔬菜的种类繁多，不同品种所含营养成分也不同，甚至差别较大。例如红、黄、绿等深色蔬菜中维生素含量超过浅色蔬菜和一般水果，它们是胡萝卜素、维生素 B_2、维生素C和叶酸的主要或重要来源。

各种蔬菜中都含有膳食纤维，身体所需的膳食纤维除了谷类外，主要来源于蔬菜和水果。蔬菜除了能提供丰富的矿物质、维生素和膳食纤维外，还可以促进鱼、肉、蛋等食物的消化吸收。有研究表明，单独吃肉食，蛋白质的消化吸收率为70%；肉和蔬菜同吃，蛋白质的消化吸收率能达到80%～90%。

有些水果中维生素及一些微量元素的含量不如新鲜蔬菜中的高，但水果中葡萄糖、有机酸及果胶等含量却比蔬菜丰富。有些水果中也含有丰富的维生素。经常吃不同种类的水果还能增进食欲，帮助消化，对人体健康非常有益。

薯类包括马铃薯、白薯、木薯等，是我国传统膳食的重要组成部分，它们不仅能提供丰富的糖类、膳食纤维及B族维生素，还含有较多的矿物质和维生素，兼有谷类和蔬菜的双重好处。但近年来随着生活的改善，人们薯类的消费量减少，这是一种不好的趋势，应当提倡多吃些薯类。

“中国居民膳食指南”建议，每天膳食中含有400～500g的蔬菜及薯类，100～200g的水果，这对保护心血管健康、增强抗病能力，减少儿童发生干眼病的危险及预防某些癌症等方面有着重要的作用。

（3）常吃奶类、豆类或其制品

这是“中国居民膳食指南”重点强调的内容。我国居民膳食中奶类和豆类摄入水平较低，造成我国居民普遍缺钙，一般居民膳食中钙的摄入量平均只达到推荐量的一半左右。乳类是钙的良好食物来源，吸收利用率好，钙与磷的比例也较合适，同时含有优质蛋白质，其必需氨基酸比例合适，适于人体的利用，含有人体必需的多种维生素，因此乳及其制品是促进儿童生长发育不可少的，也是预防婴幼儿佝偻病和中老年骨质疏松的优质食品。营养专家认为人在一生中都应该喝牛奶或食用奶制品。《中国居民膳食指南》建议，每天平均食用乳及其制品100g，这是当前我们食用鲜奶及奶粉等的平均数，约相当于鲜奶200g或奶粉30g。这样每天从奶类中获得的钙就在200mg以上，可以有效地改善钙摄入过低的现状。

豆类含丰富的优质蛋白质、不饱和脂肪酸、钙及B族维生素等。尤其是黄豆营养价值最高，蛋白质含量是瘦肉的2倍、鸡蛋的3倍，还含有丰富的必需脂肪酸和磷脂。为提高农村人口的蛋白质摄入量及防止城市中肉类食用过多带来的不利影响，应大力提倡豆类，尤其是大豆及其制品的生产和消费。《中国居民膳食指南》建议每天吃豆类及豆制品50g。每100g大豆中含有200mg左右的钙，如每天吃大豆50g就可以获得100mg左右的钙。同时大豆还富含赖氨酸，和谷类食物搭配可以弥补谷类食物赖氨酸的不足，提高膳食蛋白质的营养价值。豆制品的种类繁多，如豆浆、豆腐、豆干、千张、腐竹、豆豉、腐乳等等，其口味各异，是我国传统的优良食品。除已知的营养素外，大豆还含有一些有益于健康的其他成分，如异黄酮及大豆低聚糖等，对于预防与营养有关的心脑血管疾病、癌症、糖尿病可能有重要作用。

(4) 经常吃适量鱼、禽、蛋、瘦肉，少吃肥肉和荤油

鱼、禽、蛋、瘦肉等动物性食物是优质蛋白质、脂溶性维生素和矿物质的良好来源。动物蛋白质的氨基酸组成更适合人体需要，其中赖氨酸含量较高，有利于补充植物性蛋白质中赖氨酸不足的缺陷。肉类中铁的利用较好，呈预防缺铁性贫血的良好食物。

鱼类及其他水产品是理想的高蛋白低脂肪食物。鱼类一般含15%~20%蛋白质，5%左右的脂肪，所含维生素A、维生索D和矿物质的量比畜肉多。特别是海产鱼肝脏中维生素A含量极为丰富，还富含维生素B_{12}、叶酸等。但有些脏器如脑、肾等胆固醇含量较高，对预防心血管等系统疾病不利。我国一部分居民平均吃动物性食物的量还不够，应适当增加其摄入量来满足人体对各种营养素的需求。但也有相当一部分居民食用动物性食物过多，而谷类和蔬菜摄入不足，这对健康是不利的。

肥肉和荤油含有过多的饱和脂肪酸和胆固醇，属于高能量、高脂肪食物，是引起肥胖和诱发某些慢性病的危险因素，应当少吃。目前我国人民仍以猪肉为主要肉食，猪肉的特点是脂肪含量高，应发展瘦肉型猪；鸡、鱼、兔、牛肉等动物性食物含蛋白质较高、脂肪较低，产生的能量远低于猪肉，所以应大力提倡吃鸡、龟、兔、牛肉等动物性食物，适当减少猪肉的消费比例。日常烹调尽量少用荤油，多用植物油。

(5) 食量与体力活动要平衡，保持适宜体重

进食量与体力活动是控制体重的两个主要因素。为保证人体健康，体力活动消耗的能量与食物为人体提供的能量之间应保持平衡。如果进食量过大而活动量不足，多余的能量就会在体内以脂肪的形式积存下来使体重增加，导致肥胖；反之则可引起消瘦。肥胖易患

某些慢性病，而消瘦则造成劳动力下降和对疾病的抵抗力下降，也易患某些疾病。因此肥胖或消瘦都是不健康的表现，人们需要保持进食量与活动量之间的平衡，使体重维持在适宜的范围内。

目前我国同时存在着营养缺乏和营养过剩两方面的问题。在贫困农村，由于经济问题及营养知识的匮乏，经常可以见到营养缺乏对健康的危害；而在一些城市地区人们生活逐渐富裕、体力活动明显减少，出现许多超重或肥胖者。据调查我国大城市的肥胖儿童占10%左右，中老年人超重者约30%以上，这是非常值得注意的问题。体力活动少的人，应有意识地增加一些活动或运动。中老年人经常进行强度适宜的运动，有利于增加心血管和呼吸系统的功能，延缓衰老过程。而对于消瘦者，则要注意适当增加能量和全面平衡的营养，以促进正常的生长发育及达到适宜体重。总之，适宜的进食量和活动量可保持正常体重，是预防慢性病和保健的需要。

三餐分配要合理。一般早、中、晚餐的能量分别占总能量的30%、40%、30%比较适宜。

（6）吃清淡少盐的膳食　吃清淡少盐的膳食有利于健康。膳食不要太油腻、太咸，不要过多地食用动物性食物和油炸、烟熏食物，注意荤素搭配。世界卫生组织建议每人每日食盐用量不超过6g为宜，我国居民食盐摄入量过多，平均值是世界卫生组织建议值的2倍以上。流行病学调查表明，钠的摄入量与高血压发病呈正比，因此食盐摄入量不宜过多。膳食钠的主要来源除食盐外，还包括酱油、味精、咸菜以及香肠、熏鸡等高钠食品。应从幼年就养成食用少盐膳食的习惯。

（7）如饮酒，应限量　白酒除供应能量外，不含营养素。无节制饮酒会使食欲下降，食物摄入量减少，造成体内多种营养素缺乏，严重者还会造成酒精性肝硬化。过量饮酒会增加患高血压中风等危险，还会毒害下一代。为了健康，最好不饮酒，如饮酒可少量饮用低度酒。青少年正处于生长发育期，组织器官尚未发育成熟，对酒精的毒害更敏感，因此青少年不应该饮酒。

（8）吃清洁卫生不变质的食物　在选购食物时应当选择保质期内，外观好，没有泥污、杂质，没有变色、变味，新鲜并符合卫生标准的食物。日常生活中要重视饮食卫生，加强自我保护，严把病从口入关，避免食源性疾病的危害。饭前要洗手，餐具和供餐者的健康卫生状况要符合卫生要求。集体用餐提倡分餐制，减少疾病传染的机会。

该指南适用于健康成人和2岁以上儿童，如能自觉遵守该指南中的各项原则，居民营养状况必将得到改善。

此外我国还制定了特殊人群的膳食指南，特殊人群主要包括婴儿、幼儿与学龄前儿童、学龄儿童、青少年、孕妇、乳母、老年人。

2. 特定人群膳食指南

婴儿：鼓励母乳喂养；母乳喂养4个月后逐步添加辅助食品。

幼儿与学龄前儿童：每日饮奶；养成不挑食、不偏食的良好饮食习惯。

学龄儿童:保证吃好早餐;少吃零食，饮用清淡饮料，控制食糖摄入量;重视户外活动。

青少年:多吃谷类，供给充足的能量;保证鱼、肉、蛋、奶、豆类和蔬菜的摄入;参加体力活动，避免盲目节食。

孕妇:自妊娠第4个月起，保证充足的能量;妊娠后期保持体重的正常增长;增加鱼、肉、蛋、奶和海产品的摄入。

乳母:保证供给充足的能量;增加鱼、肉、蛋、奶、海产品的摄入。

老年人:食物要粗细搭配，易于消化;积极参加适度的体力活动，保持能量平衡。老年人每人每日应食用:油脂类25g;奶类及奶制品100g，豆类及豆制品50g;畜禽肉类50 ~100g，鱼虾类50g，蛋类25 ~50g;蔬菜类400 ~500g，水果类100 ~200g;谷类300 ~500g。

5.2.4 中国居民平衡膳食宝塔

为了帮助群众把膳食指南的原则应用于日常膳食实践，中国居民膳食指南专家委员会还制定了“中国居民平衡膳食宝塔”，它是根据中国居民膳食指南并结合中国居民的膳食结构特点设计的，它把平衡膳食的原则转化成各类食物的质量，以直观的宝塔的形式形象地告诉居民一日三餐各类食物适宜消费量，便于群众理解和在日常生活中实践。

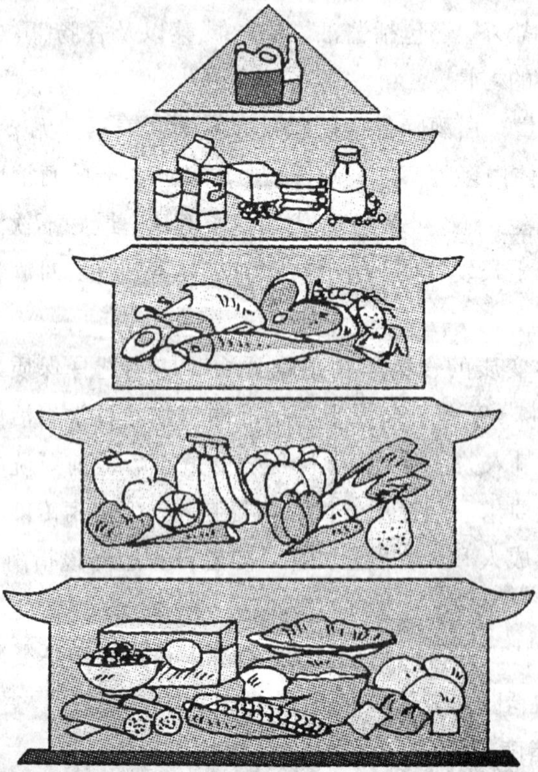

图5-2　中国居民平衡膳食宝塔

平衡膳食宝塔提出了一个营养上比较理想的膳食模式。它所建议的食物量，特别是奶类和豆类食物的量可能与大多数人当前的实际膳食还有一定距离，对某些贫困地区来讲可能距离还很远，但为了改善中国居民的膳食营养状况，这是不可缺少的。应把它看作是一个奋斗目标，努力争取，逐步达到平衡膳食宝塔提出的膳食要求。

平衡膳食宝塔共分5层(图5－2)，包含每天应吃的主要食物种类。宝塔各层位置和面积不同，这在一定程度上反映出各类食物在膳食中的地位和应占的比重。谷类食物位居底层，每人每天应吃300～500g;蔬菜和水果居第二层，每天分别应吃400～500g和100～200g;鱼、禽、肉、蛋等动物性食物居第三层，每天应吃125～200g(鱼虾类50g，畜、禽肉50～100g，蛋类25～50g);奶类和豆类食物合占第四层，每天应吃奶类及奶制品100g和豆类及豆制品50g;第五层是油脂类，每天不超过25g。

宝塔没有建议食糖的摄入量。因为我国居民现在平均吃食糖的量还不多，少吃些或适当多吃些可能对一般人的健康影响不大。但多吃糖有增加龋齿的危险，尤其是儿童、青少年不应吃太多的糖和含糖食品。食盐和饮酒的问题在中国膳食指南中已有说明。

平衡膳食宝塔的应用如下：

1. 确定每个人的食物需要　宝塔建议的每人每日各类食物适宜摄入量范围适用于一般健康成人，应用时要根据个人年龄、性别、身高、体重、劳动强度、季节等情况适当调整。年轻人、劳动强度大的人需要能量高，应适当多吃些主食;年老、活动少的人需要的能量少，可少吃些主食。表5－6列出了3个能量水平各类食物的参考摄入量。

表5－6　不同能量水平各类食物参考摄入量(单位:g/d)

食物	低能量(约1800kcal)	中能量(约2400kcal)	高能量(约2800kcal)
谷类	300	400	500
蔬菜	400	450	500
水果	100	150	200
肉、禽	50	75	100
蛋类	25	40	50
鱼、虾	50	50	50
豆类及豆制品	50	50	50
奶及奶制品	100	100	100
油脂	25	25	25

从事轻微体力劳动的成年男子如办公室职员等，可参照中等能量(2400kcal)膳食来安排自己的进食量;从事中等强度体力劳动者如钳工、卡车司机和一般农田劳动者可参照高能量(2800kcal)膳食来安排。女性一般比男性的食量小，因为女性体重较小，其身体构成与男性不同，女性需要的能量往往比从事同等劳动的男性低200kcal或更多些。一般来说，

人们的进食可自动调节，当一个人的食欲得到满足时，它对能量的需要也就会得到满足。

平衡膳食宝塔建议的各类食物摄入量是一个平均值和比例，每日膳食中应当包含宝塔中的各类食物。各类食物的比例也应基本与膳食宝塔所示一致。当然在生活中尤需每天都样样照着"宝塔"推荐量吃。例如烧鱼比较麻烦就不一定每天都吃50g 鱼，可以改成每周吃2～3次鱼，每次150～200g，这样做较为切实可行。

2. 同类互换，调配丰富多彩的膳食

人们吃多种多样的食物不仅是为了获得均衡的营养，也是为了使饮食更加丰富多彩，以满足人们的口味享受。假如人们每天都吃同样的50g 肉、40g 豆，难免久食生厌，那么合理营养也就无从谈起了。宝塔包含的每一类食物中都有许多的品种，虽然每种食物都与另一种不完全相同，但同一类的各种食物所含营养成分往往大体上近似，膳食中可以互相替换。

应用平衡膳食宝塔时，应当把营养与美味结合起来，按照同类互换、多种多样的原则调配一日三餐。同类互换就是以粮换粮、以豆换豆、以肉换肉。例如大米可与面粉或杂粮。

互换，馒头可以和相应量的面条、烙饼、面包等互换；大豆可与相应量的豆制品或杂豆类互换；牛奶可与羊奶、酸奶、奶粉或奶酪等互换。

多种多样就是选用品种、形态、颜色、口感多样的食物，变换烹调方法。例如每日吃50g 豆类及至制品，掌握了同类互换多样的原则，就可以变换出数十种吃法。可以全量互换，也可以分量互换。50g 豆类及豆制品可以一天全部食用豆腐或豆腐干；也可以食用1/3 的豆浆，1/3 的腐竹，1/3 的豆腐；或早餐喝豆浆，中餐吃凉拌腐竹，晚餐再喝豆腐汤等。表5－7 列举了类常见食物的互换关系，可供读者参考。

3. 合理分配三餐食量

我国多数地区居民习惯于一天吃三餐。三餐食物量的分配及间隔时间应与作息时间和劳动状况相匹配，一般早、晚餐各占30%，午餐占40%为宜，特殊情况可适当调整。通常上午的工作学习比较紧张，营养不足会影响学习工作效率，所以早餐应当是正正经经的一顿饭。早餐除主食外，至少应包括奶、豆、蛋、肉中的一种，并搭配适量蔬菜或水果。

4. 因地制宜充分利用当地资源

我国幅员辽阔，各地的饮食习惯及物产不尽相同，只有因地制宜充分利用当地资源，才能有效地应用平衡膳食宝塔。例如牧区奶类资源丰富，可适当提高奶类摄取量；渔区可适当提高鱼及其他水产品摄取量；农村山区则可利用山羊奶以及花生、瓜籽、核桃、榛子等资源。在某些情况下，由于地域或物产所限无法采用同类互换时，也可以暂用豆类替代乳类、肉类；或用蛋类替代鱼、肉；不得已时也可用花生、瓜子、榛子、核桃等干坚果替代肉、鱼、奶等动物性食物。

5. 养成习惯，长期坚持

膳食对健康的影响是长期的结果。应用平衡膳食宝塔需要自幼养成习惯，并坚持不懈，只有这样才能充分体现其对健康的重大促进作用。

表 5－7　　平衡膳食宝塔同类食物互换表

食物种类	食物名称	质量/g	食物名称	质量/g
谷类食物（相当于100g米、面的谷类食物）	大米、糯米、小米	100	烧饼	140
	富强粉、标准粉	100	烙饼	150
	玉米面、玉米糁	100	馒头、花卷	160
	挂面	100	窝头	140
	面条（切面）	120	鲜玉米（市品）	750～800
	面包	120～140	饼干	100
豆类食品（相当于40g大豆的豆类食品）	大豆（黄豆）	40	豆腐干、熏干、豆腐泡	80
	腐竹	35	素肝尖、素鸡、素火腿	80
	豆粉	40	素什锦	100
	青豆、黑豆	40	北豆腐	120～160
	膨胀豆粕（大豆蛋白）	40	南豆腐	200～240
	蚕豆（炸、烤）	50	内酯豆腐（盒装）	280
	五香豆豉、千张、豆腐丝（油）	60	豆奶、酸豆奶	600～640
	豌豆、绿豆、芸豆	65	豆浆	640～800
	豇豆、红小豆	70		
乳类食品（相当于100g鲜牛奶的乳类食品）	鲜牛奶	100	酸奶	100
	速溶全脂牛奶	13～15	奶酪	12
	速溶脱脂牛奶	13～15	奶片	25
	蒸发淡奶	50	乳饮料	300
	炼乳（罐头、甜）	40		
肉类（相当于100g生肉的肉类食品）	瘦猪肉	100	酱牛肉	65
	猪肉松	50	牛肉干	45
	叉烧肉	80	瘦羊肉	100
	香肠	85	酱羊肉	80
	大腊肠	160	兔肉	100
	蛋清肠	160	鸡肉	100
	大肉肠	170	鸡翅	160
	小红肠	170	白条鸡	150
	小泥肠	180	鸭肉	100
	猪排骨	160～170	酱鸭	100
	瘦牛肉	100	盐水鸭	110

注：① 薯类包括红薯、马铃薯等可替代部分粮食，约500g相当于100g谷类。② 一个中等大小的鲜老玉米约重200g。

5.3 营养食谱的设计

如何在物质条件允许的情况下，合理地调整膳食结构，吃得更合理、更健康一直是人们关心的问题。有这样一个推算：按一个人活到 70 岁，平均每天吃 500g 粮食、500g 蔬菜、1 个鸡蛋计算，那么这个人一生要消耗 12t 粮食、12t 蔬菜、2.5 万个鸡蛋。这个数字显然是惊人的，怎样把这些物质更好地搭配食用，更好地促进健康呢，这就要求应根据我国具体的特点，编制个合理健康的营养食谱。食谱的基本内容包括每天食物的种类与数量和菜肴的名称。编制食谱的目的是为了使人体有计划得到所需要的能量和营养素。

5.3.1 设计营养食谱的原则

1. 食物要多样化、营养要全面，膳食要平衡　营养食谱必须供给充足的热量和各种营养根据进餐者的年龄、性别、职业、劳动强度和饮食习惯，按照营养素供给标准，确定所食食物的品种和数量。

2. 全天食物在各餐中分配要恰当，间隔要合理　（具体营养分配见表 5-8）。即建立合理的饮食制度。

表 5-8　　一日三餐营养分配

性别及年龄	劳动强度	热能/KJ				蛋白质/g			
		一日量	早餐	午餐	晚餐	一日量	早餐	午餐	晚餐
成年男子（体重在 65kg）	轻体力劳动	10878（2600）	2720（650）	4351（1040）	3807（910）	75	18.8	30	26.2
	中等体力劳动	12552（3000）	3138（750）	5021（1200）	4398（1050）	80	20.0	32	28
	重体力劳动	15062（3600）	3766（900）	6025（1440）	4853（1160）	90	22.5	36	31.5
成年女子（体重在 55kg）	轻体力劳动	10042（2400）	2427（580）	4017（960）	3515（840）	70	17.5	28	24.5
	中等体力劳动	11715（2800）	2929（700）	4686（1120）	4100（980）	75	18.8	30	26.2
	重体力劳动	14226（3400）	3556（850）	5690（1360）	4979（1190）	85	21.3	34	29.7

注：括号内的数字单位为 kcal，引自国家旅游局人事劳动局教育司《营养与食品卫生》（第二版）

3. 选定的菜肴和饭食要符合食品卫生要求。

4. 烹调方法要合理，要符合营养原则。

适应各种人群的消化能力和饮食习惯，适应季节特点，同时还要注意食物的色、香、味、形以及饭食、菜肴的多样化。应做到粗细搭配、荤素兼顾、干稀适度，以谷粮为主食，多食用豆制品、鱼类和新鲜蔬菜。

5. 要考虑当地季节性烹调原料、厨房设备条件、厨师的技术水平以及进餐者的口味和经济条件(进餐标准)等。

5.3.2 营养食谱的设计方法

食谱是指为了合理调配食物以达到营养要求而安排的膳食计划。食谱设计考虑许多因素。这里仅从营养要求角度来谈，使营养食谱能满足用餐者每日需要的能量和各种营养素的需要量(每日膳食营养素和热能供给量标准参见表5-9)，防止营养素摄入过多或过少。

表5-9　　每日膳食中营养素和热能供给量标准

性别与年龄	劳动强度	热量 kJ	蛋白质 g	钙 mg	铁 mg	维生素A(国际单位)	胡萝卜素 mg	硫胺素 mg	核黄素 mg	尼克酸 mg	抗坏血酸 mg
成年男性(体重在65kg)	轻体力劳动	10878(2600)	75	600	12	2200	4.0	1.3	1.3	13	75
	中体力劳动	12552(3000)	80	600	12	2200	4.0	1.5	1.5	15	75
	重体力劳动	15062(3600)	90	600	12	2200	4.0	1.8	1.8	18	75
成年女性(体重在55kg)	轻体力劳动	10042(2400)	70	600	12	2200	4.0	1.2	1.2	12	70
	中体力劳动	11715(2800)	75	600	12	2200	4.0	1.4	1.4	14	70
	重体力劳动	14226(3400)	85	600	12	2200	4.0	1.7	1.7	17	70
	孕妇(后五个月)	+1255(+300)	+15	1500	15	3300	6.0	+0.2	+0.2	+2	100
	乳母(一年内)	+4184(+1000)	+25	2000	15	3900	7.0	+0.5	+0.5	+5	150
少年男性	16~19岁(体重50kg)	12552(3000)	90	1000	15	2200	4.0	1.8	1.8	18	90
	13~16岁(体重42kg)	10887(2600)	80	1200	15	2200	4.0	1.8	1.6	16	80
少年女性	16~19岁(体重54kg)	11296.8(2700)	80	1000	15	2200	4.0	1.4	1.6	16	75
	13~16岁(体重40kg)	10460(2500)	75	1200	15	2200	4.0	1.3	1.5	16	75

注：括号内的数字单位为 kcal。引自国家旅游局人事劳动教育司编《营养与食品卫生》(第二版)

设计营养食谱的方法基本上有计算法和食品交换法两种。计算法是依据计算得到人体能量需要量，根据膳食组成，计算蛋白质、脂肪和糖类的供给量，参考每日维生素、无机盐供给量，查阅食物营养成分表，选定食物种类和数量的方法；食品交换法是根据不同能量需要，按蛋白质、脂肪和糖类的比例，计算出各类食物的交换份数，并按每份食物等值交换选择，再将这些食物分配到一日三餐中，即得到营养食谱。下面以计算法为例介绍营养食谱的设计方法。

1. 人体能量需要量的核算

人体能量需要量的核算方法主要有两种：① 根据我国建议的"中国居民膳食营养素参考摄入量"确定用膳者的能量需要量，这是最常用、最方便的一种方法。② 计算能量消耗法。根据人体维持基础代谢所需要的能量，食物特殊动力作用所消耗的能量，生活活动和劳动所消耗的能量计算人体所需要的能量。

2. 根据膳食组成，计算蛋白质、脂肪和糖类每日的摄入量

我国目前建议每人每日的膳食组成通常为蛋白质 10% ~15%，脂肪 20% ~30%，糖类 55% ~65%。根据膳食组成及三大产能营养素的能量系数，计算蛋白质、脂肪和糖类的每日摄入量。

3. 大致选定一日食物的种类和数量

根据以上计算的各种产能营养素供给量，参考每日维生素、无机盐供给量，查阅食物营养成分表(见附录 2)，大致选定一日食物的种类和数量。先确定以提供生热营养素为主的食物，如谷类、肉、蛋、油脂等，再确定蔬菜水果等以提供维生素、膳食纤维、无机盐为主的食物一般每人每日需供给 300 ~500g 左右的新鲜蔬菜水果，其中应有一半为绿叶蔬菜。

成人一般一日食物的种类和数量约为：粮食 500g，动物性食物 50 ~150g，黄豆及其制品 50g，蔬菜(绿叶蔬菜占一半)400 ~500g，植物油 20g 左右。

4. 三餐的能量分配比例

早餐，占全天能量总摄入量的 30%，并要有足够优质蛋白质和脂肪。这是因为上午往往活动量大，工作效率高，消耗的能量和营养素比重也就大。

午餐，应是三餐中摄入营养素最多的，以占全天总能量的 40% 为宜，要保证糖类、蛋白质、脂肪的供给量。

晚餐，应占全天总能量的 30%，要多配蔬菜水果和易消化又饱腹感强的食物，高蛋白质、高脂肪的食物宜适量，以免影响消化与睡眠，并减少体脂的积蓄。

5. 具体将食物分配到各餐中

假设三餐的能量分配比例确定为：早餐 30%，午餐 40%，晚餐 30%（其中糖类、蛋白质和脂肪提供能量百分比依次为 65%、12% 和 23%）。

早餐应有粥、羹、牛奶、豆浆等饮品，配以面食、蒸糕、面包等干粮，使其干稀适度，以适

应早起时食欲不振的特点。此外，还应有优质蛋白质食物和少量时令蔬菜或鲜果汁，既能开胃又有助于营养的供应。

午餐应是一日三餐中最重要的一餐，既要补充上午的消耗，又要为下午的工作和学习做好必要的营养储备。因此主副食应搭配均衡，荤素具备，使提供的营养素和能量能达到全天总需要量的1/3以上。

晚餐则应选择一些易消化的食物，能量不宜过高。因为夜间活动少，能量消耗低，多余的营养物质会转化成脂肪蓄积于体内，导致发胖，影响健康。因此晚餐应清淡些，不吃油腻、不易消化的食物，不饮兴奋性饮料以免影响睡眠。

根据三餐分配比例，将食物分配到各餐中的计算步骤如下：

（1）首先计算糖类、脂肪和蛋白质分配到早、午和晚餐中的数量。

糖类：

早餐（3000 ×65%）÷4 ×30% =146(g)

午餐（3000 ×65%）÷4 ×40% =195(g)

晚餐（3000 ×65%）÷4 ×0% =146(g)

蛋白质：

早餐（3000 ×12%）÷4 ×30% =27(g)

午餐（3000 ×12%）÷4 ×40% =36(g)

晚餐（3000 ×12%）÷4 ×30% =27(g)

脂肪：

早餐（3000 ×23%）÷9 ×30% =23(g)

午餐（3000 ×23%）÷9 ×40% =30(g)

晚餐（3000 ×23%）÷9 ×30% =23(g)

现以午餐为例说明计算方法。根据以上计算得知午餐需要糖类195g,蛋白质36g,脂肪30g。

(2)其次进行主食供给量计算:我国当前食物结构是以糖类和植物蛋白质为主提供能量和蛋白质。所以首先计 算主食供给量。

在计算主食供给量时先将蔬菜固定，一般是用蔬菜300～500g，假设提供糖类15g，固定蔬菜提供的糖类后，剩下的糖类就由主食供给，可依据下列公式计算：

未知食物的质量 = 食物成分表中食物质量 × 已知营养素含量 ÷ 食物成分表中营养素含量

如主食选择大米，主食大米的需要量则为：

未知食物的质量 =(195 －15) ×00 ÷76 ≈240(g)

午餐主食大米需240g，再以240g大米的基数计算蛋白质和脂肪。

查食物成分表知每100g大米含蛋白质8g，脂肪约2g，则蛋白质含量为8 ×2.4 ≈19

(g)，脂肪含量为 2×2.4 =4.8(g)

(3)最后进行副食的选择计算：主食提供的蛋白质和脂肪算出后。依据需要量，其不足部分由副食补充。

蔬菜中的蛋白质含量除豆类外，一般都很低。为计算方便，一般以700g蔬菜中含蛋白质2g计，如选用400g蔬菜，则400g蔬菜含8g蛋白质。蛋白质的需要虽则为36 -19 -8 =9(g)。

剩余9g蛋白质，选择只含蛋白质和脂肪而不含糖类的肉、蛋类。为便于计算，肉类的蛋白质量估计为其质量的1/5，即肉类质量为瘦肉类的蛋白质的5倍；肉类所含脂肪，一般瘦猪肉的脂肪量约为其蛋白质的1.5倍，亦即将它的蛋白质质量加上一半即可。

因此，所需瘦猪肉质量 9×5 =45(g)，瘦猪肉含脂肪量为 9×1.5 =13.5(g)。

午餐的脂肪需要量为38g，减去瘦猪肉及主食中含脂肪量，即为30 -13.5 - 4.8 =11.7(g)。其脂肪需要量的差额由植物油补充。

通过计算，确定选择副食食物为瘦猪肉45g，白菜250g，油菜150g，豆油10g。两个常食菜种为炒白菜、炒油菜。

确定食物的种类和数量后，再将每一种食物的营养素含量(根据食物成分表)，填入到食物营养素记录表，计算主副食中提供的营养素含量，与供给量标准比较。具体见表5 -10。

表5 -10 食物营养素记录表

类别	食物名称	质量/g	能量/kcal	蛋白质/g	脂肪/g	糖类/g
主食	大米	240	836	19	4.8	182
	瘦猪肉	45	160	7.5	14	0
副食	白菜	250	37	2.7	0.5	5
	芥菜	150	33	3.9	0.6	3
	豆油	10	90	- -	10	- -
食物营养总和			1156	33.1	29.9	200
营养素供给标准			1200	36	30	192
与供给量标准比较			-4%	-8%	-0.3%	+4%

食物交换法是一种比较简便的膳食食谱的制定方法。简单地说，就是找各种食品之间营养素含量的比例关系，如假设一份大米的糖类和一份面粉的糖类含量相当，在制定食谱时可以互换；再假设一份苹果和半份柠檬中的维生素C含量相当，那么就可以用一份苹果和半份柠檬互换。依此类推，通过食物的互换，可以组合成内容丰富多彩的营养膳食食谱。

5.3.3 食谱种类和内容

1. 食谱种类

目前常用的食谱有“日食谱”、“周食谱”和“月食谱”。其中主要以日食谱为基础食谱，只要基础食谱确定后，以后就不必每天进行计算。可以在每日食谱基础上，将饭食和菜肴品种进行调换，但每日摄取的总热量和各营养素量不能改变。调换的原则是谷物与谷物、豆制品与豆制品、动物类食品与动物类食品、蔬菜与蔬菜之间替换。要求品种多样，避免单调和重复，以保证营养素的全面摄取。

此外还有适应不同人群需要的特殊食谱以及不同人群不同时期的食谱等，如孕早期食谱、孕中期食谱、孕晚期食谱、婴幼儿食谱、学龄前儿童食谱、青少年期食谱、成年人食谱、老年人食谱及糖尿病人食谱等。

2. 食谱内容

食谱包括主、副食名称、数量、品种、营养素标准、品质和感官性状等。可以以表格形式编制，同时还要编制食谱营养成分计算表，其内容包括食物类别、食物名称、质量、营养素名称、含量标准等。

3. 食谱举例

成年人食谱举例：

例一

早餐 面包125g，牛奶250mL，果汁200mL

午餐 米饭150g，炖鲫鱼250g，菠菜鸡蛋汤200g

晚餐 花卷100g，小米粥50g，炒肉绿豆芽250g

例二

早餐 素馅包子125g，大米粥250mL，煮鸡蛋1个，小菜50g

午餐 米饭150g，炒白菜片250g，西红柿汤200g

晚餐 炸酱面150g，拌黄瓜干豆腐丝200g，橙子150g

例三

早餐 花卷100g，豆浆200mL，小菜50g

午餐 米饭150g，白萝卜排骨汤250g，海带丝150g

晚餐 米饭120g，烧肉豆芽200g，猕猴桃150g

例四

早餐 面包150g，牛奶200ml。

午餐 米饭150g，虾仁炒冬瓜250g，白菜豆腐汤150g

晚餐 馒头100g，清蒸海鱼200g，炒竹笋100g，苹果150g

以上食谱的主要能量及营养素基本符合成年人的营养需要。

下面两个表所列为一周营养食谱（见表5－11、表5－12）。

表 5－11　营养配餐一周食谱举例(适合北方口味)

	早餐	午餐	晚餐
星期一	馒头 100g、小米稀饭 200g、小菜 50g、煮鸡蛋一个	米饭 150g、芹菜炒肉片(100＋50)g、红烧带鱼 100g、虾皮紫菜汤(15＋60)g	炸酱面 150g、拌凉菜(黄瓜＋豆腐干＋胡萝卜)(50＋50＋50)g
星期二	豆浆 200g、油条 100g、火腿 80g	扬州炒饭 150g、土豆炒肉(100 ＋ 50)g、丸子汤 100g	大肉水饺 150g
星期三	素包子 2 个、三鲜羹 100g	羊肉泡馍 175g	稀饭 100g、肉饼 100g、苜蓿肉(100＋50)g、熘土豆片 100g
星期四	面包 100g、牛奶 150g、煮鸡蛋 1 个	卤面 175g、鱼头豆腐汤 150g	米饭 150g、西芹腊肉(100＋50)g、蒜薹炒鸡蛋(70＋30)g
星期五	黄金大饼 100g、皮蛋瘦肉粥 100g	米饭 150g、红烧排骨 100g、菜花炒肉(100＋50)g、三鲜汤 50g	素面条(抛汤)150g
星期六	荷包蛋 1 个、打卤面条 150g	花卷 150g、牛肉丸子菠菜汤(50＋50)、炒鸡蛋瓜片(50＋80)g	米饭 100g、冬瓜炒肉(100＋50)g
星期日	葱油饼 100g、豆腐脑 100g	米饭 150g、清蒸鲫鱼 150g、凉拌西红柿 100g	肉末面片汤 150g

注:在两餐中间应摄取新鲜的水果,每次以 50～100g 为准。

表 5－12　营养配餐一周食谱举例（适合南方口味）

	早餐	午餐	晚餐
星期一	面包 100g、牛奶 200g、香肠 70g	米饭 150g、梅菜扣肉（120＋60）g、素炒油菜 80g、西红柿鸡蛋汤（100＋50）g	米饭 150g、肉末烧豆腐（50＋50）g、小白菜 150g
星期二	蛋糕 100g、煎蛋 1 个、牛奶 200g	扬州炒饭 150g、猪腰炒坚果（80＋30）g、蘑菇肉片豆腐汤（50＋25＋50）g、冬瓜 150g	米饭 150g、青椒虾仁（50＋100）g、黄豆芽 175g
星期三	热欧宝 2 个、时令小菜 50g、酸奶 175g	米饭 150g、蒜茸蟹肉 200g、番茄蛋花汤（30＋30）g、肉末黄金瓜 200g	米饭 150g、炒西兰花 200g、炸蚕豆 30g
星期四	时菜瘦肉粥（大米 60g、时菜 50g、瘦肉 70g）	米饭 150g、清蒸鲈鱼 200g、豆豉灯笼椒 150g、咸蛋芥菜汤（30＋30）g	米饭 150g、西芹腊肉（80＋70）g、蒸鸡蛋羹 120g
星期五	奶油蛋糕 100g、煮鸡蛋 1 个、豆浆 150g	米饭 150g、清炖排骨 150g、菜花炒肉（100＋50）g、三鲜汤 80g	米饭 150g、红烧带鱼 100g、酸黄瓜 150g
星期六	鲜菇肉汤面（蘑菇 20g＋猪肉 35g＋挂面 180g）、凉拌芹菜 50g	米饭 150g、猪手花生（100＋50）g、香炒核桃玉米（40＋50）g、虾皮丝瓜汤（15＋150）g	米饭 150g、冬瓜炒肉（100＋50）g、清蒸羊肉 80g
星期日	馄饨 100g、鸡蛋 1 个、拌生菜 50g、牛奶 200g	米饭 150g、姜葱炒猪肝（猪肝 50g＋芥菜 150g）、海带丝酸辣汤 80g	米饭 150g、芋头扣肉（120＋60）g、宫保油菜 100g、金针菇汤 80g

注：在两餐中间应摄取新鲜的水果，每次以 50～100g 为准。

由于各地食物品种不同，人们饮食习惯不同，营养配餐食谱仅供参考。食物品种的调整可以根据膳食宝塔中的五大类食物为基础，在保证五大类食物的设计量满足膳食宝塔和保证各食物营养素相差不大的前提下，根据不同饮食习惯，在同类食物中进行食物品种的互换。此外，各地的同类食物是有可比性的，同类食物中的不同品种，除个别营养素外，其他营养素含量相差不是很大，因此也可以选取同类食物中的不同品种进行调整或互换。

5.4 营养调查

5.4.1 营养调查

1. 概述

所谓营养调查是运用营养科学手段来了解某一人群的膳食组成、营养素摄入的量与质以及人体的营养水平和健康状态，它是公共营养工作的主要内容和方法之一。目的是为了解居民膳食摄取状况及其与营养素供给量之间的对比情况，了解与营养状况密切相关的居民体质和健康状态，及时发现人群的营养问题，为研究营养政策提供基础依据，也可以用作某些综合性或专题性科学研究等。

国民营养与健康状况是反映一个国家或地区经济与社会发展、卫生保健水平和人口素质的重要指标。良好的营养和健康状况既是社会经济发展的基础，也是社会经济发展的重要目标。世界上许多国家，尤其是发达国家均定期开展国民营养与健康状况调查，及时颁布调查结果，并据此制定和评价相应的社会发展政策，以改善国民营养和健康状况，促进社会经济的协调发展。

我国分别于1959年、1982年、1992年和2002年进行过四次全国营养调查；1959年、1979年和1991年分别开展过三次全国高血压流行病学调查；1984年和1996年分别开展过两次糖尿病抽样调查。尤其是近些年，我国社会经济得到了快速发展，这既为消除营养缺乏和改善居民健康提供了物质经济基础，同时它也导致了膳食结构、生活方式和疾病谱的变化。为及时了解居民的膳食结构、营养和健康状况及其变化规律，揭示社会经济发展对居民营养和健康状况的影响，为国家制定相关政策、引导农业及食品产业发展、指导居民采纳健康生活方式提供科学依据，我国于2002年在全国范围内开展了“第四次中国居民营养与健康状况调查”，并于2004年10月公布了调查结果。上述调查对于了解我国城乡居民膳食结构和营养水平及其相关慢性疾病的流行病学特点及变化规律，评价城乡居民营养与健康水平，制定相关政策和疾病防治措施发挥了积极的作用。

2. 营养调查的内容和对象

（1）营养调查内容　通常包括：① 膳食调查；② 人体营养水平的生化检验；③ 营养不足和缺乏的临床检查；④ 人体测量与体格检查。在此基础上对被调查的个体进行营养状况综合判定，对人群的营养条件、存在问题及改进措施进行研究分析。

膳食调查：通过实际调查，计算每人每日从膳食中平均摄取的营养素量，这是营养调查工作的一个基本组成部分，目的是要了解在一定时期内调查对象通过膳食所摄取的热能和各种营养素的数量及质量，从而评价正常营养需要能得到满足的程度。

人体营养水平的生化检验：通常借助于生化检验的实验方法，测定人体内务种营养素水平，这对于早期发现营养不良的亚临床表现和轻度营养过多症有特殊意义，以便及时采取必要的预防措施。

体格检查：即进行人体测量以了解生长发育状况，这在儿童期尤为重要。此外，还可应用临床检查手段，评价是否存在营养缺乏或过量。它包括人体测量和营养缺乏病的临床检查。在营养调查基础上对被调查者个体进行营养状况的综合判定和对人群营养条件、问题、改进措施进行研究分析。

（2）调查对象　除另有特殊要求外，应包括调查范围内的全体居民。也可以按居民地址、职业、性别、年龄、经济生活水平、就餐方式等按比例分层抽取一定数量的个体作为样本，一般为同类人群的10%以上，至少不能少于20人；调查应在调查年份的每个季节各进行一次，至少要在夏秋和冬春进行两次调查以反映季节特点，每次膳食调查应不少于4天，其中不应包含节假日，周末可有可无。

为了全面深入地了解某一人群的营养状况，营养调查最好要全面，但在人力物力有限时，选做其中1～2项也可得到有一定参考价值的结果。中国居民营养与健康状况调查采用多阶段分层整群随机抽样方法，通过样本估计总体。

5.4.2 膳食调查的目的和方法

膳食调查是营养调查的一个基本组成部分，即通过调查了解不同地区、不同生活条件下某人群或某个人的饮食习惯，了解一个人平均每天所吃各种食物的数量，计算每人每天由食物中摄取的各种营养素的平均量，每日膳食构成的优缺点，并与营养素供给量标准进行比较。从而评价膳食质量能否满足人体需要，了解存在的主要问题，研究其对于人民健康的影响。根据目前营养学知识和体格测量、临床体征检查和营养状况的实验室检验等结果，评定其膳食对人体的生长发育的影响，从而了解膳食计划、食物调配和烹调中存在的问题，改善饮食的调配，并为国家食物的计划生产和改进人民营养状况提供科学依据。简单地说，其目的是了解在一定时间内调查对象通过膳食所摄取的热能和各种营养素的数量和质量，借此来评定正常营养需要能得到满足的程度。

1. 膳食调查的内容

膳食调查主要包括：① 调查期间每人每日所吃的食物品种、数量，这是膳食调查最基本的资料；② 了解烹调加工方法对维生素存留的影响等；③ 注意饮食制度，餐次分配是否合理；④ 过去的膳食情况、饮食习惯等，以及调查对象生理状况，是否有慢性病影响等。

2. 膳食调查的方法

根据具体情况可采用记账法，称重法、24h回顾法（也称询问法，dietary inquiry methods）、膳食史法及熟食采样分析法等方法。营养工作者必须选择一个能正确反映个体或人群当时食物摄入量的方法。必要时可并用两种方法。

调查日数一般为5～7日，其中不包括节日。若居民有星期日吃得较好的习惯则应包括星期日在内的7天调查。调查的日数也随膳食管理方法及调查方法而定。如在包伙制的机构（托幼机构）可用记账法进行调查，调查日数可长达一个月到半年；应用询问法可以对儿童一个月内的膳食情况作出比较准确的估计；为研究癌症患者不同膳食组分（如脂肪、膳食纤维等）作为不同部位的癌肿的危险因子时则常用膳食史的方法，调查期可长达数年。

3. 膳食调查的计算和步骤

第一步，膳食资料的收集与整理。

（1）查账法（也叫记账法），这种方法适用于伙食账目清楚的集体伙食单位，便于调查较长时间的膳食情况，具体做法是记录被调查单位各种食物消耗量，为期一个月，并仔细统计每日吃饭人数，以求出平均每人每日各种食物消耗量。

（2）称重法（也叫称量法），是将某一膳食单位（集体食堂、家庭或个人）每日每餐各种食物消耗的数量都分别加以称量记录。一般烹调以前的生重、烹调后的熟重和剩余的熟食量须称量记录并求出生熟比例，然后将一天各餐的结果相加取得一日的各种食物消耗量。各种食物须经分类综合，然后求得每人每日食物的平均消耗量（参用表 5 – 13 及表 5 – 14）。

表 5 – 13　食物消耗量登记表

日期	餐别	品名	总质量/kg	可食量/kg	熟后量/kg	剩余量/kg	净食量/kg	备注

表 5 – 14　食物量计算表

类别	品名	每日每种食品共计/kg							总计/kg	每人每日消耗食品净质量/kg
		1	2	3	4	5	6	7		

第二步，资料的计算。以上方法取得的原始资料按食物成分麦计算出每种食物所供给的能量和各种营养素。记账法可按 1kg 食品计算，称重法按 100g 食物计算，所求得的总量即为调查期间该人群（或个人）平均每人每日热能和各种营养素摄入量（参用表 5 – 15）。

表 5 – 15　食物量计算表

食物名称	质量—g	蛋白质—g	脂肪—g	糖类—g	热量—kcal	钙—mg	磷—mg	铁—mg	维生素A（IU）	胡萝卜素—mg	硫胺素—mg	核黄素—mg	尼克酸—mg	维生素C—mg	粗纤维—g
总计															

第三步，计算膳食中各类食物的质量及百分比。三大营养素的热能比及热能的三餐分配，蛋白质的食物来源分配（参用表 5 – 16 及表 5 – 17）。

表 5－16　膳食成分、热能及蛋白质来源分配

项目		总数	谷类	豆类及豆制品	叶类菜	根茎类	瓜果类	肉类	鱼类	乳类	蛋类	植物油	纯糖	其他
膳食成分	质量/g													
	百分比/%													
热能来源	质量/g													
	百分比/%													
蛋白质来源	质量/g													
	百分比/%													

表 5－17　每人每日所得三大营养素发热量及其热能比

类别	摄入量/g	所产热量/kcal	热能比
蛋白质			
脂肪			
糖类			
合计			

第四步，评价。膳食调查的结果可以与我国 2004 年颁布的营养素参考供给量标准进行比较。如果某种营养素的供给量长期低于标准的 90%，则往往可能有营养不足症发生；如长期低于标准的 70% 则有发生营养缺乏病的可能。

无论采用哪一种膳食调查方法，都必须将所得结果与推荐的供给量标准进行比较，同时要分析能量和营养素的来源和组成比例，这样才能对膳食质量做出全面正确的评价。

（1）摄入量的评价　将被调查人的每日平均能量和各种营养素的摄入量与推荐的供给量相比较，从而评估其膳食在数量方面满足人体需要的程度。能量摄入达到推荐供给量的 90% 以亡者为正常，少于 90% 者为不足，少于 80% 者为严重不足。其他各种营养素的摄入达到推荐供给量的 80% 以上者为正常。

（2）能量来源的评价　人体需要的能量来自三大产能物质：糖类、脂肪和蛋白质，三者

在膳食中应有恰当的比例。膳食中合理的能量来源比例是：糖类占 60% ~70%；脂肪占 15% ~25%，不宜超过 30%；蛋白质占 10% ~15%。

（3）蛋白质和脂肪来源的评价　膳食中的蛋白质包括动物蛋白质和植物蛋白质。动物蛋白质和黄豆及其制品中的蛋白质属于优质蛋白质，二者应占总蛋白质摄入量的 30%。膳食脂肪主要包括动物脂肪和植物油。动物脂肪（除鱼油外）含较多的胆固醇，应避免过多摄入。

（4）膳食结构的评价　将每人每日平均摄入的食物种类和数量与中国营养学会提出的“平衡膳食宝塔”中所列的各类食物及其合理摄入量范围进行比较，从而判断所安排的膳食组成是否平衡。

4. 调查方法的评述

（1）称重法（或称量法）　可以应用于集体食堂、家庭以及个人的膳食调查。调查期间调查对象在食堂或家庭以外吃的零食或添加的菜等资料，均需根据不同的调查对象采用不同方法来获取。该方法较为精确，可调查出每日膳食的变动情况和三餐食物的分配情况。虽然结果准确，但所费人力大，不适合于大规模的个体调查工作（如肿瘤流行病学调查）。

（2）记账法适用于有详细账目集体单位的膳食调查　根据该单位每日购买食物的发票和账目，出勤人数的记录，得到在一定期限内的各种食物消耗总量和就餐者的人口数（一个人一天吃早午晚三餐时算一个人日），从而计算出平均每人每日的食物消耗量。此方法在账目精确和每餐用膳人数统计确实的情况下相当准确，并可调查较长时期的膳食状况，适用于全年四个季度的调查，调查的手续较简便，所费的人力少，且易于为膳食管理人员掌握，使调查单位能定期地自行调查计算，作为改进膳食质量的参考。

（3）询问法　在客观条件限制不能进行记账法或称重法时，应用询问法也能对个体的食物消耗量得到初步的了解。它是通过问答方式由调查单位或对象提供每一个 24h 内的膳食组成情况，由此估计其摄入的能量和各种营养素。此法比较简单易行，但结果不十分准确。

（4）化学分析法　是将调查对象一日中进食的熟食和无需烹调的蔬菜水果收集齐全，在实验室中进行营养成分分析，测定具中热能和各种营养素含量的方法。该法结果精确，但手续复杂，并需有专业人员和仪器设备才能完成，除非特殊需要精确测定时才采用。

5. 膳食调查的注意事项

（1）膳食调查研究是一项群众性工作，必须要有群众的合作才能很好地完成。调查者必须得到集体单位的领导、托幼机构的保健员、家长及炊事员充分的协作才能得到可靠的资料。因此调查前一般要通过当地卫生行政部门和居民委员会的介绍联系调查单位；调查者应当详细说明调查目的和方法，并了解当时市场上主要食物的供应情况和当地居民一般的生活和饮食习惯。

(2)调查工作目的在于为下一步的膳食改善提出依据 因此，在调查过程中要关心群众，尽可能不要影响群众的工作和生活，要注意从实际出发，同时必须仔细考虑在具体条件下如何抓住主要问题。

(3)调查者应注意填写调查表格时字迹要清楚，一律用钢笔或圆珠笔，计算结果均要复核一次并签写调查者的姓名。

(4)结合调查及时宣传普及卫生知识 工作结束离开时要有交代。

5.4.3 居民营养状况评价

对居民营养水平进行评价的意义在于:发现膳食中存在的问题，为改善人们营养状况、设计合理膳食方案提供依据;为诊断、治疗和预防营养失调所引起的疾病提供依据;为制定各地区的营养素供给量标准或修订全国的营养素供给量标准提供依据。

1. 膳食调查的评价

膳食调查通常采用记账法、称重法、询问法及化学分析法等，进行1日、3日、5日或7日人群膳食调查。通过对某地区某人群某段时间内的膳食情况进行调查，详细记录调查期间所消耗的各种食物总量和用餐人次及其特征，利用食物成分表，计算出每人每日热能和各种营养素的平均摄取量，与国家制订的营养参考摄入量标准比较，从而评价该人群热能和各种营养素的平均摄入量是否达到摄入量标准，质量是否符合要求，三大产热营养素的比例是否合适等。此外，还应同时对饮食习惯、加工烹调方法、炊事人员的卫生习惯等进行调查。

2. 人体营养水平的生化检验

通常借助生化检验的实验方法，测定人体内各种营养素水平，这对于早期发现营养不良的亚临床表现和轻度营养过多症有特殊意义，以便及时采取必要的预防措施。人体营养状况常用生化指标及参考数值见表5-18。

3. 营养不足或缺乏的临床检查

本项检查的目的是根据症状和体征判定营养不足症和缺乏症。其检查项目、症状、体征与营养素的关系见表5-19。

由于营养缺乏病的症状和体征大多不具特异性，有些非营养性疾病也可出现类似的症状和体征。因此必须结合膳食调查和生化检验的结果，才能判断所发现的症状和体征是否是由于缺乏某种或某几种营养素所致。

表 5－18　人体营养状况常用生化指标及参考数值

指标	年龄	缺乏	不足	正常
血清总蛋白/(g·L^{-1})	0～11 月		<50	≥50
	1～5 岁		<55	≥55
	6～7 岁		<60	≥60
	成年	<60	60～64	≥65
血红蛋白/(g·L^{-1})	6 月～5 岁	<110		≥110
	6 月～14 岁	<120		≥120
	成年男子	<130		≥130
	成年女子	<120		≥120
血清运铁蛋白/(g·L^{-1})	1～5 岁			2.5
血浆维生素 A/(μmol·L^{-1})	儿童	<0.68	0.68～1.0	≥1.0
	成年	<0.34	0.34～0.65	≥0.68
空腹尿硫胺素 [μg·(g 肌酐)$^{-1}$]	成年	<27	27～69	≥70
空腹尿核黄素 [μg·(g 肌酐)$^{-1}$]	成年	<27	27～79	≥80
空腹尿甲基烟酰胺 [μg·(g 肌酐)$^{-1}$]	成年	<0.5	0.5～1.59	1.6～4.3
负荷尿硫胺素/μg (口服 5mg/4h)	成年	<100	100～199	200～399
负荷尿核黄素/μg (口服 5mg/4h)	成年	<400	400～799	800～1300
负荷尿总抗坏血酸/mg (口服 5mg/4h)	成年		<5	5～13
还原性抗坏血酸	成年		<3	3～10
血清钙[mg·(100g)$^{-1}$]				9～11
血清胆固醇[mg·(100g)$^{-1}$]				<250
血清甘油三酯 [mg·(100g)$^{-1}$]				<110

表 5－19　　营养缺乏症临床所见

部位	体征症状	缺乏营养素	部位	体征症状	缺乏营养素
全身	消瘦、发育不良	热能、蛋白质、维生素、锌	口腔	舌炎、舌猩红、舍肉红、地图舌	维生素 PP、维生素 B_2、维生素 B_{12}
	贫血	蛋白质、铁、叶酸、维生素 B_{12}、维生素 B_6、维生素 C		舌水肿(牙咬痕可见)	维生素 B_2、维生素 PP
皮肤	毛囊角化症	维生素 A		口内炎	维生素 PP、维生素 B_2、维生素 B_{12}
	皮炎(红斑摩擦诊)	维生素 PP，其他		牙龈炎、出血	维生素 C
	溢脂性皮炎	维生素 B_2	骨	鸡胸、串珠胸、O 形腿、X 形腿、骨软化症	维生素 D、维生素 C
	出血	维生素 C、维生素 K	神经	多发性神经炎、球后神经炎	维生素 B_1
眼	角膜干燥、夜盲	维生素 A		神经病	维生素 B_1、维生素 PP
	角膜、边缘充血	维生素 B_2		中枢神经系统失调	维生素 B_{12}、维生素 B_6
	睑缘炎	维生素 B_2、维生素 A	循环	水肿	维生素 B_1、蛋白质
	羞明	维生素 B_2		右心肥大、舒张压下降	维生素 B_1
唇	口唇炎	维生素 B_2、维生素 PP	其他	甲状腺肿	碘
	口角炎				
	口角裂				

4. 人体测量与体格检查通常测定身高、体重、皮褶厚度

利用人体测量结果同人体正常值作比较，进行营养状况评价，可以较好地反应其营养状况。

从身体形态和人体测量资料中可以较好地反映营养状况，但不同年龄组选用指标不同，其指标可参见表 5－20。

表 5-20　　营养调查可用的人体调查项目

年龄(岁)	现场适用	深入调查
0～	体重、身高	背高(背卧位所测"坐高")、头围、胸围、骨盆径、皮褶厚(三头肌、肩胛下、腹部)
1～	体重、身高、皮褶厚(三头肌)、上臂围	坐高(3岁以下为背高)、头围、胸围、骨盆径、皮褶厚(三头肌、肩胛下、腹部)、小腿围、手腕X-线(前后方向)
5～20	体重、身高、皮褶厚(三头肌)	坐高、骨盆径、两肩峰距、皮褶厚、上臂围、小腿围、手腕一线
20以上	体重、身高、皮褶厚、上臂围、小腿围(三头肌)	

(1)体重、身高　这是人体测量资料中最基础的数据，能比较确切地反映人体的营养状况。由于身高和体重除受营养因素影响外，还受遗传、种族、地理环境、生活习惯等多方面因素影响，因此在评价测量结果时需要有一个参考值，通常称为参考体重或标准体重。

参考体重或标准体重是按公式计算出的，国外多用Broca公式，国内通常选用Broca改良公式和平田公式：

Broca公式　　参考体重(kg)=身高(cm)-100

Broca改良公式　　参考体重(kg)=身高(cm)-105

平田公式　　参考体重(k8)=[身高(cm)-100]×0.9

体重大于参考值10%～20%为过重，大于参考值20%以上为肥胖；小于参考值10%～20%为消瘦，小于参考值20%以上为严重消瘦。近些年来还常用身体质量指数(body mass index, BMI)来衡量体重是否适宜，身体质量指数是以体重(kg)/[身高(m)]^{2}公式表示。成人男性BMI大于25为肥胖，BMI介于20～25为正常，BMI小于20为消瘦；成年女性肥胖、正常和消瘦的BMI值分别为大于24，介于19～24之间，小于19。

(2)上臂围与皮褶厚度

上臂围与皮褶厚度也可反映人体的营养状况及身体脂肪含置。上臂围是一般量取左上臂自肩峰至鹰嘴连线中点的臂围长。我国儿童1～5岁上臂围13.5cm以上、12.5～13.5cm、12.5cm以下分别为营养良好、中等和不良。皮褶厚度主要表示皮下脂肪厚度，WHO推荐选用肩胛下。三头肌和脐旁三个测量点。男性皮褶厚度小于10mm为消瘦，皮褶厚度介于10～40mm为中等，皮褶厚度大于40mm为肥胖；女性皮褶厚度小于20mm为消瘦，皮褶厚度介于20～50mm为中等，皮褶厚度大于50mm为肥胖。

综合以上营养调查的各项结果进行分析，从而对调查人群的营养问题做出正确评价，并就调查中发现的问题提出合理化建议，指导居民做到平衡膳食，合理营养。

总之，通过营养调查结果可分析评价下列问题：

① 居民膳食营养素摄取量 食物组成结构与来源;食物资源生产加工及供应分配状况;就餐的方式和习惯等。

② 居民营养状况与发育状况 营养缺乏与营养过剩的种类、发病率、原因和发展趋势;应采取的控制措施等。

③ 营养方面一些值得注意和重视的问题 如动物性食品过多所致的过营养、肥胖症、心血管系统疾病，精米面引起的维生素 B_1 不足，方便食品和快餐食品及滥肆强化或其他不良食品的影响等。

④ 第二代发育趋势及原因分析。

⑤ 各种人群中有倾向性的营养失调趋势。

⑥ 全国或地区特有的营养问题解决情况，经验与问题 如优质蛋白、维生素 B_2、维生素 A 不足问题;个别人群贫血问题;个别地区烟酸缺乏与维生素 C 不足问题;地方病、原因不明疾病与营养问题等。

第6章　食品营养保健与食物新资源的开发利用

6.1 食品的营养强化

6.1.1 食品营养强化的概念

为了弥补天然食品的营养缺陷及补充食品在加工、贮藏中营养素的损失，适应不同人群的生理需要和职业需要，世界上许多国家对有关食品采取了营养强化。所谓食品的营养强化就是根据各类人群的营养需要，在食品中人工添加一种或几种营养强化剂以提高食品营养价值的过程，添加营养强化剂后的食品称为强化食品，某些营养素或富含这些营养素的原料称为营养强化剂。

营养强化剂可以是天然的，也可以是人工合成的，国内外经常使用的营养强化剂有维生素 B_1、维生素 B_2、维生素 A、维生素 D、铁、钙、锌、碘等。此外，在发展中国家为了提高民众的营养水平也使用大豆粉、鱼粉、骨粉、谷胚、大豆蛋白等天然原料作为营养强化剂。被强化的食品称为载体，载体一般选用食用范围广、消费量大、适合工艺处理、易于保存运输的食品，如米、面粉、面条、面包等主食，乳制品，儿童食品，老年食品，饮料，罐头，酱油和食盐等。

食品强化是一项涉及面广、影响深、有提高人们和后代体质意义的社会营养措施。某种强化食品作为一种商品，一旦在社会上流通，任人食用，摄取者由此而产生的膳食营养平衡情况及综合的营养效应等诸多方面的问题，都不是强化食品研制者和生产经营者所能控制的，因此强化食品在各国都有一定的法律与法规进行监控。如我国已强制性实行全民食用碘强化食盐，若儿童再食用其他的碘强化食品，势必造成该微量元素对机体的毒副作用。

1. 食品的营养强化的目的

（1）弥补某些食品天然营养成分的缺陷，如向谷类制品中添加必需氨基酸，向奶类制品中强化维生素 D 等。

（2）补充食品加工中损失的营养素，如向精白米面中强化 B 族维生素、钙、铁、锌。

（3）使某种食品达到特定目的的营养需要，如用牛奶制作母乳化奶粉、调制宇航食品和病人用素膳等。

(4) 强调维生素强化，如给极地探险或寒地定居者食品中强化维生素C等。

2. 食品的营养强化的要求

食品的营养强化可以改善食品的质量，提高其营养价值，但必须符合一定的原则，当要强化一种食品时，通常应满足以下要求。

(1) 目的明确，针对性强　进行食品营养素强化之前，首先要清楚强化食品的食用对象和强化目的，也就是食用对象的营养状况，摄食食品的种类和习惯，哪些营养素缺乏，为什么缺乏。在此基础上选择适当的营养强化剂进行强化。如目前我国城市中一部分居民经常食精白米、面，将导致维生素 B_1 的不足，则应考虑在米、面中强化维生素 B_1；而婴幼儿、乳母食品中应考虑强化钙和维生素D，老年食品也应适量强化钙等营养素。

(2) 符合营养学原理　使强化后食品所含各营养素的比例平衡，适合人体所需，如氨基酸平衡、产热营养素平衡、微量元素和维生素的平衡，既能满足人体需要，又不造成浪费。

(3) 确保强化食品的食用安全性和营养有效性　营养强化剂大多数是人工合成的化学物质，因此其质量、纯度必须符合食品卫生有关规定。此外，营养强化剂与一般的食品添加剂在使用上有原则的区别，食品添加剂在食品卫生上只要求对人体无害，因此只需规定使用量的上限即可，而营养强化剂除了要求对人体无害外，还要有一定的营养效应，所以对它的使用量要求既规定上限还要规定下限。添加量一般以相当对象正常供给量的1/3至供给量为宜，各国均制定有营养强化剂的使用标准。

(4) 保持食品原有的风味和感官性状　各种营养强化剂都有其自身的色、香、味和感官性状，有些甚至具有不良的风味，如鱼肝油有较浓的鱼腥味，维生素C酸涩味强，有些铁强化剂有红褐色和铁锈味，人们难以接受。用这些强化剂强化食品时，如果食品载体选择不当，则会损害食品原有的风味和感官质量，但如果食品载体选择恰当，可大大提高食品的质量，如用β-胡萝卜素对黄油、奶油、干酪、冰淇淋、糖果、果汁饮料进行强化，用维生素C对果汁饮料、肉制品进行强化，不但可增加上述食品的营养，而且大大改善感官质量。

(5) 稳定性高，价格合理　食品强化剂如同其他食品成分一样，受温度、光照、氧气等的影响而发生变化，一部分强化剂被破坏，降低强化效果。因而需要考虑改进加工工艺和强化剂本身的稳定性，如用抗坏血酸磷酸酯代替抗坏血酸，用硫胺素二月桂硫酸盐等代替硫胺素，用维生素A棕榈酸酯代替维生素A都取得了良好的效果。

3. 食品营养强化应遵循的几个原则

(1) 必须遵照我国《食品营养强化剂使用卫生标准》(GB14880-94)规定的强化量和强化范围进行，使用的营养强化剂须经国家法定部门审定、批准，质量可靠，卫生安全。

(2) 载体食物的消费覆盖面越大越好(特别是营养素缺乏最普遍的农村和贫困人群)，而且这种食物应该是工业化生产的。

(3) 强化的营养素和强化工艺应该是成本低和技术简便。

(4) 在进一步烹调加工、贮藏及货架期内营养素应具有较高的稳定性，不发生明显损失。

(5) 注意各种营养素之间的平衡，防止由于食品强化而造成营养摄入的不平衡。

(6) 载体食物的消费量应该比较稳定，以便能比较准确计算营养素添加量。

(7) 加入食品的营养强化剂应具有相应的检测方法，对其实际含量进行测定。

4. 我国营养强化食品发展状况

20 世纪 50 年代初，营养工作者研制了一种以大豆、大米为主要原料，同时强化动物骨粉、维生素 A、维生素 D 及核黄素小米等营养素，制成了当时命名的“5410”代乳糕，喂养缺乳婴儿，取得了明显的效果，至此，开创了我国食品营养强化的先例。随后的 80 ~ 90 年，我国的营养强化食品主要是婴幼儿食品中的米粉类、加钙饼干、维生素面包，但产量很低。

随着我国经济的迅速发展，人民生活条件及消费水平也有较大提高，强化食品不像以前那样品种单调，而是品种逐渐增多。特别是食盐中加碘已立法，市场上非碘盐将受到有关部门的查处。以奶制品为载体，投放市场的各年龄营养奶粉、乳及乳饮料比前些年翻了几番。市场上也出现在面制品、饮料中强化营养素，特别是市场上出现了越来越多的营养素补充剂。据统计，至 1999 年 6 月底经卫生部评审委员会批准的营养素补充剂已达 93 种，其中钙就有 80 种，占 80% 以上。但价格偏高，作为经常补充的营养素，绝大多数中、低收入者是补不起的，仅适用于特殊的人群。有报道，1998 年全国钙制剂的消费量达 100 亿元，可见这种营养素补充剂在人口众多的中国市场很有潜力。

5. 我国食品营养强化市场存在的一些问题

总的看来，我国的强化食品除了在克山病地区用硒盐预防克山病和某些大城市较普遍地用维生素 A 和维生素 D 强化鲜牛奶以及全国强制性地推广碘盐以外，整个食品强化工业仍处于初级阶段。国家没有一定的政策，企业缺乏明确的目标。市场上营养强化食品的种类和数量还很少，在质量方面也还存在不少问题。除婴幼儿配方食品比较规范化和质量比较有保证外，其他强化食品大都以赢利为目的，达不到改善营养的效果。

6.1.2 食品营养强化的管理

有的国家已把营养强化列入法律，明确规定营养强化剂的化学形式，各种食品中的强化剂用量，对营养强化剂的品种及数量以及作为营养强化剂的卫生标准等等均作了较为严格的规定。

1986 年 11 月 14 日，我国卫生部首次公布了《食品营养强化剂使用卫生标准(试行)》和《食品营养强化剂卫生管理办法》，可作为强化的营养素有 11 种；1994 年 6 月 8 日，发布实施《食品营养强化剂使用卫生标准》(GBl4880 - 94)，1996 - 1999 年又进行了补充，至此，明确规定了可作为强化的营养素共 96 种(维生素 26 种，矿物元素 62 种，氨基酸 3 种，必需脂肪酸 2 种，核苷酸 3 种)，并进一步规定使用范围、添加量及卫生标准的实施细则。1989 年 3 月 31 日国家技术监督局批准并发布了婴幼儿食品标准(GBl0765 - 10780 - 89)，其中规定了几种营养强化食品配方作为国家标准。为了与国际接轨，1997 年 5 月 28 日进行修订，1998 年 9 月 1 日实施。

1. 食品营养强化剂卫生管理办法

(1986 年 11 月 14 日卫生部发布)

第一条　根据《中华人民共和国食品卫生法(试行)》第八条“食品不得加入药物。按照传统既是食品又是药品的以及作为调料或者食品强化剂加入的除外。”的规定，为加强对食品营养强化剂的卫生管理，防止食品污染，保证食品卫生质量，保证人民身体健康，特制订本办法。

第二条 食品营养强化剂是指为增强营养成分而加入食品中的天然的或者人工合成的属于天然营养素范围的食品添加剂。

第三条 生产食品营养强化剂的工厂，须经省、市、自治区的产品主管部门，卫生部门及有关部门批准。按规定的质量标准进行生产，并逐批检验，合格后方许出厂，商业部门加强验收，食品卫生监督机构加强监督检查，未经批准的单位，不得生产食品营养强化剂，必需氨基酸不能以小包装形式出售。

第四条 食品加工，经管部门使用食品营养强化剂，必须符合《食品营养强化剂使用卫生标准》中规定的品种、管理和使用剂量，食品卫生监督机构对违反者应根据《中华人民共和国食品卫生法(试行)》的有关规定给予处理。

第五条 使用食品营养强化剂的工艺要合理，不得影响强化剂的性质。成品在保存期内，其含量应不低于使用卫生标准中所规定的使用量。

第六条 凡经营养强化的食品在包装上必须写明:"营养强化食品"字样，并标明生产厂名、生产日期、强化品种、强化剂量、使用对象、食用方法、食用量和保存期限，不得夸大宣传。

第七条 生产和使用新的食品营养强化剂时，应由生产和使用单位及其主管部门提出生产工艺、理化性质、质量标准、毒性试验结果、营养学评价、使用效果、食品使用范围和使用量等有关资料。省、市、自治区的食品卫生监督机构提出意见，报经归口单位——卫生部食品卫生监督检验所审理后，报卫生部审核批准。主管部门制定强化剂质量标准，具有卫生学意义的指标须经卫生部同意。没有食用级质量标准的品种可暂以药典标准为依据。

第八条 婴儿食品的强化，按卫生部颁布的或许可的婴儿食品营养及卫生标准规定执行。

第九条 从国外进口的食品营养强化剂或使用食品营养强化剂的食品，必须符合本办法和进口食品卫生管理办法规定。

第十条 出口食品营养强化剂和经食品强化剂强化的食品，可根据双方签订的合同要求安排生产。转内销不符合本标准者，由食品卫生监督机构会同当地有关部门研究处理。

第十一条 食品卫生监督机构有权向生产、销售等有关单位无偿抽取检验所需的食品营养强化剂或使用食品营养强化剂的食品，并给予正式收据。

2. 食品营养强化剂使用卫生标准

(1) 主题内容与适用范围

本标准规定了食品强化营养素的使用范围及使用量。

标准适用于为增加营养价值而加入食品中的天然或人工的营养素。

(2) 引用标准

GB 7718 食品标签通用标准

GB 13432 特殊营养食品标签

(3) 食品营养强化剂使用卫生标准

表 6－1　　　　　　　　　　　**食品营养强化剂使用卫生标准**

种类	品种	使用范围	每千克使用量	备注
氨基酸及含氮化合物	L－盐酸赖氨酸	加工面包、饼干面条的面粉	1～2g	1. 谷类及其制品也可按量添加 2. 如用 L－赖氨酸天冬氨基酸盐，须经折算
	牛硫磺	饮液	0.3～0.8g	
		乳制品、婴幼儿食品及谷类制品	0.3～0.5g	
		饮液、乳饮料	0.1～0.5g	
维生素类	维生素 A(视黄醇或醋酸视黄酯或棕榈酸视黄醇)	芝麻油、色拉油、人造奶油	4000～8000μg	1. 维生素 A 添加量均以视黄醇当量计算 2. 1μg 视黄醇当量＝1μg 视黄醇＝3.33IU 维生素 A 3. 如用 β－胡萝卜素强化可折成维生素 A 来表示 4. 1μgβ－胡萝卜素＝0.167μg 视黄醇
		婴幼儿食品、乳制品	3000～9000μg	
		乳及乳饮料	600～1000μg	
	维生素 D 维生素 D_2(麦角钙化醇)或维生素 D_3(胆钙化醇)	乳及乳制品 人造奶油 乳制品 婴幼儿食品	10～40μg 125～156μg 63～125μg 50～100μg	1μg 维生素 D＝40IU 维生素 D
	维生素 E(d－α－生育酚)	芝麻油、人造奶油、色拉油、乳制品	100～180mg	1. 如用 dl－α－生育酚、d－α－醋酸生育酚或 dl－α－醋酸生育酚强化须经折算 2. 1mg 维生素 E＝1IU 维生素 E
		婴幼儿食品 乳饮料	40～70mg 10～20mg	
	维生素 B_1(盐本硫胺素)	谷类及其制品 饮液、乳饮料 婴幼儿食品	3～5mg 1～2mg 4～8mg	1. 如固体饮料，则需按稀释倍数增加使用量 2. 如用硝酸硫胺素强化。须经折算
	维生素 B_2(核黄素)	谷类及其制品 饮液、乳饮料 婴幼儿食品 食盐	3～5mg 1～2mg 4～8mg 100～150mg	1. 如固体饮料，则需按稀释倍数增加使用量 2. 如用核黄素衍生物强化，须经折算

续表

维生素类	维生素 C(L－抗坏血酸)	果泥 饮液及乳饮料 水果罐头 夹心硬糖 婴幼儿食品	50～100mg 120～240mg 200～400mg 2000～6000mg 300～500mg	1. 如用维生素 C 磷酸酯镁、抗坏血酸钠盐、抗坏血酸钾盐、抗坏血酸－6－棕榈酸盐强化，须经折算 2. 如固体饮料，则需按稀释倍数增加使用量
		高铁谷类及其制品(每天限食这类食品50g)	800～1000mg	
	烟酸或烟酰胺	谷类及其制品 婴幼儿食品 饮液及乳饮料 40～50mg	40～50mg 30～40mg 10～40mg	—
	维生素 B_6(盐酸吡哆醇或5′－磷酸吡哆醇)	婴幼儿食品 饮液	3～4mg 1～2mg	—
	维生素 B_{12}(氰钴胺或羟钴胺)	婴幼儿食品 饮液	10～30μg 2～6μg	—
	维生素 K(植物甲萘醌)	婴幼儿食品	420～750μg	—
	胆碱	婴幼儿食品 饮液	380～700mg 50～100mg	—
	肌醇	婴幼儿食品 饮液	210～250mg 25～30mg	—
	叶酸	婴幼儿食品 孕妇、乳母专用食品	380～700μg 2000～4000μg	—
	泛酸	婴幼儿食品 饮液	15～28mg 2～4mg	—
	生物素	婴幼儿食品 饮液	0.10～0.40mg 0.02～0.08mg	—

续表

矿物质	硫酸亚铁(铁)	类谷类及其制品	120～240mg	1. 以元素铁计强化量： 谷类及其制品 24～48mg/kg，饮料 10～20mg/kg，夹心糖 600～1200mg/kg 2. 各种铁盐中铁元素含量： 硫酸亚铁(含 7 个结晶水)20%，乳酸亚铁(含 3 个结晶水)19.39%，柠檬酸铁(含 5 个结晶水)16.67%，富马酸亚铁 32.9%，葡萄糖酸亚铁 12%，柠檬酸铁铵 16% 3. 铁源也可采用猪血中提取的血红素铁计 4. 其他铁盐如碳酸亚铁、柠檬酸亚铁、延胡索酸亚铁、琥珀酸亚铁、还原铁、电解铁也都可用，强化时以元素铁计。
		饮料	50～100mg	
		乳制品、婴幼儿食品	300～500mg	
		高铁谷类及其制品(每日限食这类食品 50g)	860～960mg	
		食盐、夹心糖	4800～6000mg	
	葡糖糖酸亚铁(铁)	谷类及其制品 饮料	200～400mg 80～160mg	
		乳制品、婴幼儿食品	400～800mg	
		高铁谷类及其制品(每日限食这类食品 50g)	1400～1600mg	
		食盐、夹心糖	4800～6000mg	
	柠檬酸铁(铁)	谷类及其制品 饮料	150～290mg 60～120mg	
	柠檬酸铁(铁)	乳制品、婴幼儿食品	360～600mg	
		高铁谷类及其制品(每日限食这类食品 50g)	1000～1200mg	
		食盐、夹心糖	3600～7200mg	
	富马酸亚铁(铁)	谷类及其制品 饮料	70～150mg 30～60mg	
		乳制品、婴幼儿食品	180～300mg	
		高铁谷类及其制品(每日限食这类食品 50g)	520～580mg	
		食盐、夹心糖	1800～3600mg	

续表

矿物质	柠檬酸铁铵(铁)	谷类及其制品 饮料	160～330mg 70～140mg	
		乳制品、婴幼儿食品	400～800mg	
		高铁谷类及其制品(每日限食这类食品50g)	1200～1350mg	
		食盐、夹心糖	4000～8000mg	
	柠檬酸铁(钙)	谷类及其制品 饮液及乳饮料	8～16g 1.8～3.6g	1. 以元素钙计强化量：饮液及乳饮料0.6～0.8g/kg，谷类及其制品1.6～3.2g/kg，婴幼儿食品3.0～6.0g/kg 2. 各种钙盐中钙元素含量：葡萄糖酸钙9%，碳酸钙40%，磷酸氢钙(含2个结晶水)23%，磷酸氢钙(含5个结晶水)17.7%，柠檬酸钙(含4个结晶水)21%，乳酸钙13%，乙酸钙22.2% 3. 钙源亦可采用牦牛等符合卫生标准的骨粉、蛋壳粉、活性离子钙等；其他钙盐，如氯化钙、甘油磷酸钙、氧化钙、硫酸钙等均可用，强化时以元素钙计
	葡萄糖酸钙(钙)	谷类及其制品 饮液及乳饮料	18～36g 4.5～9.0g	
	碳酸钙或生物碳酸钙(钙)	谷类及其制品 饮液及乳饮料 婴幼儿食品	4～8g 1～2g 7.5～15g	
	乳酸钙(钙)	谷类及其制品 饮液及乳饮料 婴幼儿食品	12～24g 3～6g 23～46g	
	磷酸氢钙(钙)	谷类及其制品 饮液及乳饮料 婴幼儿食品	10～20g 2.5～5g 19～38g	
	硫酸锌(锌)	乳制品	130～250mg	1. 以元素锌计强化量：饮液5～10mg/kg，谷类及其制品20～40mg/kg，乳制品30～60mg/kg，婴幼儿食品25～70mg/kg 2. 各种锌盐中锌元素含量：硫酸锌22.7%葡萄糖酸锌14%乳酸锌(含3个结晶水)22.2% 3. 还可采用氯化锌48%、氯化锌80%、乙酸锌29.8%，强化时均以元素锌计
		婴幼儿食品	113～318mg	
		饮液及乳饮料	32.5～44mg	
		谷类及其制品	80～160mg	
	葡萄糖酸锌(锌)	食盐	800～1000mg	
		乳制品	230～470mg	
		婴幼儿食品	195～545mg	
		饮液及乳饮料 谷类及其制品	40～80mg 160～320mg	
		食盐	800～1000mg	

续表

	碘化钾(碘)	食盐	30~70mg	1. 碘化钾中含碘量为76.4%，以元素碘计，碘酸钾中含量为59.63%，以元素碘计；食盐强化量20~60mg/kg 2. 婴幼儿食品强化量为250~680μg/kg
		婴幼儿食品	0.3~0.6mg	
	碘酸钾(碘)	食盐	34~100mg	
		婴幼儿食品	0.4~0.7mg	
	亚硒酸钠(硒)	食盐	7~11mg	1. 以元素硒计强化量：乳制品、谷类及其制品为140~280μg/kg，饮液及乳饮料为0~200μg/kg，食盐为3~5mg/kg 2. 用硒源作为营养强化剂必须在省级部门下指导使用 3. 亚硒酸钠中硒含量为45.7%，硒酸钠中为41.8%
		饮液及乳饮料	110~440mg	
		乳制品、谷类及其制品	300~600μg	
	富硒酵母细化卡拉胶饮液(硒)	饮液片、粒、胶囊	30μg/10mL 每片20μg、粒胶囊	
矿物质	硫酸镁(镁)	乳制品 婴幼儿食品 饮液及乳饮料	3000~7000mg 2000~5800mg 1400~2800mg	1. 以元素镁计强化量：乳制品、婴幼儿食品为300~700mg/kg 饮液为140~280mg/kg 2. 各种镁盐中镁元素含量：硫酸镁(含7个结晶水)9.9%，氯化镁(含6个结晶水)12%
	硫酸铜(铜)	乳制品 婴幼儿食品 饮液	12~16mg 7.5~10mg 4~5mg	1. 以元素铜计强化量：乳制品、婴幼儿食品配方为3~4mg/kg，饮液为1~1.25mg/kg 2. 各种铜盐中铜元素含量：碳酸铜54%，硫酸铜(5个结晶水)25.5%，无水硫酸铜39.8%
	硫酸锰(锰)	乳制品 婴幼儿配方食品 饮液	0.92~3.70mg 1.32~5.26mg 0.5~1.0mg	1. 以元素锰计强化量：乳制品、婴幼儿食品为0.3~1.2mg/kg，饮液为0.16~0.32mg/kg 2. 各种锰盐中锰元素含量：硫酸锰32.5%，氯化锰27.8%，碳酸锰47.8%

附录 食品营养强化剂使用卫生标准实施细则(补充件)

A1 本细则用语定义如下:

食品强化剂指为增强营养成分而加入食品中的天然的或人工合成的属于天然营养素范围的食品添加剂。

强化食品指按照本标准的规定加入了一定量的营养强化剂的食品。

卫生评价是根据生产工艺、理化性质、质量标准、使用效果、范围、加入量、毒理学评价及检验方法等是否符合国家标准或卫生要求而作出的综合性的安全性评价。

营养学评价 指评论食品营养素价值与人群(人体)需求之间的关系,如营养素的生物价值、调解生理功能的关系、供给量、代谢、营养平衡等。

A2 生产列入本标准中并且有国家、行业质量标准的品种,必须取得由国务院主管部门会同卫生部审查颁发定点生产许可证或由省、直辖市,自治区主管部门合同同级卫生部门审查,颁发生产许可证(或临时生产许可证),方可生产。

A3 使用食品营养强化剂必须符合本标准中规定的品种、范围和使用量。

A4 凡列入本标准的品种,在国家未颁发质量标准前,可制定地方或企业质量标准。

生产有地方或企业质量标准的食品营养强化剂,厂家必须提出申请,经该省、直辖市、自治区行政主管部门会同同级卫生行政部门审查颁发的生产许可证或临时生产许可证,未经批准的单位,不得生产食品营养强化剂。

A5 生产强化食品,必须经省、自治区、直辖市食品卫生监督检验机构批准才能销售,并在该类食品标签上标注强化剂的名称和含量,在保存期内不得低于标志含量(强化剂标志应明确与内容物含量相差不得超过 $\pm 10\%$)。

A6 食品原成分中含有某种物质,其含量达到营养强化剂最低标准1/2者,不得进行强化。

A7 使用已强化的食品原料制作食品时,其最终产品的强化剂含量必须符合本标准的要求。

A8 生产或使用未列入本标准的品种,或需要扩大使用范围和增加使用量以及生产复合食品营养强化剂时,可经省、自治区、直辖市食品卫生监督部门初审,送卫生部食品卫生监督检验所,组织专家审议通过后,报卫生部批准。

A9 凡生产经营强化食品者,必须采用定型包装并在包装上按 GB 7718 及 GB 13432 的规定标明。

A10 进口未列入本标准名单的品种时,进口单位必须将有关资料(包括申请报告、产品品名、纯度、理化性质、质量标准,检验方法、生产工艺、使用范围、使用量、卫生评价及国外卫生当局允许使用的证明)送卫生部食品卫生监督检验所,组织专家审议通过后,报卫生部批准。

进口食品中的营养强化剂必须符合我国规定的使用卫生标准，不符合标准的，需报卫生部批准后方可进口。

附加说明：

本标准由卫生部卫生监督司提出。

本标准由江苏省卫生防疫站及中国预防医学科学院营养与食品卫生研究所负责起草。

本标准主要起草人是周树南、陈蓓、刘冬生、沈治平。

本标准由卫生部委托技术归口单位卫生部食品卫生监督检验所负责解释。

6.1.3 常见的食品营养强化和强化食品

1. 赖氨酸和蛋氨酸在强化面包中的应用

为提高面包的营养价值，一些国家在面包中使用了多种营养强化剂。例如，日本规定每100g面包强化维生素 B_1 0.3～0.5mg，维生素 B_2 0.2～0.4mg，钙0.1～0.2g，赖氨酸100mg以上。强化面包的生产工艺与普通面包的生产工艺基本相同，只是要把面粉及配料分成两部分，其中一部分先调和、第一次发酵，另一部分与各种强化剂（赖氨酸和蛋氨酸）混合均匀，并与第一次发酵的面团一起充分调和，再进行第二次发酵，然后依次完成制胚、装盘、后发酵、烘烤、冷却等工序，即为面包成品。赖氨酸在面包加工中的损失率一般为9%～24%。

实验研究表明：在面包制作原料中添加赖氨酸和蛋氨酸可以促进麦筋蛋白质结合产物的形成，增加面团弹性和延伸性，改善面团的流变特性，提高面团的加工品质。其中赖氨酸对促进面团延伸性效果明显，蛋氨酸对促进面团弹性效果明显；添加这两种氨基酸对增加面包成品的蛋白质含量和持水能力、提高面包营养和感官品质有促进作用，赖氨酸和蛋氨酸的添加量分别以不超过0.8%利0.25%为好，两者合用的效果好于单一使用效果。

2. 用维生素A强化鲜奶或奶粉

鲜牛奶或奶粉不仅是婴幼儿重要的主食品，而且也是儿童、成人及体弱多病者经常食用的一种营养食品。但牛奶的营养素尚不够全面，特别是维生素A、D、C及铁元素等成分含量不足，在牛奶中强化多种营养素，能有效地提高其营养价值。目前，我国已有不少牛乳制品中报了保健食品批号，如AD钙奶，婴幼儿、儿童、中老年系列保健奶粉等产品，市场反应良好。

3. 维生素C在保健食品中的应用

维生素C的工业化生产方法有天然提取法和化学合成法两种，其中化学合成法中的某些步骤已被微生物发酵法所替代。

天然水果蔬菜汁液中含有大量的维生素C，如橘汁和菠萝汁，特别是某些野果如猕猴桃、醋柳果、余甘子、刺梨、野蔷薇果等，都是制备维生素C浓缩物（包括浓缩汁和粉末两种产品）的重要原料。

为了提高维生素C的稳定性，扩大其应用范围，通常要对维生素C进行化学改性，如制成磷酸酯维生素C、硫酸酯维生索C、维生素C钠、异维生素C钠等衍生物。近年来，我国已研制生产了一种微黏合微胶囊维生素C(商品名为“高稳西”)。据试验，高稳西在食品加工过程中有耐热、耐湿，贮藏过程中稳定性好、生物利用率高、价格适中等特点，可广泛用于保健食品中。

4. 铁在保健食品中的应用

缺铁性贫血症状仍然是世界性的营养缺乏问题，除了要注意饮食合理搭配，并主要从肉、鱼、血、肝脏等食物中获得较多的铁元素外，还可通过在食品中强化铁元素改善这一现状。CBl4880－94及GB2760－1996列出了12种铁盐强化剂，并对共使用范围及用量作了规定。铁盐强化剂(还包括锌、铜、锰等微量元素强化剂)的发展经历了无机盐态铁(第一代产品)、有机酸态铁(第二代产品)，现在正大力研究开发氨基酸态铁(第三代产品)，现已有蛋氨酸亚铁螯合物的合成研究报道。由于氨基酸态铁(螯合物)的吸收率高于第一、二代铁盐强化剂，因此在食品中有广阔的应用前景。另外，从动物血中提取血红素，以它为原料制成补铁保健食品或药品，也是很有前途的。

5. 含钙保健食品的开发

钙营养强化剂既可以添加到各种固体、液体食品载体中去(如面粉、大米、饮料等)，使补钙成为这些食品的附属功能，也可以直接加工成纯粹以补钙为目的的补钙功能性食品。后者在目前的补钙市场更为常见，产品类型也相当丰富，主要有片剂、粉剂、胶囊、液体、咀嚼片、含化片等。但具体到某种补钙产品，钙剂的选择就必须考虑产品的类型，对谷类及其制品来说，用于钙强化的钙剂既可以选择碳酸钙、磷酸钙，也可以选择醋酸钙、柠檬酸钙等。但要对乳饮料或大豆饮料进行钙强化时，碳酸钙却是最适宜的，因为它溶解度低，不会造成蛋白质沉淀;相反若要生产透明饮料，碳酸钙就会因浑浊问题而变得不适宜。又如柠檬酸钙味道温和、色泽自然，可直接压成片剂，也可以制成粉剂或咀嚼片;而那些味道富于刺激性、口感不佳的钙剂(如醋酸钙、碳酸钙等)，如果要加工成纯粹以补钙为目的的产品，则最好是与充填剂一起加工成胶囊的形式。

6. 方便面的营养强化

正如上面所讲，面粉是一个营养强化的理想载体。在很多国家，为了改善人群营养，在面粉中添加多种营养素，以此达到改善营养、控制营养缺乏病的重要措施，并作为国家法律来实施，即未经营养强化的面粉不许出售。

方便面是一种方便食品，很受人们欢迎，特别是在生活节奏加快的当今社会，选它作为主食的一部分已成为一种消费时尚。我国是世界上方便面产量最大的国家，但由于人口多，平均到每个人的消费量却不如一些小国家。但从发展前景来看，为满足社会需求，产量将与日俱增。

值得一提的是，方便面的营养价值并不理想。因为，第一，方便面在加工过程中，经蒸煮和油炸后大部分营养素，其中特别是多种维生素均有不同程度的破坏，有的营养素如维生素 B_1、维生素 B_2 几乎全部损失；第二，制作方便面用的面粉，是小麦经精加工后的精粉，从小麦加工成精粉的过程中，各种营养素均受到不同程度的损失。由于以上的两个原因，可以说，长期食用方便面将会造成营养不平衡，甚至导致营养缺乏病，这已引起医药卫生及食品营养工作者的重视。为了弥补这一不足，有关企业在科研部门的帮助下，开发营养强化型方便面，即用方便面作为营养强化的载体，在每包方便面中添加了日常饮食中易缺乏或对身体十分有益的营养素，以达到增进消费者营养水平的目的：考虑到油炸过程中维生素的不稳定性，将这几种维生素放在汤包中，把不受影响的微量元素放在面团中。

7. 用于面粉的复合营养强化剂

根据《食品营养强化剂的使用卫生标准》(GB14880－94)，可强化在面粉及其制品的营养素品种及强化量(每100g)明确规定如下：

维生素 $B_1$0.3～0.5mg，维生素 $B_2$0.3～0.5mg，烟酸4～5mg，钙160～320mg，铁2.4～4.8mg，锌2～4mg，硒14.28μg，牛磺酸30～50mg。

各生产企业，可按照以上给出的品种及范围进行工作，经省及中央直辖市食品卫生监督部门申报后即可投入市场。

6.2 保健食品

6.2.1 保健食品的基本概念

1. 食品对维持人体正常生长发育是必不可少的，食品应具有的功能归结起来有以下3种。

(1)营养功能(第一功能)，食品具有满足人体所需热能和营养成分的功能。

(2)感觉功能(第二功能)，食品的感觉功能不供给营养，但能够刺激味觉和嗅觉，从而具有增进食欲和稳定情绪的作用。

(3)调节功能(第三功能)，人体的生理状态分为健康态(健康)、诱病态(健康异常)及病理态(疾病)，诱病态是介于健康态和病理态之间的"第三态"，当诱病态积累到一定程度时，转变为病理态；反之，如果通过调节，则转变为健康态。

尽管当前保健食品在国际上并无严格统一的定义，世界各国所用名词也略有差异。如健康食品(health foods)、营养食品(nutrition foods)、改善食品(perform foods)、功能食品(function foods)及保健食品(healthy foods)等。尽管上述名词在所谓严格定义的划分范围上有所区别，但其基本的含义是相同的，即"满足医学和营养学上的特定要求，有特殊功效，对人体无害，促进健康的食品"。简言之，就是利用某些食物成分所具有的促进机体防御、节律调节、疾病预防等功能而设计加工的食品。且强调食品的第三功能这一观点已被世界公认。

2. 我国对保健食品定义的界定，经过多年的讨论、酝酿，其意见主要集中在以下几点。

(1) 保健食品首先是食品，就是说，保健食品首先必须无毒、无害，符合应当有的营养要求。

(2) 保健食品又不同于普通食品，其差别在于保健食品应当具有特定的保健功能，该保健功能必须是明确的、具体的，必须在现有科学技术条件下，通过功能性检测能够证实的。

(3) 保健食品必须是为特定人群或特定条件下的人群所研制、生产的。

(4) 保健食品不是以治疗为目的，不能代替药物的治疗作用或出现有治疗作用的宣传。这与美国的“设计食品”和日本的“功能性食品”略有不同。在充分酝酿的基础上，我国卫生部 1996 年 3 月 15 日颁布的《保健食品管理办法》中明确了保健食品的概念:保健食品系指表明具有特定保健功能的食品。即适宜特定人群食用，具有调节机体功能，不以治疗疾病为目的的食品。

3. 综合世界各地保健食品的发展，大体上都经历了三个阶段。

第一代保健食品根据其中的营养素和强化营养素来推断产品可能具有的生理调节功能，但没有经过实验证实。目前，欧美日等国现都将第一代保健食品列为一般食品。

第二代保健食品必须经过动物和人体实验，证明产品具有某项生理调节功能。

第三代功能食品不仅需要通过动物和人体实验来验证产品具有某项生理功能，而且要确知功能因子的化学结构和含量。欧美日等国只认可第三代保健食品，我国保健食品市场上这三代产品同时存在，但以第三代产品居多。

6.2.2 保健食品的特征

根据上述认识和我国“保健食品管理办法”中对保健食品的定义，可概括出保健食品的特征如下。

1. 保健食品属于食品，必须具备食品的基本特征，必须有营养(第一功能)

就目前不完全统计研究，人体所需要的营养素约 70 余种(其中必需营养素 40 余种)，大致分为 6 类:蛋白质、糖类、脂肪、矿物质、水和维生素。但不能要求保健食品等同于普通食品，为人体提供各种营养素，而且更不能将保健食品视为正常膳食，作为各种营养素来源的主要途径。但保健食品应当与普通食品一样，无毒，无害，具有色、香、味等感官享受(第二功能)，即利用食品的色香味增进食欲。

保健食品除具有食品的一般特征外，还必须具有特定的保健功能(第三功能)，使之与普通食品相区别。

2. 保健食品是针对特定的人群而设计的

应用的范围不同于一般食品，如延缓衰老的保健食品适宜于中老年人，调节血脂的保健食品只能适宜于高血脂的人群。我们不排除某些保健功能可能适宜的人群面较广，但没有适宜于任何人群的保健食品。

3. 保健食品以调节机体功能为主要目的，而不是以治疗为目的，这一点与药品不同。应该强调的是保健食品即便在某些疾病状态下也可以使用，但它不能代替药物的治疗作用。

4. 保健食品的成分构成主要是功效成分和营养素或主要由营养素构成。

5. 保健食品的产品属性既可以是传统的食品属性，如酒、饮料等，也可以是胶囊、片剂等新的食品属性。

6.2.3 保健食品与一般食品及药品的区别

1. 保健食品与一般食品的区别

保健食品和一般食品都能提供机体所需的必需营养素(食品的第一功能)，都具有特定的色、香、味、形等感官功能(食品的第二功能)。其区别在于:

(1)保健食品含有一定量的功效成分(生理活性物质)，能调节机体的生理机能，具有特定的功能(食品的第三功能)；而一般食品不强调特定功能，在一般食品中大多数也含有生理活性物质，但是由于含量较低，在人体内无法达到调节机能的浓度，不能实现功效作用。

(2)保健食品一般有特定的食用人群，而一般食品无特定的食用人群。

2. 保健食品与药品的区别

保健食品因具有保健功能而区别于一般食品，它具有调节人体某种机能的作用，但其本质仍属食品。保健食品与药品不同:不以治疗为目的。而药品则是治疗疾病的物质，药品的使用必须在医生指导下进行。

在具体操作上还应注意以下几点:① 有明确毒副作用药材不应作为开发保健食品原料；② 已获药政管理部门批准的中成药或已受国家保护的中药不能开发保健食品；③ 如保健食品的原料系中药，其用量应控制在临床应用的1/2以下。

除上述分类及定义存在不同外，根据《中华人民共和国食品卫生法》第十条“食品不得加入药物”的规定，食品和药品还具有以下4个方面的区别:

(1) 化学组成有别

食品是由多种成分组成的，主要是6大类营养物质，每人每天都需要摄入。药品则不一定含有营养物质，成分多为单一性的，具有药理作用，有明确的针对性，因此，并非人人皆可服用。

(2) 口味有别

食品讲究色、香、味，以风味满足人们的嗜好，进食是一种享受，除饮料外都需咀嚼，可以体会风味。药品虽有糖丸、糖浆，但一般没有风味，许多药品还有异味。

(3) 食用方式有别

进食是主动、快乐的行为。食品的用量、次数在较大的范围内有一定的随意性，例如，你可以几个月不吃一只蛋，也能够一次进食几只蛋。药品则须严格掌握剂量，少服无效而多服有副作用，常言道“凡药三分毒”。服药的剂量、时间、疗程，都要遵循医生的指导。

(4)适用法规有别

食品生产遵守《中华人民共和国食品卫生法》，经食品卫生监督或卫生行政部门审批，保健食品即使对某些疾病有预防或辅助促进康复作用，在广告中不得暗示治疗作用。而药品生产则要符合药典规定，经药政部门审批，药品说明书和广告可明示治疗范围及禁忌事项。

6.2.4 保健食品的分类

目前世界各地在保健食品的分类上各有差异。我国自1996年6月1日实施《保健食品管理办法》以来，我国保健食品市场正在逐步规范。到1999年底，卫生部认定的各保健食品功能监测机构按照卫生部颁布的《保健食品功能学评价程序和检验方法》，共检测试样2000多种，获得卫生部批文的有1700种。它们主要是在卫生部初次颁布的12项保健功能范围内：① 免疫调节作用；② 延缓衰老作用；③ 改善记忆作用；④ 促进生长发育作用；⑤ 抗疲劳作用；⑥ 减肥作用；⑦ 耐缺氧作用；⑧ 抗辐射作用；⑨ 抗突变作用；⑩ 调节血脂作用；⑪ 辅助抑制肿瘤作用，预防化学致癌作用；⑫ 改善性功能作用。

在已批准的产品中，约有250种送检产品的保健功能不在《保健食品功能学评价程序和检验方法》规定的功能范围之列，为适应保健食品市场发展的需要，卫生部于1997年6月3日发文，批准新增加12种保健功能[卫监发(1997)第38号]如下：① 调节血糖作用；② 改善胃肠道功能作用(促进消化吸收、改善肠道菌群、润肠通便、保护黏膜)；③ 改善睡眠作用；④ 改善营养性贫血作用；⑤ 对化学性肝损伤有保护作用；⑥ 促进泌乳作用；⑦ 美容作用(祛痤疮、祛斑)；⑧ 改善视力作用；⑨ 促进排铅作用；⑩ 清咽润喉作用；⑪ 调节血压作用；⑫ 改善骨质疏松作用(增加骨密度)。

随着科学技术的发展和对保健食品认识逐步深入，结合我国具体情况，卫生部2000年1月14日以卫法监发2000年第20号“卫生部关于调整保健食品受理和审批范围的通知”，对卫生部审批的保健食品功能受理和审批范围作如下调整。

(1)功能受理和审批范围：① 免疫调节；② 调节血脂；③ 调节血糖；④ 延缓衰老；⑤ 改善记忆；⑥ 改善视力；⑦ 促进排铅；⑧ 清咽润喉；⑨ 调节血压；⑩ 改善睡眠；⑪ 促进泌乳；⑫ 抗突变；⑬ 抗疲劳；⑭ 耐缺氧；⑮ 抗辐射；⑯ 减肥；⑰ 促进生长发育；⑱ 改善骨质疏松；⑲ 改善营养性贫血；⑳ 对化学性肝损伤有辅助保护作用；㉑ 美容(祛痤疮、祛黄褐斑、改善皮肤水分和油分)；㉒ 改善胃肠道功能(调节肠道菌群、促进消化、润肠通便、对胃黏膜有辅助保护作用)。

除上述保健食品功能外的其他功能暂停受理和审批。

(2)同一配方保健食品申报和审批功能不超过两个。

(3)不再受理已获《保健食品批准证书》的保健食品增补功能的申请。

6.2.5 保健食品的理论基础

保健食品的话题在我国可谓源远流长。“食疗”就是保健食品的前身。保健食品是作为平衡膳食、合理营养的补充而存在的，它是以其特定的保健功能，有针对性地使某些个体或人群健康受益。我国保健食品的产生是在中医养生理论和现代营养科学的基础上发展起来的。

1. 中医养生理论基础

众所周知，中医中药作为传统的、古老的养生保健文化，不论是在国内还是世界各国，其影响已深入人民的生活之中。史前时期“神农尝百草”的传说，即说明自从有了人类，食物的作用就在探索之中了。殷商时代，发酵酿酒较为普遍，酒除作一般饮用外，还广泛用于医药，对酒的饮用和其药用的价值有了较多的认识。《吕氏春秋》记载伊尹和商汤谈论烹调中，有“阳朴之姜，招摇之桂”的说法，姜桂既可调味又可作药，故可认为此时食物疗法已经萌芽。

周代，在宫廷出现了做食疗保健工作的“食医”，“掌和王之六食、六饮、六膳、百羞、百酱、八珍之齐”，这说明此期食疗已具雏形。

随着食疗知识和经验的积累，食疗理论逐渐形成。战国时期我国第一部医著《黄帝内经》中，对此就有不少正确的论述，如说：“毒药攻邪，五谷为养，五果为助，五畜为益，五菜为充，气味合而服之，以补精益气。”又说：“谷肉果菜，食养尽之，无使过之，伤其正也。”从而强调了食疗和平衡膳食的重要性。东汉时期产生了我国第一部本草学专著《神农本草经》，书中十分注意收载无毒而有补益终身、防老抗衰的食物或可食性药物，如五味子、旋花、枸杞、茯苓、蜂蜜、大枣、葡萄、芝麻等，还特别把它们列为上品。这说明对食疗极为重视，它对后来食疗本草的形成有着深远的影响。汉代医家张仲景也很注意食疗的方法，他在《伤寒杂病论》中运用了许多食疗物品，其中桂枝汤、当归生姜羊肉汤、猪肤汤等，都是食疗名方。书中还对一些病症提出了饮食宜忌。说明食疗和药治是相辅而行的。

其后，梁代陶弘景著《本草经集注》，除较《神农本草经》增加了日常食物，如大麦、大枣、蟹、猪蹄、昆布等外，还创立了按自然来源将药物或食物分为玉、石、草、本、虫、兽、果、菜、米食等类的分类方法。这种分类方法一直为食疗本草所采用。果、菜、米食从草木中独立出来全是从食物角度考虑的。它对食疗的酝酿、形成起到了很大的促进作用。晋代名医葛洪的《肘后方》，记载了许多民间验方，其中不少是食疗性质的，该书对食物与疾病的关系认识也较以往深入。

唐代，由于经济繁荣，人民生活水平提高，对饮食有了较高的要求，使食疗发展成为专门的学问。唐初卓越的医药学家孙思邈的《千金方·食治》即是其代表。书中指出：“安身之本必资于食，……食能排邪而安脏腑，悦神爽志以资气血，若能用食平疴、释情遣疾者，可谓良工。”强调在一般情况下，应当把食疗保健放在首位。

宋元时期，在食疗保健方面有了新的发展和贡献。一般专著除有吴瑞的《日用本草》、贾铭的《饮食须知》、娄居中的《食治通说》等外，朝廷饮膳太医忽思慧的《饮食正要》有较高的价值。该书将记载的各种食物分为米谷、兽、禽、鱼、果、菜诸品和料物等7类，共203种，多是普通易得的，注意日常食物的合理调配。本书主张食物多样化，注意饮食营养与卫生，特别提出了食物中毒等，堪称比较完备的营养学专著。到明、清时期食疗继续向前发展，使食疗内容人为充实。为中国近代保健食品的发展奠定了坚实的理论基础，为其发展提供了广阔的前景。

2. 现代营养科学理论基础

人们开发研制和选择食用保健食品，首要的理论根据显然应该是现代营养科学。在一般情况下，人们应该按照营养科学建议的热能和营养素供给量（RDA），按能够保证达到RDA水平的合理膳食结构来规划自己的饮食生活。在这种情况下是能够维持人体良好的营养水平和健康状态，从而也就没有必要再求助于保健食品了。但是由于各种原因，如机体的和外来的、条件限制的和饮食习俗等原因的制约，有相当比例的人达不到理想的营养水平和健康状态，产生偏离营养学要求的营养不足、营养过剩、代谢异常或者需要采取某些调控措施。例如，人群当中有不少的因蛋白质营养失调所致的发育不良；以缺钙为主要原因的佝偻病、软骨病、骨质疏松症；缺铁、缺锌、缺硒、缺碘引起的贫血、发育滞后、地方病以及维生素缺乏症等；还有与饮食营养关系密切的肥胖症、高脂血症、心脑血管系统疾病、糖尿病等。防治这些疾病的发生发展，保健食品的组成配制及其功效检测，都要以营养科学为理论基础，按营养学技术原则采取有效措施。可以认为不懂营养科学就没有资格研制开发营养保健食品，不了解营养科学的原理就不能正确合理地利用营养保健食品。

总之，我国的保健食品的诞生与发展是在中医养生理论和现代营养科学的双重基础上发展起来的，又基于丰富的营养保健中药资源，这就对研制开发中国的保健食品从科学上增强了信心。

3. 保健食品中常见的生物活性物质

近年来，不论是在中国，还是在外国，均兴起了一个营养保健食品的热潮。随着热潮的高涨，生物活性物质的开发利用得到了空前的拓展，其应用较多的生物活性物质，主要有以下几类。

（1）蛋白质、氨基酸类　蛋白质、氨基酸类起保健作用的因素：一是靠调整保健食品中蛋白质含量增减，包括调整生热营养素之间的适宜热比；二是开发蛋白质适宜来源，如乳清蛋白、大豆蛋白及其他资源蛋白质；三是补充调整氨基酸，如针对我国的植物性食品为主的膳食结构，强化一般饮食不足的赖氨酸、苯丙氨酸、蛋氨酸、色氨酸等，使其接近该产品供应对象的必需氨基酸需要量和相互间适宜比值；四是根据近年生命科学营养研究成果，主要是在婴幼儿食品中强化牛磺酸、精氨酸和谷氨酰胺。以上 4 种手段和物质，均可起到生物活性物质的特定营养保健功能的作用。

(2)多烯不饱和脂肪酸类　这是近年生命科学研究的热点。初步认为 ω－3、ω－6(或称 n－3、n－6)系列多烯不饱和脂肪酸对出生前胎儿与婴儿神经系统发育有益，以致使以此为生物活性物质的保健食品问世。但须注意的是以该类为生物活性物质的产品其脂肪酸组成中的二十二碳六烯酸(DHA)与二十碳五烯酸(EPA)的含量及其比值，一定不要过多，应有恰当的比例(目前研究结果比例为 DHA∶EPA 为 1∶4比较合适)，过多的该类物质，会使其细胞膜上的脂质与之置换，从而使细胞成为氧自由基攻击的对象，造成基于“自由基学说”的一切损伤。还有 EPA 过多易造成少儿性早熟，以致带来一些社会问题。

(3)皂苷类　皂苷类中开发利用的多是人参皂苷。人参皂苷是人参、党参、西洋参等药材的生物活性物质。凡是加有这类原料的营养保健食品均可视为该类活性物质的保健食品，其质量标准也可以皂苷量来表示。

(4)黄酮类化合物　黄酮类也是近年开发利用的热点，该类物质具有清除自由基、抑制血小板凝集、改善记忆、调节血脂、改善脑功能障碍等作用，是许多中草药、蔬菜、水果等多种植物中的生物活性物质。凡是以含此类化合物的植物为原料的保健食品，均应考虑其中生物活性物质是否是黄酮类，该类中开发最多的当属银杏叶。

(5) β－胡萝卜素　β－胡萝卜素是营养素型生物抗氧化剂，有抗癌、遏制自由基损害、延缓衰老等多种功能，在保健食品中获得了广泛的应用。该物质广泛分布在多种深色蔬菜和水果中。

(6)维生素 E　维生素 E 包含多种同分异构体，按其活性以 α－生育酚为代表。其作用与 β－胡萝卜素相似，是有效的生物抗氧化剂，为许多营养研究机构使用，特别是中老年保健食品几乎是必用的生物活性物质。

β－胡萝卜素、维生素 E 均为营养性抗氧化剂，本类中还有：维生素 A、维生素 C、维生素 D 等。

(7)矿物质　① 碘　碘是人体不可缺少的重要微量元素。自从我国提出将于 2000 年消灭碘缺乏病以来，碘引起了人们的特殊注意，除了国家强制推行加碘食盐之外，各地加碘保健食品相继问世。

② 硒　硒是近年确认的一种生物抗氧化剂，对控制生物过氧化、减缓自由基损害，防治克山病等地方病，均有明显有益的作用。

③ 铁、锌　铁、锌缺乏在我国，尤其是儿童与孕妇中颇不少见，因而强化铁、锌的保健食品较多。

④ 其他　钙、锗、铜、锰也日益得到了重视。

(8) 双歧杆菌及其增殖因子　双歧杆菌是 1899 年发现的，经多年研究认为本菌主要存在于母乳喂养儿的粪便中，可降低肠道 pH，抑制厌氧腐败菌生长，调整肠道菌秆，对婴幼儿、老人以至成人都是有益的，且可预防大肠癌一种菌是一种乳酸菌，在有异构化乳糖（半乳糖与果糖构成的双糖）和铁蛋白存在下发育繁殖良好。所以，当前先进的配方乳品中常常加入双歧杆菌、异构化乳糖和铁蛋白等，从而提高其保健作用。

(9) 生力物质　生力物质有人也称之为抗疲劳物质，多用于体育运动员的营养保健，对劳动负荷过大的人员具有很强的魅力。在国外主要推荐麦芽油，其主要成分为二十八碳醇。此外，还有降低乳酸蓄积的碱性盐（柠檬酸钠或钾、碳酸氢钠等）、天门冬氨酸盐、牡蛎提取物与咖啡因等，它们的作用机制与营养保健功效尚在研究中。

(10)肉碱　肉碱曾有过维生素 BT、B_{Ta} 等名称，化学结构是 β－羟基－γ－三甲氨丁酸。有促进脂肪酸氧化、保护细胞免遭酰化辅酶 A 过量积累的损害、防止乳酸蓄积、促进糖类和氨基酸的利用等多种功能。多添加于婴儿、运动员与军人的保健食品中。

(11)其他　近年来还有报道小麦胚芽、茶多酚、膳食纤维糖醇类、菌藻类等作为营养保健食品有效成分原料的。

4. 保健食品有效成分的原料资源

保健食品的有效成分资源涉及的面比较广，种类繁多，本节所指主要包括较常用的中医理论指导下的中草药资源，现代营养科举研制的营养素制品类和现代生命科学研究提出的有效物质，以及我国已有使用经验的一些物质。

(1)中医中药养生理论指导下使用的保健食品原料资源

① 既是食品又是药品类：我国卫生部先后颁布了三批既是食品又是药品的食药兼用品种名单，共 77 种。名单如下。

第一批为八角茴香、刀豆、姜（生姜、干姜）、枣（大枣、酸枣、黑枣）、山药、山楂、小茴香、木瓜、龙眼肉（桂圆）、白扁豆、百合、花椒、芡实、赤小豆、佛手、杏仁（甜、苦）、昆布、桃仁、莲子、桑椹、菊苣、淡豆豉、黑芝麻、黑胡椒、蜂蜜、榧子、薏苡仁、枸杞子、乌梢蛇、蝮蛇、酸枣仁、牡蛎、栀子、甘草、代代花、罗汉果、肉桂、决明子、莱菔子、陈皮、砂仁、乌梅、肉豆蔻、白芷、菊花、藿香、沙棘、郁李仁、青果、薤白、薄荷、丁香、高良姜、白果、香橼、火麻仁、橘红、茯苓、香薷、红花、紫苏。

第二批为麦芽、黄芥子、鲜白茅根、荷叶、桑叶、鸡内金、马齿苋、鲜芦根。

第三批为蒲公英、益智仁、淡竹叶、胖大海、金银花、余甘子、葛根、鱼腥草。

此外还公布了油菜花粉等 6 类 13 个品种食品新资源作为普通食品管理。名单如下：

油菜花粉、玉米花粉、松花粉、向日葵花粉、紫云英花粉、荞麦花粉、高粱花粉、魔芋、钝顶螺旋藻、极大螺旋藻、刺梨、玫瑰茄、蚕蛹。

上述药食兼用品种，按中医理论的作用可分为以下 9 类。

① 健脾益气类：枣（大枣、酸枣、黑枣）、山药、山扁豆、薏苡仁、甘草、茯苓、鸡内金。

② 滋阴补血类：龙眼、肉桂、百合、桑椹、黑芝麻、枸杞子。

③ 活血化淤类：山楂、桃仁、红花。

④ 益肾温阳类：八角茴香、小茴香、刀豆、花椒、黑胡椒、肉桂、肉豆蔻、高良姜、干姜。

⑤ 止咳平喘类：杏仁（甜、苦）、白果、黄芥子。

⑥ 固涩安神类：芡实、莲子、酸枣仁、牡蛎、乌梅。

⑦ 解表类：生姜、白芷、菊花、香薷、淡豆豉、薄荷、藿香、桑叶。

⑧ 理气类：佛手、莱服子、陈皮、砂仁、薤白、丁香、香橼、橘红、紫苏、麦芽。

⑨ 其他类：木瓜、赤小豆、青果、昆布、莴苣、蜂蜜、榧子、乌梢蛇、蝮蛇、栀子、代代花；罗汉果、决明子、沙棘、郁李仁、火麻仁、鲜白茅根、马齿苋、芦根、荷叶。

常用"既是食品又是药品"的有关主要成分、药理作用及功能分述如下。

枣

主要成分　果实含蛋白质，糖类，有机酸，黏液质，维生素 A，维生素 B，维生素 C，微量钙、磷、铁。

药理作用　小鼠每日灌服大枣煎剂，体重较对照组明显增加，在游泳试验中，其游泳时间明显延长。四氯化碳损伤肝脏的家兔，每日灌大枣煎剂 1 周后，血清总蛋白与白蛋白较对照组明显增加。以上试验证明大枣有保护肝脏、增加肌力和增加体重的功效。

功能　补脾和胃，益气生津，调营卫，解药毒。

山药[薯蓣]

主要成分　含皂苷、黏液质、精氨酸、尿囊素、淀粉酶、胆碱等。

药理作用　① 益气补脾与其所含营养成分和黏液质、淀粉酶有关，有滋补作用，能助消化、补虚劳、益气力、长肌肉。② 止泻。③ 祛痰。

功能　健脾开胃，补气养阴，上泻涩精。

山楂（山里红、酸楂、红果、棠球子）

主要成分　含苹果酸、柠檬酸、维生素 C、核黄素、胡萝卜素、蛋白质、脂肪等。野山楂又含山楂酸、鞣质、皂苷等。

药理作用　① 助消化：山楂酸有促进消化作用。② 抗菌：体外试验对志贺痢疾杆菌有较强的抗菌作用。③ 扩张血管和降压；通过扩张血管而起较持久的降压作用。

功能　消积，行淤，化滞。

百合

主要成分　含水解秋水仙碱、淀粉、蛋白质、脂肪。

药理作用　利尿清热，润燥止咳镇静。

功能　润肺止咳，清热，安神，利尿。

莲子

主要成分　含棉子糖（$C_{12}H_{22}O_{16}\cdot 5H_2O$），钙、磷、铁的含量也较丰富。

药理作用　清心益肾，固脾止泻，有收敛、镇静和轻微的滋养作用。

功能　健脾养心，止泻固精。

黑芝麻

主要成分　含油脂45%～55%，油的主要成分为油酸、业油酸、棕榈酸、硬脂酸、花生油酸、二十四烷酸的甘油酯。并含有木脂素类成分：芝麻素、芝麻酚、维生素E、植物甾醇、卵磷脂等。

另外，还含有胡麻苷、蛋白质及寡糖类、车前糖、芝麻糖。还含有少量磷、钾及细胞色素C。

药理作用　①新鲜灭菌的芝麻油涂皮肤黏膜，有减轻刺激，促进炎症恢复作用。②提取物可降低大鼠血糖，增加肝脏及肌肉中糖原的含量，大量时则可降低糖原含量。③有缓泻作用。

功能　补肝肾，益精血，润肠。

蜂蜜(蜂糖、蜜糖)

主要成分　含葡萄糖和果糖(转化糖)70%～80%，两者的含量约相等。蔗糖1%～3%，水分14%～23%。还含有少量挥发油、蜡质、有机酸、矿物质、花粉粒、芳香性物质以及多种维生素等。

功能　补中益气，润燥滑肠，止咳，解毒。

枸杞子(杞子、血杞子)

主要成分　含甜菜碱($C_5H_{11}O_2N$)，属生物碱。另含维生素A、维生素B_1、维生素D_2、维生素C、钙、磷、铁等，以及色素玉米黄质($C_{40}H_{56}O_2$)。果皮含酸浆果红素($C_{72}H_{116}O_2$)。

药理作用　补肝肾，牛精血。其作用为滋养、强壮，与其所含营养物质有关。实验证明，枸杞子具有轻微的抑制脂肪在肝细胞内沉积和促进肝细胞新生的作用。

功能　补肝肾，强筋骨，润肺，明目。

乌梢蛇(乌蛇、乌风蛇)

主要成分　含蛋白质及肽类、脂质。

药理作用　能祛风湿，舒筋活络。有镇静、镇痛、扩张血管作用。

功能　祛风湿，通经络，定惊痫。

乌梅(酸梅)

主要成分　含柠檬酸、固甾醇和齐墩果酸样物质。

药理作用　镇咳，祛痰，消炎，止泻，解热。还有下列作用：①抗菌，能抑制痢疾杆菌等肠道致病菌和乙种溶血性链球菌。②抗真菌，体外实验对絮状表皮癣菌有较强抑制作用。③抗过敏，能降低实验动物蛋白质过敏性休克的死亡数目。

功能　敛肺，涩肠，生津止渴，安蛔。

酸枣仁(枣仁)

主要成分　含皂苷，主要为白桦脂酸($C_{30}H_{48}O_3$)、白桦脂醇($C_{30}H_{50}O_2$)；还含脂肪油(约32%)，β－甾醇、蛋白质、有机酸等。

药理作用　养肝，宁心，安神，敛汗。其作用如下：① 镇静，抑制中枢神经系统，有较恒定的镇静作用。生用效果较好。另有报道指出，其水溶性成分有催眠作用。② 降压，对实验动物能引起较持久的血压下降。③ 兴奋子宫。

功能　宁心安神，敛汗生津。

甘草

主要成分　含甘草甜素（甜味成分），为甘草酸的钙、钾盐。甘草酸水解后产生葡萄糖醛酸和甘草次酸。另含甘草黄素（$C_{21}H_{22}O_9$）、葡萄糖、甘露醇、苹果酸、天门冬酰胺等。

药理作用　现已证实的作用如下：① 解毒，对多种药物和毒素有解毒作用，有效成分为甘草甜素。可能通过吸附作用和类肾上腺皮质激素作用而解毒。② 类肾上腺皮质激素作用，有效成分为甘草次酸，能使水钠潴留、血压增高、钾排出增加，具有类肾上腺皮质激素作用。③ 解痉，抑制平滑肌活动，对实验动物离体肠肌稍有解痉作用。④ 抑制胃酸分泌，动物实验证实能抑制组胺引起的胃酸分泌。⑤ 祛痰，为保护性祛痰药。

功能　补脾益气，清热解毒，润肺止咳，为缓和及调补药。

决明子（马蹄决明，草决明）

主要成分　含大黄酚、大黄素、芦荟大黄素等蒽醌衍生物。

药理作用　由于有消炎和泻下作用，故能祛风热、明目、通便，其明目作用还可能与所含的胡萝卜素有关。现代实验还发现决明子有降血压作用。

功能　清肝益肾，明目，通便。

莱菔子（萝卜子）

主要成分　含脂肪油、挥发油（为 α－及 β－乙醛、甲硫醇）等。脂肪油中含有多量芥酸、亚油酸、亚麻酸以及芥酸甘油酯等。此外，尚含抗菌物质莱菔素及少量植物甾醇、正三十烷。

药理作用　健胃，祛痰，抗菌，降压。

功能　降气定喘，化痰，消积。

陈皮（橘子皮）

主要成分　含橙皮苷（$C_{28}H_{34}O_{15}$）、中肌醇、挥发油（主要成分为右旋柠檬烯）和维生素 B_1。

药理作用　健胃，驱风，止呕，止呃，祛痰。

功能　理气健脾，燥湿化痰。

菊花（白菊花、甘菊花）

主要成分　含腺嘌呤（$C_5H_5N_5$）、水苏碱（$C_5H_{13}NO_2$）、胆碱等，并含挥发油。

药理作用　① 消炎、利尿。② 抗菌：杭菊花在体外对金黄色葡萄球菌、溶血性链球菌、宋内痢疾杆菌、伤寒杆菌等有抑制作用。白菊花在体外对色毛癣菌等多种皮肤真菌，有不同程度的抑制作用。

功能　疏风除热，清肝明目。

白果(银杏)

主要成分　白果内含银杏醇($C_{21}H_{34}O_2$)、银杏酸($C_{21}H_{34}O_3$)、氢化白果亚酸、钾盐和糖。灰分含钙、磷、锰、铁。

药理作用　润肺益气，镇咳止喘，抗利尿。体外试验对结核杆菌有抑制作用。动物实验能抑制豚鼠结核病，有效成分为氢化白果酸。

功能　敛肺气，定咳喘，涩精止带。

薄荷

主要成分　含挥发油，其中主要为薄荷脑($C_{10}H_{20}O$)、薄荷酮($C_{10}H_{18}O$)；此外还含樟烯、柠檬烯等。

药理作用　消炎，镇痛，健胃祛风，止痒。

功能　发汗，散风热。

红花(南红花、草红花、红蓝花、红花毛)

主要成分　含红花苷($C_{21}H_{22}O_{11}$)，又名红色素；另含红花黄色素($C_{24}H_{30}O_5$)。

药理作用　破淤，活血，通经。据动物实验，其作用如下：① 兴奋子宫，其煎剂和流浸膏能使子宫发生紧张性或节律性收缩，对已孕子宫更明显。作用快速而持久。② 降压，有降压作用，并能维持较长时间。③ 扩张血管，红花水浸液有一定的扩张心脏冠状动脉的作用。

功能　破淤，活血，通经。

茯苓

主要成分　含β-茯苓糖[($C_6H_{10}O_5$)]、茯苓酸($C_{33}H_{52}O_5$)、蛋白质、脂肪、卵磷脂、组胺酸、胆碱、麦角甾醇和钾盐等。

药理作用　① 利尿：动物实验有利尿作用。② 滋养：与其所含营养物质的作用有关。③ 镇静。

功能　利水渗湿，益脾宁心。

麦芽(大麦芽)

主要成分　含淀粉分解酶、B族维生素、维生素C、淀粉、蛋白质、麦芽糖，并含大麦黄苷、白花色苷、大麦胺等。

药理作用　① 健胃：用麦芽煎液胃内灌注的实验证明，麦芽对胃蛋白酶分泌似有轻度促进作用，对增加胃酸(总酸和游离酸)的分泌也有轻度的作用。② 退乳：临床观察，因乳汁滞留，乳房胀痛时，可用本品退乳，前人认为这与散血行气有关。

功能　健脾胃，消食积。

桑叶(霜桑叶)

主要成分　含异槲皮苷($C_{21}H_{20}O$)、牛膝甾酮，少量有机酸、腺嘌呤、胆碱等。

药理作用　解热，祛痰，镇咳。

功能　疏风清热，凉血明目。

鸡内金(鸡肫皮、鸡胗皮、内金)

主要成分　含胃激素、蛋白质，其中含多种氨基酸，如胱氨酸、精氨酸、色氨酸等，并含胆绿素类物质。

药理作用　① 健胃:口服鸡内金后，胃液的分泌量、酸度和消化力均增高;胃运动加强，胃排空率加快。② 强壮，滋养，收敛。

功能　理脾胃，消食，去积。

蒲公英

主要成分　根含结晶性苦味质蒲公英苦素($C_{40}H_{50}O_5$)、蒲公英甾醇($C_{30}H_{50}O_5$)、天门冬素等。

药理作用　① 抗菌:对金黄色葡萄球菌和皮肤真菌有抑菌作用。② 健胃。③ 轻泻。

功能　清热解毒，消痈散结。

益智(益智仁)

主要成分　含挥发油，主要为萜烯($C_{10}H_{16}$)、倍半萜烯($C_{10}H_{24}$)。

药理作用　其作用是健胃，抗利尿，减少唾液分泌。

功能　温中，暖胃，缩小便，止泄泻，摄唾涎。

胖大海(大海、膨大海、安南子)

主要成分　含黏渔皮，另含半乳糖、戊糖、阿拉伯糖等。

药理作用　① 消炎:实验证明胖大海对流感病毒 PR3 株有较强的抑菌作用。② 缓泻:其外皮、软壳皮吸水力量大，服后增加肠内容积，产生机械性刺激，促进肠蠕动而通便。此外，可能与其对副交感神经的作用有关。③ 降压:其煎液有降压作用。

功能　开肺解表，清热利咽，通便。

金银花(银花、双花、二花、忍冬花、二宝花)

主要成分　含肌醇($C_8H_{12}O_6$)、木犀草素($C_{15}H_{10}O_6$)、绿原酸鞣质等。

药理作用　① 抗菌:体外实验对金黄色葡萄球菌、溶血性链球菌、痢疾杆菌、伤寒杆菌、脑膜炎双球菌、肺炎双球菌等有抑菌作用。其酒精浸剂在 1: 1000000 浓度下对结核杆菌有抑菌作用，单味金银花对小白鼠实验结核病有疗效。② 抗病毒:用鸡胚法以体内直接实验和体内预防作用方法筛选，发现有抗流感病毒的作用。③ 抗真菌:体外实验，金银花的水浸剂对铁锈色小芽胞癣菌等皮肤真菌有抑制作用。④ 收敛:鞣质起收敛作用，故急性肠炎时可用金银花。⑤ 利尿。

功能　清热解毒，炒炭凉血、止血。

葛根(甘葛、粉葛根)

主要成分　含黄酮类(包括葛根黄酮、葛根素、大豆黄酮等)、淀粉等。

药理作用 ① 解热：动物实验证实有较强的解热作用。② 扩张心脏冠状动脉：用葛根总黄酮在麻醉狗冠状动脉内注入，有明显的扩张冠状动脉的作用，静脉注射也有一定作用，又实验证明，葛根对垂体后叶素引起的急性心肌缺血反应有拮抗作用。③ 增加脑血流量：葛根黄酮在实验动物颈肉动脉内注射，能引起脑血管扩张．脑血流量增加。葛根黄酮能改善高血压病人的脑血流量。④ 临床观察认为还可能有收敛消炎、缓解肌肉痉挛作用。

功能 发表退热，生津止渴，滋润筋脉。

鱼腥草(蕺菜)

主要成分 含挥发油，其中主要成分为葵酰乙醛、月桂油烯($C_{10}H_{16}$)、月桂醛等。又含槲皮苷($C_{21}H_{20}O_{11}$)；并含氯化钾和硫酸钾。

药理作用 ① 抗菌：对金黄色葡萄球菌有十分强烈的抑制作用，在稀释至1∶40000浓度下仍能抑菌。② 抗病毒：其药液有抑制流感病毒，致细胞病变作用，延缓ECHCⅡ病毒致细胞病变作用。③ 利尿：有效成分为槲皮苷和钾盐。④ 槲皮苷能使血管扩张，对于消炎、消肿有一定作用。

功能 清热，解毒，消肿。

(2)可供研究应用的中药类 这一类是根据中药性味作用，认为有希望作为中国营养保健食品原料资源的。如何应用及食用安全性等，须符合主管部门的规定。计34种，可分为6类。① 健脾益气类：人参、刺五加、黄芪、白术。② 滋阴补血类：阿胶、地黄、木耳、玉竹、麦门冬。③ 益肾温阳类：鹿茸、冬虫夏草、淫羊藿、胡桃仁。④ 活血化淤类：三七、川芎、丹参。⑤ 固肾涩精类：金樱子、五味子、山菜萸。⑥ 其他类：银耳、花生、地榆、葛根、槐花、刺玫果、猕猴桃、葡萄、冬瓜、漏芦、茶叶、花粉、灵芝、天麻及泽泻。

2. 生命科学研究提出的有效成分原料资源 生命科学是包括生物学、医学、分子生物学、医学生物工程、营养学、毒理学、食物与环境安全等多领域的综合学科。近年来，生命科学有了长足进展，为我国保健食品的开发研制与应用，提供了重要的理论基础和可望应用的原料资源。

(1)清除自由基的原料资源随着生命科学的发展，自由基与生物膜损伤、人体衰老及其他一系列的生理过程的关系，日益受到重视并得到肯定的同时，清除自由基的原料资源得到极大的发展。主要有以下两类物质。① 营养性抗氧化剂：β－胡萝卜素、维生素A、维生素C、维生素E和锌、硒及SOD等。② 非营养性抗氧化剂：黄酮类、酚类等，包含有上述有效成分的中草药，如五味子、甘草、人参、生地、当归、灵芝、肉桂、杜仲、枸杞、丹参等，以及一些蔬菜水果。如豆角、韭菜、油菜、土豆、青椒、西红柿、山楂、刺梨、葡萄等。

(2)条件性氨基酸 条件性氨基酸包括对儿童体力、智力发育有重要作用的牛磺酸，对免疫细胞与免疫能力和一些重要激素的生成均有重要有益作用的精氨酸以及在体内氨基酸中含量比例最大，对免疫功能有重要保健作用的谷氨酰胺。

(3)多不饱和脂肪酸 目前，研究较多的，认为和婴儿出生前后对大脑与中枢神经系统发育有重要影响的 ω－3、ω－6 系列长碳链多不饱和脂肪酸，主要是 ω－3 系列的 α－亚麻酸（18:3ω－3）、二十碳五烯酸（EPA，20:5ω－3）、二十二碳五烯酸（22:5ω－3）和二十二碳六烯酸（DHA. 22:6ω－3），ω－6 系列的亚油酸（18：2ω－6）、花生四烯酸（20：4ω－6）等。

（4）抗疲劳物质　抗疲劳物质亦称生力物质，主要有牡蛎提取物、麦芽油、碱性盐、天门冬氨酸盐与咖啡因等。

（5）肉碱　肉碱有维生素 BT 之称，有促进脂肪酸氧化保护细胞免遭酰化辅酶 A 过量积累的损害；防止乳酸蓄积，促进糖类和氨基醒利用等多种功能。

（6）双歧杆菌及增殖因子　双歧杆菌可降低肠道 pH，抑制厌氧腐败菌生长，调整肠道菌群等作用，增殖因子有异构化乳糖及铁蛋白等。

（7）其他　茶多酚、膳食纤维、低糖、菌藻类、小麦胚芽均有可能成为保健食品的有效成分原料。

3. 现代营养科学理论提及的营养素资源　按照营养科学研制开发的保健食品，其有效成分的原料资源就是各种营养素和含有所需营养素较丰富的天然食品。这类原料资源我国曾在 1994 年以“GBl4880－94 食品营养强化剂使用卫生标准”作了明确规定，共计下列 3 类。

（1）氨基酸及含氮化合物类　有 L－盐酸赖氨酸、牛磺酸等。

（2）维生素类　包括维生素 A、维生素 C、维生素 D、维生素 E、维生素 B_1、维生素 B_2、维生素 B_6、维生素 B_{12}、维生素 K、烟酸和胆碱及生物素等。

（3）矿物质与微量元素类　有葡萄糖酸钙、碳酸钙、乳酸钙、葡萄糖酸锌、碘酸钾、亚硒酸钠、富硒酵母、硫酸亚铁、葡萄糖酸亚铁、柠檬酸铁、硫酸铜、硫酸锰等。

4. 我国已应用的食品新资源　自 1990 年到 1995 年 9 月，卫生部在充分保证食用安全的前提下，已经有条件地批准使用多种食品新资源。据不完全了解，约有 9 类约近 100 种。

（1）中草药和其他植物：人参、党参、西洋参、黄芪、首乌、大黄、芦荟、枸杞、巴戟天、荷叶、薄荷、菊花、五味子、桑椹、薏苡仁、茯苓、广木香、银杏、白芷、百合、山苍籽油、山药、鱼腥草、绞股蓝、红景天、莼菜、松花粉、草珊瑚、山茱萸汁、甜叶藤、芦根、生地、麦芽、麦胚，桦树汁、韭菜子、黑芝麻、白芍、竹笋、益智仁。

（2）果品类：大枣、山楂、猕猴桃、罗汉果、沙棘、火棘果。

（3）茶类：金银花茶、草本咖啡、红豆茶、白马蓝茶、北芪茶、五叶参茶，金花茶、胖大海凉茶、罗汉果苦丁茶、南参茶、参杞茶、牛蒡健身茶。

（4）菌藻类：乳酸菌、脆弱拟杆菌、螺旋藻、硒酵母、冬虫夏草、紫红曲、灵芝、香菇。

（5）畜禽类：熊胆、乌骨鸡。

（6）海产品类：海参、牡蛎、海马、燕窝。

(7)昆虫爬虫类:蚂蚁、蜂花粉、蜂花乳、地龙、蝎子、壁虎、蜻蜓、昆虫蛋白、蛇胆。

(8)矿物质及微量元素类:珍珠、钟乳石、玛瑙、龙骨、龙齿、金泊、硒、碘、氟、β-羟乙基锗倍半氧化物、赖氨酸锗。

(9)其他:牛磺酸、SOD、变性脂肪、磷酸果糖、左旋肉碱。

6.3 绿色食品

6.3.1 绿色食品的概念与特征

1.绿色食品概念

绿色食品并非指“绿颜色”的食品，而是对“无污染”食品的一种形象表述。绿色象征生命和活力，而食品是维系人类生命的物质基础，绿色食品则特指无污染、安全、优质、营养类食品。自然资源和生态环境是食品生产的基本条件，把与生命、资源、环境相关的事物通常冠以“绿色”。为了突出这类食品出自良好的生态环境，并能给人们带来旺盛的生命活力，因此，将其定名为“绿色食品”。

严格地讲，绿色食品是指遵循可持续发展原则，按照特定生产方式生产，经专门机构认定并许可使用绿色食品标志商标的无污染、安全、优质、营养类食品。

在保护环境和保持资源可持续利用的前提下，通过发展食品生产，满足人类的基本需求，并提高生命质量是全球的共同使命。

发展绿色食品，从保护、改善生态环境入手，以开发无污染食品为突破口，改革传统食物生产方式和管理手段，实现农业和食品工业可持续发展，从而将保护环境、发展经济、增进人们健康紧密地结合起来，促成环境、资源、经济、社会发展的良性循环。因此，开发绿色食品遵循可持续发展的基本原则，即“既满足当代人的需求又不危及后代人满足其需求的发展”。

绿色食品特定的生产方式是指按照标准生产、加工，对产品实施全程质量控制，依法对产品实行标志管理，实现经济效益、社会效益和生态效益的同步增长。

无污染、安全、优质、营养是绿色食品的特征。无污染是指在绿色食品生产、加工过程中，通过严密监测、控制，防范农药残留、放射性物质、重金属、有害细菌等对食品生产各环节的污染，以确保绿色食品产品的洁净，它不仅仅是指将污染水平控制在危害人体健康的安全限度以内。绿色食品的优质特性不仅包括产品的外表包装水平高，而且还包括内在质量水准高;产品的内在质量又包括两方面:一是内在品质优良;二是营养价值和卫生安全指标高。以茶叶为例，普通茶叶中，铅、铜重金属含量要求分别小于或等于2mg/kg、60mg/kg，绿色食品茶叶的标准分别是小于或者等于1mg/kg、15mg/kg。六六六、DDT农药残留量标准，普通茶叶均是0.2mg/kg。

绿色食品茶叶均是0.05mg/kg。再以苹果为例，从表6-2中可以看出，绿色食品苹果的卫生指标比普通苹果要高。

表6-2　绿色食品苹果与普通苹果卫生指标对比(单位为mg/kg)

项目	绿色食品苹果	普通苹果
汞(以Hg为计)	0.005	0.01
镉(以Cd为计)	0.03	—
铅(以Pb为计)	0.05	—
砷(以As为计)	0.1	0.5
氟(以F为计)	0.5	0.5
六六六	0.05	0.2
DDT	0.05	0.1
敌敌畏	0.02	0.2
乐果	0.02	1.0
杀螟硫磷	0.02	0.4
倍硫磷	0.02	0.05

为了保证绿色食品产品无污染、安全、优质、营养的特性，开发绿色食品有一套较为完整的质量标准体系。绿色食品标准包括产地环境质量标准、生产技术标准、产品质量和卫生标准、包装标准、储藏和运输标准以及其他相关标准，它们构成了绿色食品完整的质量控制标准体系。

为了区别于一般的普通食品，绿色食品实行标志管理。绿色食品标志由特定的图形来表示（图6-1）。绿色食品标志图形由三部分构成，上方的太阳、下方的叶片和蓓蕾。标志图形为正圆形，意为保护、安全。整个图形描绘了一幅明媚阳光照耀下的和谐生机，告诉人们绿色食品是出自纯净、良好生态环境的安全、无污染食品，能给人们带来蓬勃的生命力。绿色食品标志还提醒人们要保护环境和防止污染，通过改善人与环境的关系，创造自然界新的和谐。

绿色食品标志管理的手段包括技术手段和法律手段。技术手段是指按照绿色食品标准体系对绿色食品产地环境、生产过程及产品质量进行认证，只有符合绿色食品标准的企业和产品才能使用绿色食品标志商标。法律手段是指对使用绿色食品标志的企业和产品实行商标管理，具体方式是将绿色食品标志商标作为特定的产品质量证明商标在国家工商行政管理局进行注册，从而使绿色食品标志商标专用权受《中华人民共和国商标法》保护，这样既有利于约束和规范企业的经济行为，又有利于保护广大消费者的利益。绿色食品标志已在国家工商行政管理局注册的有以下四种形式，分别见图6-2、图6-3、图6-4、图6-5。

图6－1 绿色食品标志图形

图6－2 绿色食品标志商标

图6－3 绿色食品文字商标（中文）

图6－4 绿色食品文字商标（英文）

图6－5 绿色食品标志文字组合商标

2. 绿色食品的特征

绿色食品与普通食品相比有3个显著特征：

（1）强调产品出自最佳生态环境　绿色食品生产从原料产地的生态环境入手，通过对原料产地及其周围的生态环境因子严格监测，判定其是否具备生产绿色食品的基础条件，而不是简单地禁止生产过程中化学合成物质的使用。这样既可以保证绿色食品生产原判和初级产品的质量，又有利于强化企业及农民的资源和环境保护意识，最终将农业和食品工业发展建立在资源和环境可持续利用的基础上。

（2）对产品实行全程质量控制　绿色食品生产实施"从土地到餐桌"全程质量控制，而不是简单地对最终产品的有害成分含量和卫生指标进行测定，从而在农业和食品生产领域树立了全新的质量观。通过产前环节的环境监测和原料检测，产中环节的具体生产、加工操作规程的落实，以及产后环节的产品质量、卫生指标、包装、保鲜、运输、储藏及销售的控制，确保绿色食品的整体产品质量，并提高整个生产过程的技术含量。

（3）对产品依法实行标志管理　绿色食品标志是一个质量证明商标，属知识产权范畴，受《中华人民共和国商标法》保护。政府授权专门机构管理绿色食品标志，这是一种将技术手段和法律手段有机组合起来的生产组织和管理行为，而不是一种自发的民间自我保护行为。对绿色食品产品实行统一、规范的标志管理，不仅使生产行为纳入了技术和法律监控的轨道，而且使生产者明确了自身和对他人的权益责任，同时也有利于企业争创名牌，树立名牌商标保护意识，提高企业和产品的社会知名度和影响力。

由此可见，绿色食品概念不仅表述了绿色食品产品的基本特性，而且蕴含了绿色食品特定的生产方式、独特的管理模式和全新的消费观念，同时也表明，开发绿色食品是一项利国利民、造福子孙的事业。

6.3.2 绿色食品加工过程中的质量控制与技术要求

1.绿色食品加工企业

加工企业合理的布局、先进的设备、严格的管理与高素质的员工，是绿色食品产品质量的有力保障。

(1)绿色食品加上企业厂地、车间的要求

① 食品企业厂(场)址　新建、扩建、改建的食品企业在厂(场)址选择时，除符合整个规范区域规划外，还应注意以下几点：

A.防止环境对企业的污染食品中某些生物性或化学性污染物质常来自于空气或虫媒传播。因此，新建、扩建、改建的绿色食品企业在选择厂(场)址时，首先要考虑周围是否存在污染源。一般要求厂址应远离重工业区，必须在重厂业区选址时，要根据污染范围设500～1000m 防护林带。在居民区选址，25m 内不得有排放尘、毒作业场所及暴露的垃圾堆、坑或露天厕所;500m 内不得有粪场和传染病医院。除了距离上有所规定外，厂址还应根据常年主导风向，选在污染源的上风向。

B.防止企业对环境和居民区的污染。一些食品企业排放的污水、污物可能带有致病菌或化学污染，污染居民区。因此，屠宰厂、禽类加工厂等单位一般远离居民区。其间隔距离可根据企业性质、规模大小，按《工业企业设计卫生标准的规定》执行，最好在 1km 以上。其位置应位于居民区主导风向的下风向和饮用水水源的下游，同时应具备"三废"净化处理装置。

C.满足企业生产需要的地理条件。

a.地势高而空气干燥　为防止地下水对建筑物墙基的浸泡和便于废水排放，厂址应处于地势较高并具有一定坡度的地区。

b.水资源丰富，水质良好　食品加工企业需大量生产用水，建厂必须保证有充足供水量。用于绿色食品生产、容器设备洗涤的水必须符合国家饮用水标准。使用自备水源的企业，须对地下水丰水期和枯水期的水质、水量经过全面的检验分析，证明能满足生产需要后才能定址。

c.土壤清洁，便于绿化　干燥疏松的土壤在受到有机物污染时，可借助细菌和空气中氧的作用，使其无害化和无机化。绿化能改善小气候，美化环境，使人心情舒畅。绿化又能减少灰尘，减弱噪声，是防止污染的天然屏障，所以厂址应在土壤清洁且适于绿化的地方。

d. 交通方便　为了食品原料、辅料和产品能及时运输，加工企业应建在交通方便但与公路又有一定距离的地方，以免尘土飞扬造成污染。

① 建筑设计卫生要求

A. 车间组成及布局。食品企业需有与产品品种、数量相适应的食品原料处理、加工、包装、贮存场所及配套的辅助用房、锅炉房、化验室、容器洗消室、办公室等和生活用房(食堂、更衣室、厕所等)。

各部分建筑物要根据生产工艺顺序，按原料、半成品到成品保持连续性，避免原料和成品、清洁食品和污物交叉污染。锅炉房应建在生产车间的下风向，厕所应为水冲式且远离生产车间。

B. 卫生设备　食品车间的配置分垂直配置和水平配置两种。垂直配置是按生产过程自上而下的配置，可避免交叉污染。水平配置通风采光好，运输方便，但增加了设置各种卫生技术设备的困难。食品车间必须具备以下卫生设备。a. 通风换气设备。分为自然通风和机械通风两种，必须保证足够换气量，以驱除生产性蒸气、油烟及人体呼出的二氧化碳气，保证空气新鲜。b. 照明设备。分为自然照明和人工照明，自然照明要求采光门窗与地面比例为1:5，人工照明要有足够的照度，一般为50lux，检验操作台应达到300lux。c. 防尘、防蝇、防鼠设备。食品必须在车间内操作，原料、成品均要加苫盖，生产车间要装有纱门、纱窗，在货物频繁出入口可安排风幕或防蝇道；车间外可设捕蝇笼或诱蝇灯等设备，车间门窗要严密。d. 卫生设备。我国《工业企业设计卫生标准》规定工业企业应设置生产卫生室，个人上班前在生产卫生室内完成个人卫生处理后再进入生产车间；生产卫生室可按每人0.3～0.4 m^2 设置，内部设有更衣柜和厕所；工人穿戴工作服、帽、口罩和工作鞋后，先进入洗手消毒室，在双排多个脚踏式水龙头洗手槽中用肥皂水洗手，并在槽端消毒池盆中浸泡消毒；冷饮、罐头、乳制品车间还应在车间入口处设置低于地面10m、宽1m、长2m的鞋消毒池。c. 工具、容器洗刷消毒设备。绿色食品企业必须有与产品数量、品种相适应的工具、容器洗刷消毒间，这是保证食品卫生质量的重要环节；消毒间内要有浸泡、刷剔、冲洗、消毒的设备，消毒后的工具、容器要有足够的贮存室，严禁露天存放。f. 污水、垃圾和废弃物排放处理设备食品企业生产、生活用水量很大，各种有机废弃物也比较多，在建筑设计时，要考虑污水和废弃物处理设备。为防止污水反溢，下水管直径应大于10cm，铺管要有坡度。油脂含量高的污水，管径应更粗一些并安装除油装置。

C. 地面、墙壁结构。地面应由耐水、耐热、耐腐蚀材料铺覆一层光滑、浅色、不渗水、不吸水的材料，离地面2.0m以下的部分要铺设白瓷砖或其他材料的墙裙，生产车间四壁与屋顶交界处应呈弧形以防止积垢和便于清洗。

D. 绿色食品与普通食品分别加工存放。需要特别强调的是，如果加工企业生产既有绿色食品又有非绿色食品，那么在生产与贮存过程中，必须将二者严格区分开放。例如，用专用车间、专用生产线来生产、加工绿色食品产品。库房、运输车也须专用。总之，绿色食品与非绿色食品之间必须有严格界限区分，不能混淆。即使不具备专用生产线的条件，在生产线生产绿色食品前，也必须严格清洗该设备，避免可能产生的污染。

(2) 绿色食品生产企业加工设备要求　不同食品加工的工艺、设备区别较大，所以，对机械设备材料的构成不能一概而论。一般来讲，不锈钢、尼龙、玻璃、食品加工专用塑料等材料制造的设备都可用于绿色食品加工。食品工业中利用金属制造食品加工用具的品种日益增多，国家允许铁、不锈钢、钢等金属可以应用。铜、铁制品毒性极小，但易被酸、碱、盐等食品腐蚀，且易生锈。不锈钢食具也存在铅、铬、镍向食品中溶出的问题。故应注意合理使用钢铁制品，并遵照执行不锈钢食具食品卫生标准与管理办法。

加工过程中，使用表面镀锡的铁管、挂釉陶瓷器皿、搪瓷器皿、镀锡铜锅及焊锡焊接的薄铁皮欺等，都可能导致食品含铅量大大增高。特别是在接触 pH 较低的原料或添加剂时，铅更容易溶出。

铅主要损害入神经系统、造血器官和肾脏，可造成急性腹痛和瘫痪，严重者甚至休克、死亡。

镉和砷主要来自电镀制品，砷在陶瓷制品中有一定含量。在酸性条件下易溶出。

因此，在选择设备时，首先应考虑选用不锈钢材质的。在一般常温、常压、pH 中性条件下使用的器皿、管道、阀门等，可采用玻璃、铝制品、聚乙烯或其他无毒的塑料制品代替。但食盐对铝制品有强烈的腐蚀作用，应特别注意。

加工设备的轴承、枢纽部分所用润滑油部位应全封闭，并尽可能用食用油润滑。机械设备上的润滑剂严禁使用多氯联苯。

食品机械设备布局应合理，符合工艺流程，便于操作，防止交叉污染。设备管道应设有观察口并便于拆卸修理，管道转弯处呈弧形以利冲洗消毒。

(3) 生产绿色食品加工企业的人员、管理体系

① 食品生产人员是肠道传染病或带菌，极易通过污染食物，造成传染病传播或流行，甚至引起食物中毒。因此，食品生产者必须进行至少每年 1 次的健康体检，接触食品的生产者必须体检合格才能从事该项工作。绿色食品生产人员及管理人员必须经过绿色食品知识系统培训，对绿色食品标准有一定理解和掌握，才可以从事绿色食品加工生产。

② 食品加工企业应具有完善的管理系统。现在部分绿色食品加工企业已通过 ISO9000 系列认证，这些企业的质量管理方面有了较为可靠的保证。绿色食品加工企业还应多借鉴发达国家的经验，推行 GMP（良好生产规范）和 HACCP（危害分析关键控制点）等方法，从原料开始对各个环节进行监控。

③ 除了完善的生产规程，健全的规章制度，绿色食品加工企业必须拥有具体的生产记

录。企业编制涉及绿色食品生产的生产记录必须包括下列内容。

A. 原料来源(采购物资) a. 供货企业名称、地址、绿色食品产品编号。b. 进货日期。c. 进货数量、产品、种类。d. 原料批号及标签(生产日期、储存方法等)。

B. 加工过程 a. 加工产品数量(生产数量)。b. 加工损失数。c. 加工原料配比、生产情况。d. 生产批量，批号、存储。

C. 销售 a. 销售量。b. 买主(企业名称、地址、是否做绿色食品原料或出口、专柜销售等)。c. 批号、代码。

以上记录可促进企业对绿色食品生产的管理，提高企业自律性，还将为中国绿色食品发展中心的认证、管理、抽检提供详实的审查依据。

2. 绿色食品加工原料的选择

原料是发展食品工业的基础。现代先进的食品工业对原料的质量提出了很高的要求。部分食品加工企业已自觉地禁用被农药污染的原料及不符合基本技术品质要求的原料品种(成熟度、含糖量、有病虫害等)。企业已将原料质量控制作为其加工环节的“第一车间”。

绿色食品因其不同于普通食品的特性及对食品品质较高的要求，更增加了原料选择的难度与严格程度。

(1) 绿色食品加工业原料来源 食品加工一般都要求用新鲜的原料，新鲜才具有营养价值，特别是水果、蔬菜，只有新鲜时才是其维生素含量最高、损失最少的时候。

绿色食品加工的原料应有明确的原产地、生产企业或经销商的情况。固定的、良好的原料基地能够为企业提供质量、数量都有保证的原料。因此，一些企业开始投资农业，建立自己的原料基地，这种反哺农业的集团发展趋势十分适合绿色食品加工业的发展。

绿色食品加工产品的主要原料成分都应是已经认证的绿色食品。辅料(如盐)应有固定供应来源，并应出具按绿色食品标准检验的、权威的检验报告。

水作为加工中常见的原料，因其特殊性，不必经过认证，但加工用水必须符合我国饮用水卫生标准(也需经过检测，出具合法检验报告)。

非主要原料若尚无已认证的产品，则可以使用经中国绿色食品发展中心批准、有固定来源并已经检验的原料。

(2)原料的质量与技术要求 只有品质优良的原材料，才能加工出质量上乘的食品。比如，有些加工产品，需要专用性较强的原料，如面包的专用面粉以及加工番茄酱的优良品质的西红柿(可溶性固形物含量高，红色素应达到2mg/kg，糖酸比适度)。

绿色食品加工原料首先须具备适合人食用的食品级质量，不能对人的健康有任何危害;其次，因加工工艺的要求以及最终产品的不同，各类食品对其原料的具体质量、技术指标要求也不同，但都应以生产出的食品具有最好的品质为原则。果汁质量的决定性因素是原料品种和成熟度、新鲜度等。倘若使用已腐败的水果原料制汁，霉菌则可能使水果原汁产生棒曲霉毒素，具有致癌、致畸等作用。所以只有选择适合加工工艺的品质的原料，才能保证绿色食品加工产品的质量。

绿色食品严禁用辐射、微波等方法将不宜食用的原料转化成可食用的食物作为加工原料。

对于非农、牧业来源的原料(盐及其他调味品等)须严格管理，在符合世界卫生组织标准及国家标准的情况下尽量少用(水符合饮用水标准，用量可按加工要求量使用)。

(3) 加工产品原料成分的标准及命名　有机食品对不同认证标准的混合成分要求有严格的标注，绿色食品加工也可遵循这个要求。食品标签必须明确标明该混合物中各成分确切含量(用百分比表示)，并按成分不同而采用以下命名方式。

① 加工品(混合成分)中最高标准的成分占50%以上时，可命名为由不同标准认证的成分混合成的混合物。

例如:A 命名为含 A、B 两级标准的混合成分，则只能含 A、B 两级标准的成分，且 A 级标准的成分必须占50%以上;B 含 A、B、C 级标准的混合成分，必须有50%以上 A 级成分;C 含 B、C 级成分的混合物，必须含50%以上 B 级成分。

② 若该混合成分中最高级成分含量不足50%，则该混合物不能称为混合成分，而要按含量高的低级标准成分命名;如含 B、C 级标准混合物，B 级占40%，C 级成分占60%，则该混合物被称为 C 级标准成分。

绿色食品对此目前尚无规定，而以上的标签方法比较科学，可以借鉴。

3. 绿色食品加工工艺要求

绿色食品加工工艺应采用食品加工的先进工艺，只有先进、科学合理的工艺，才能最大限度地保留食品的自然属性及营养，并避免食品在加工中受到2次污染。但先进工艺必须符合绿色食品的加工原则。较先进的辐照保鲜工艺就是绿色食品加工所禁止的。

采用先进工艺加工食品一般有较好的品质。例如，果汁饮料杀菌，国内多用高温巴氏杀菌、添加防腐剂等方法。而国际上(即食品法典委员会)规定，果汁饮料应采用物理杀菌方法，禁用高温化学及放射杀菌。此规定符合绿色食品营养(不用高温杀菌可减少对营养物质的破坏)、无污染(不加防腐剂，不用化学方法杀菌)的宗旨，所生产的食品也较易达到绿色食品标准要求，但其先进的工艺对设备及加工条件要求比较高，国内食品行业很少有企业作到。再如，利用二氧化碳超临界萃取技术生产植物油，即可解决普通工艺中有机溶剂残存的问题。

绿色食品加工还应注意食品色、香、味的保持，尽量避免破坏固有营养和风味。例如，果汁浓缩时对其香气成分的回收工艺，能够不必再添加香精，只采用其本身香精就可以再次将浓缩汁恢复为果汁。

食品在加工过程中，加工工艺引起食品营养成分和色、香、味的流失。绿色食品加工则要求较多地(或最大限度地)保持其原有的营养成分和色、香、味。有资料表明，由于粮谷类中营养素（蛋白质、脂质、糖类、矿物质、维生素）分布的不均匀性，粮食加工研磨时将丢失部分营养素，其丢失量往往随加工精度增加而增多，如当小麦的出粉率由85%递降至80%、70%时。硫胺素的损失率相应地由11%递增至37%、80%。粮谷加工如过分粗糙，虽然营养素丢失较少，但感官性状差，消化吸收率亦相应下降。因此，粮谷加工工艺的最佳标准应为能保持最好的感官性状，最高的消化吸收率，同时又能最大限度地保留各种营养成分。水果蔬菜的加工适应性很强，营养丰富，特别是含有大量的维生素、矿物质等营养素，可以制成各种制品，如速冻品、干制品、罐藏品、制汁、酿造、腌制品、粉制品等。不论哪种制品均应最大限度地保存其天然营养成分及原有的色、香、味。一般来讲，速冻品、干制品、罐藏品、汁、干粉制品均能较好地保存其营养成分，若在色、脆性、香味及风味上采取相应的保护措施则可大大提高其价值。蔬菜含有叶绿素，叶绿素在加工过程中易引起变化而变色，但在碱性环境中则稳定。因而在腌制蔬菜时如先将蔬菜浸泡在含有适量石灰乳、碳酸钠、碳酸镁的溶液中，则既能保持制品绿色，又能起保脆作用。

一些食品加工工艺中与绿色食品加工原则相抵触的环节，必须进行改进。粉丝生产中必而加入明矾增稠、稳定，才能使粉丝成型，但早在1989年世界卫生组织就已将“铝”确定为食品中有害元素加以控制，并认为铝是人体不需要的金属元素。因此，粉丝生产工艺中明矾的问题不解决，就不可能通过绿色食品认证。

另外，咸鱼生产中，因鱼体本身含有丰富的三甲胺，三甲胺极易转化成二甲胺。腌制咸鱼的粗盐中 NO_3 的含量通常很高，在一种嗜盐菌的作用下，可将 NO_3^- 还原成 NO_2^-。在鱼体中。主二甲胺与 NO_2^- 达到一定浓度时，即使不经过化学途径，也可由于微生物的催化活动，促使大量二甲基亚硝胺生成，对人体有强烈致癌作用。

（1）为将咸鱼中亚硝胺化合物降至最低水平，则在工艺上可采用以下改进措施。

① 腌制鱼制品时，不用硝酸盐和亚硝酸盐，采用一些天然香辛料（丁香、豆蔻等）来代替抑菌剂。

② 采用干腌法，并不断除去腌制过程中产生的水分，保持低温以减少微生物繁殖的机会。必要时可用醋酸或抗坏血酸加以处理，便可有效抑制亚硝胺的合成。

③ 将腌制品在紫外线或强烈阳光下暴晒，亚硝胺即发生分解反应：

$$R_2N—NO \rightarrow R_2N\cdot + \cdot NO$$

采用这些工艺措施，抑制亚硝胺的产生，从而使咸鱼达到绿色食品标准。

因此，绿色食品加工必须针对自身特点，采用适合的新技术、新工艺，提高绿色食品产品品质及加工率。

（2）绿色食品加工工艺中可采用的先进技术

① 生物技术主要包括基因工程、细胞工程、酶工程和发酵工程。因为有机食品对基因工程是采取摒弃的态度，不能采用，故只对酶工程及发酵工程简要介绍。

酶工程是利用生物手段合成、降解或转化某些物质，从而使廉价原料转化成附加值高的食品(酶法生产糊精、麦芽糖等)，或者用酶法修饰植物蛋白，改良其营养价值和风味，还可用于果汁生产中分解果胶提高出汁率等。

发酵工程是利用微生物进行工业生产的技术，除传统食品外，还取得了许多新成就。例如，美国 Kelco 公司用微生物发酵法生产黄原胶等。

生物技术应用于绿色食品加工中，必将对提高加工率产生很大效果。

② 膜分离技术　包括反渗透(RO)、超滤(UF)和电渗析。

反渗透是借助半渗透膜，在压力作用下进行水和溶于水中物质(无机盐、胶体物质)的分隔。

可用于牛奶、豆浆、水果和蔬菜汁的冷浓缩。

超滤是利用人工合成膜在一定压力下对物质进行分离的一种技术，如植物蛋白的分离提取。

电渗析是在外电场作用下，利用一种特殊的膜(离子交换膜)对离子具有不同的选择透过性而使溶液中的阴、阳离子和溶液分离。可用于海水淡化、水的纯化处理等。

膜分离技术可广泛用于加工中水处理及饮料工艺中，可提高饮料质量。

③ 工程食品　即用现代科技，从农副产品中提取有效成分，然后以此为配料，根据人体营养需要重新组合，加工配制成新的食品，其特点是可以扩大食物资源，提高营养价值。

④ 冷冻干燥，又称冷冻或升华干燥　即湿物料先冻结至冰点以下，使水分变成固态冰，然后在较高的真空度上，将冰直接转化为蒸汽使物料得到干燥。如加工得当，多数可长期保藏且原有物理、化学、生物学及感观性质不变，需要时加水，可恢复到原有的形状和结构。

⑤ 超临界提取技术　即用某些溶剂的临界温度和临界压力去分离多组分的混合物。例如，二氧化碳超临界萃取沙棘油，其工艺过程无任何有害物质加入，完全符合绿色食品加工原则。

挤压膨化、无菌包装、低温浓缩等技术也都可以利用到绿色食品生产中去。

对于加工工艺中各项参数指标、加工的操作规程必须严格执行，以保证产品质量的稳定性。

4. 绿色食品加工对添加剂的要求

绿色食品加工工艺中添加剂的使用，是产品能否符合绿色食品标准的关键因素之一。食品添加剂是指为改善食品品质和色、香、味，以及为防腐和加工工艺的需要而加入食品中的化学合成或天然物质。食品添加剂可以是一种物质或多种物质的混合物，但大多不是食品原料本身固有的物质，而是在生产、贮存、包装、使用等过程中为达到某一目的，而有意添加的物质。曾有专家指出，食品添加剂是食品工业设计中的配方核心组成部分之一，没有优质的食品添加剂就没有现代食品工业。

国际食品添加剂发展趋势是向国际化和标准化发展，即向无毒、无公害、天然、营养、多功能型方向发展。

绿色食品加工主要是关心添加剂的安全性。日本著名的“森永奶粉砷中毒”事件，就是由于使用了含砷的磷酸添加剂导致万余名婴儿中毒。

食品添加剂可按来源分为两类：一是从动、植物体组织细胞中提取的天然物质；二是人工化学合成物质。一般来说，天然添加剂较安全。

添加剂有酶制剂、营养强化剂、风味剂、抗氧化剂、防腐剂等。绿色食品加工时，对酶制剂、营养强化剂等一般符合国家标准要求即可，但对抗氧化剂、防腐剂、色素、香精等物质，在加工中要求十分严格。若加工中必须使用上述添加剂，则尽量使用天然添加剂，化学或人工合成的添加剂必须严格按照《绿色食品添加剂使用准则》选定合适种类及用量。

对于危害人体健康、有慢性毒性或致癌、致畸、致突变作用的添加剂严禁使用（如苯甲酸钠、亚硝酸盐）。

某些产品工艺中必须添加，无法以更安全的添加剂替代的产品，需严格限制其产品中添加物的检出限量。例如，葡萄酒中，总二氧化硫含量必须小于250mg/L具体的添加剂使用，须严格遵守《绿色食品添加剂使用准则》。

第 7 章　食物营养成分检测

7.1 食品样品的采集与制备

食品卫生监督部门或食品企业自身为了了解和判断食品的营养与卫生质量，或为了查明食品在生产过程中的卫生状况，可使用采样检验的方法。根据抽样检验的结果，结合感官检查，可对食品的营养价值和卫生质量作出评价，或协助企业找出某些生产环节中存在的主要卫生问题。

7.1.1 概念

样品(sample)是指从某一总体中抽出来进行检验分析的一部分。总体是指性质、条件相同的所有对象。总体可按检测的门的进行划分，总体可以是一车皮、一船、一货库相同的食物;也可以是同一食品因来源、部位、产地、生产批次、加工工艺、质量、包装、存放等情况不同，而分为若干不同的总体。食品采样(sampling)是指从较大批量食品中抽取能较好地代表其总体样品的方法。食品采样是食品检测结果准确与否的关键，也是营养食品卫生专业人员必须掌握的一项基本技能。

1. 采样目的

食品采样的主要目的是鉴定食品的营养价值和卫生质量，包括食品中营养成分的种类、含量和营养价值，食品及其原料、添加剂、设备、容器、包装材料中是否存在有毒有害物质及其种类、性质、来源、含量、危害等。食品采样是进行营养指导，开发营养保健食品和新资源食品、强化食品的卫生监督管理，制定国家食品卫生质量标准以及进行营养与食品卫生学研究的基本手段和重要依据。

2. 采样原则

(1) 代表性　在大多数情况下，待鉴定食品不可能全部进行检测，而只能抽取其中的一部分作为样品，通过对样品的检测来推断该食品总体的营养价值或卫生质量。因此，所采的样品应能够较好地代表待鉴定食品各方面的特性。若所采集的样品缺乏代表性，无论其后的检测过程和环节多么精确，具结果都难以反映总体的情况，常可导致错误的判断和结论。

(2) 真实性　采样人员应亲临现场采样，以防止在采样过程巾的作假或伪造食品。所有采样用具(如采样器、容器、包装等)都应清洁、干燥、无异味、无污染食品的可能。应尽量避免使用对样品可能造成污染或影响检验结果的采样下具和采样容器。

(3) 准确性　性质不同的样品必须分开包装，并应视为来自不同的总体；采样方法应符合要求，采样的数量应满足检验及留样的需要。可根据感官性状进行分类或分档采样；采样记录务必清楚地填写在采样单上，并紧附于样品。

(4) 及时性　采样应及时，采样后也应及时送检。尤其是检测样品中水分、微生物等易受环境同素影响的指标，或样品中含有挥发性物质或易分解破坏的物质时，应及时赴现场采样并尽可能缩短从采样到送检的时间。

3. 采样工具和容器

(1) 采样工具

① 一般常用工具：包括钳子、螺丝刀、小刀、剪刀、镊子、罐头及瓶盖开启器、手电筒、蜡笔、圆珠笔、胶布、记录本、照相机等。

② 专用工具：A. 长柄勺，适用于散装液体样品采集；B. 玻璃或金属采样器，适用于探型桶装液体食品采样；C. 金属探管和金属探子，适用于采集袋装的颗粒或粉末状食品；D. 采样铲，适用于散装粮食或袋装的较小颗粒食品；E. 长柄匙或半圆形金属管，适用干较小包装的半固体样品采集；F. 电钻、小斧、凿子等可用于已冻结的冰蛋；G. 搅拌器，适用于桶装液体样品的搅拌。

(2)盛样容器　盛装样品的容器应密封，内壁光滑、清洁、干燥，不含有待鉴定物质及干扰物质。容器及其盖、塞应不影响样品的气味、风味、pH 及食物成分。盛装液体或半液体样品常用防水防油材料制成的带塞玻璃瓶、广口瓶、塑料瓶等；盛装固体或半固体样品可用广口玻璃瓶、不锈钢或铝制盒或盅、搪瓷盅、塑料袋等。

采集粮食等大宗食品时应准备四方搪瓷盘供现场分样用；在现场检查面粉时，可用金属筛筛选，检查有无昆虫或其他机械杂质等。

4. 样品分类

(1)客观样品　在日常卫生监督管理工作过程中，为掌握食品卫生质量，对食品企业生产销售的食品应进行定期或不定期的抽样检验。这是在未发现食品不符合卫生标准的情况下，按照日常计划在生产单位或零售店进行的随机抽样；通过这种抽样，有时可发现存在的问题和食品不合格的情况，也可积累资料，客观反映各类食品的卫生质量状况。为此目的而采集供检验的样品称为客观样品。

(2)选样性样品　样品在卫生检查中发现某些食品可疑或可能不合格，或消费者提供情况或投诉时需要查清的可疑食品和食，品原料;发现食品可能有污染，或造成食物中毒的可疑食物;为查明食品污染来源、污染程度和污染范围或食物中毒原因，以及食品卫生监督部门或企业检验机构为查清类似问题而采集的样品，称为选择性样品。

(3)制订食品卫生标准的样品　为制订某种食品卫生标准，选择较为先进、具有代表性的工艺条件F生产的食品进行采样，可在生产单位或销售单位采集一定数量的样品进行检测。

7.1.2 采样方法

1.采样步骤和方法

(1) 采样准备　采样前必须审查待鉴定食品的相关证件，包括商标、运货单、质量检验证明书、兽医卫生检疫证明书、商品检验机构或卫生防疫机构的检验报告单等。还应了解该批食品的原料来源、加工方法、运输保藏条件、销售中各环节的卫生状况、生产日期、批号、规格等;明确采样目的，确定采样件数，准备采样用具，制定合理可行的采样方案。

(2) 现场调查　了解并记录待鉴定食品的一般情况，如种类、数量、批号、生产日期、加工方法、贮运条件(包括起运日期)、销售卫生情况等。观察该批食品的整体情况，包括感官性状、品质、储藏、包装情况等。进行现场感官检查的样品数量为总量的1% ~5%。有包装的食品，应检查包装物有无破损、变形、受污染;未经包装的食品要检查食品的外观，有无发霉、变质、虫害、污染等。并应将这些食品按感官性质的不同及污染程度的轻重分别采样。

(3) 采样方法　采样一般皆取可食部分;不同食品应使用不同的采样方法。

① 液体、半液体均匀食品　如植物油、鲜奶、酒、饮料等属于这类食品。采样以一池、一缸、一桶为一个采样单位，搅拌均匀后采集一份样品;若采样单位容量过大，可按高度等距离分上、中、下三层，在四角和中央的不同部位每层各取等量样品，混合后再采样;流动液体可定时定量从输出的管口取样，混合后再采样;大包装食品，如用铝桶、铁桶、塑料桶包装的液体、半液体食品，采样前需用采样管插入容器底部，将液体吸出放入透明的玻璃容器内作现场感官检查，然后将液体充分搅拌均匀，用长柄勺或采样管取样。

② 固体散装食品　大量的散装固体食品，如粮食、油料种子、豆类、花生等，可采用几何法、分区分层法采样。几何法即把一堆物品视为一种几何立体(如立方体、圆锥体、圆柱体等)，取样时首先把整堆物品设定或想象为若干体积相等的部分，从这些部分中各取出体积相等的样品混合为初级样品。A.对在粮堆、库房、船舱、车厢里堆积的食品进行采样，采用分层采样法，即分上、中、下三层或等距离多层，在每层中心及四角分别采取等量小样，混合为初级样品;对大面积平铺散装食品可先分区，每区面积不超过$50m^2$，并各设中心、四角5个点，两区以上者相邻两区的分界线上的两个点为共有点，例如两区共设8个点，三区共设11个点，以此类推。边缘上的点设在距边缘50cm处。各点采样数量一致，

混合为初级样品;对正在传送的散装食品,可从食品传送带上定时、定量采取小样。B. 对数量较多的颗粒或粉末状固体食品,需用“四分法”采样。

初级样品数量较多,为采取规定的数量样品送检,需用“四分法”分样。即把拟取的样品(或初级样品)堆放在干净的平面瓷盘、塑料盘或塑料薄膜上,然后从下面铲起,在中心上方倒下,再换一个方向进行,反复操作直至样品混合均匀。然后将样品平铺成正方形,用分样板画两条对角线,去掉其中两对角的样品,剩余部分再按上述方法分取,直到剩下的两对角样品数量接近采样要求为止。袋装初级样品也可事先在袋内混合均匀,再平铺成正方形分样。

③ 完整包装食品或小个食品　采样的件数按以下方法确定:按食品件数的10% ~20%计;按质量的5% ~10%计;按总件数的平方根或千分之二计。A. 大桶、箱、缸的大包装食品于各部分按总件数的平方根或千分之二取一定件数样品,然后打开包装,使用上述液体、半液体或固体样品的采样方法采样。B. 袋装、瓶装、罐装的定型小包装食品(每包<500g),如奶粉、白糖、饮料、罐头等,可按生产日期、班次、包装、批号随机采样。C. 水果、西红柿等可取一定的个数。

④ 不均匀食品。蔬菜、鱼、肉、蛋类等食品应根据检验目的和要求,从同一部位采集小样,或从具有代表性的各个部位采取小样,然后经过充分混合得到初级样品。A. 肉类:应从整体各部位取样(不包括骨及毛发)。B. 鱼类:大鱼从头、体、尾各部位取样,小鱼可取2~3条。C. 蔬菜:如葱、菠菜等可取整棵,莲白、青菜等可从中心剖开成两个或四个对称部分,取其中一个或两个对称部分。D. 蛋类:可按一定个数取样,也可根据检验目的将蛋黄、蛋清分开取样。

⑤ 变质、污染的食品及食物中毒可疑食品。可根据检验目的,结合食品感官性性状、污染程度、特征等分别采样,切忌与正常食品相混。

(4)采样数量　采样数量应能反映该食品的营养成分或卫生质量,并满足检验项目对样品量 的需要,送检样品应为可食部分食品,约为检验需要量的4倍,通常为一套3份,每份一般不宜少于0.5kg,分别供检验、复验与备查或仲裁用。同一批号的完整小包装食品,250g以上的包装不得少于6个,250g以下的包装不得少于10个。

2. 采样记录

做好现场采样记录,其内容包括:检验项目、品名、生产日期或批号、产品数量、包装类型及规格、贮运条件及感官检查结果;还应写明采样单位和被采样单位名称、地址、电话,采样日期、容器、数量,采样时的气象条件,检验项目、标准依据及采样人等。无采样记录的样品,不应接受检验。采样后填写采样收据一式两份,由采样单位和采样人签名盖章并分别保存。还应填写送检单,内容包括样品名称、生产厂名、生产日期、检验项目、采样日期,有些样品应简要说明现场及包装情况,采样时作过何种处理等。

7.1.3 样品的运送

采好的样品应放在干燥洁净的容器内，密封、避光存放，并在尽可能短的时间内送至实验室。

运送途中要防止样品漏、散、损坏、挥发、潮解、氧化分解、污染变质等。气温较高时，样品宜低温运送。送回实验室后要在适宜条件下保存。

如果送检样品经感官检查已不符合食品卫生标准或已有明显的腐败变质，可不必再进行理化检验，直接判为不合格产品。

7.1.4 样品制备

用做检验的样品必须制成平均样品，其目的在于保证样品均匀，取任何部分都能较好地代表全部待鉴定食品的特征。应根据待鉴定食品的性质和检测要求采用不同的制备方法。样品制备时，必须先去除果核、蛋壳、骨和鱼鳞等非可食部分，然后再进行样品的处理。① 一般固体食品，可用粉碎机将样品粉碎，过 20 ~ 40 目筛；② 高脂肪固体样品（如花生、大豆等）需冷冻后立即粉碎，再过 20 ~ 40 目筛；③ 高水分食品（如蔬菜、水果等）多用匀浆法；④ 肉类用绞碎或磨碎法；⑤ 能溶于水或有机溶剂的样品成分，则用溶解法处理；⑥ 蛋类去壳后用打蛋器打匀；⑦ 液体或浆体食品，如牛奶、饮料、植物油及各种液体调味品等，可用玻璃棒或电动搅拌器将样品充分搅拌均匀。

根据食品种类、理化性质和检测项目的不同，供测试的样品往往还需要作进一步的处理，如浓缩、灰化、湿法消化、蒸馏、溶剂提取、色谱分离和化学分离等。

7.1.5 检验方法的选择

凡有国家标准检测方法的检测项目，应使用国标方法进行检验。在国家标准测定方法中同一检验项目如有两个或两个以上检验方法时，各实验室可根据不同条件选择使用，但应以第一法为仲裁法。在无相应的国家标准检测方法的情况下，可使用其他来源的检测方法（如行业标准、地方标准、企业标准规定的方法，专业杂志和书籍中的方法，实验室自行建立的方法等），但使用前应进行方法的确认或验证。

7.1.6 样品保留

样品在检验结束后一般应保留至少一个月，以备需要时复查，保留期限从检验报告单签发之日算起。易变质食品不予保留，保留样品应加封后存放在适当的地方，并尽可能保持其原状。留样方法可根据食品种类、性质、检验项目、保留条件及合同中的有关规定来决定。

对检验结果有怀疑或有争议时，可对样品进行复验。国际贸易中，双方在交货时，对食品的质量是否符合合同中的规定产生分歧时，也需进行复验。如双方争执较大，还应由双方一起采样。将样品送权威和公正的第三方检验机构进行仲裁检验。

7.2 食物中水分的测定

水能延长许多食品的保质期，通过与糖、蛋白质、脂质的物理作用，对食品的质量起着重要作用。但同时也是食品易腐败的原国。根据水分含量的多少和物质的特性，厂解食物中水分的含量，是掌握食品的基础数据。目前水分的测定方法有多种，以下介绍两种常用方法。

7.2.1 直接干燥法

1. 目的意义

食品中水分存在的形式有三类：一是结合水，存在于动物、植物原浆中，一般压榨、蒸馏和冻结干燥等不能去除；二是自由水，存在于动植物汁液中，压榨断裂等可以分离出来；三是游离水，存在于食品表面，随着环境温度、湿度变化较显著。一般采用在95~105℃下加热烘烤所减失的质量来表示食品中的水分。

2. 原理

直接干燥法是采用重量分析的方法，即称取一定量样品，在常压下于95~100℃，进行烘烤，使食物中水分蒸发逸出，至样品质量不再继续减轻为止，即达恒重。根据样品所减失的质量，来计算样品中含水的百分率。

3. 仪器与试剂

（1）电子天平（感量0.001g）

（2）电热恒温干燥箱[（105±2）℃]

（3）玻璃干燥器（硅胶干燥剂）

（4）称量瓶或铝盒

（5）6 mol/L 盐酸溶液

（6）6mol/L 氢氧化钠溶液

（7）海砂 取海砂（河砂）用水洗净。再用6mol/L盐酸溶液煮沸30min，用蒸馏水洗至pH不变为止，105℃烘干后备用。

4. 操作步骤

（1）固体样品　将样品磨细或切碎。在已称得质量的称量瓶或铝盒内称取样品2~10g，将称量瓶或铝盒同样品置于温度预先调节至105℃的烘箱内，干燥4h。然后用坩埚钳将称量瓶茧铝盒放入干燥器内冷却30min，待降至室温后称重。然后再将称量瓶或铝盒置于105℃的烘箱内，干燥2h。干燥后用坩埚钳将称量瓶或铝盒放入干燥器内30min，降至室温后称重。重复此操作。直至前后两次质量差不超过0.01g，即测至恒重为止。

（2）半固体或液体样品　在称量瓶或铝盒内先加一定量海砂及小玻璃棒一根，置95~

100℃烘箱内烘烤30min取出，干燥后用坩埚钳将称量瓶或铝盒放入干燥器内30min，降至室温后称重。然后称取5~10g样品于称量瓶或铝盒内，用小玻璃棒搅匀，在沸水浴上蒸干后，置95~105°C烘箱内烘烤，以下步骤按固体样品操作。

5. 计算

$$水分含量 = \frac{m_1 - m_2}{m_1 - m_3} \times 100\%$$

式中：m_1——烘前称量瓶或铝盒及样：品质量(g)；

m_2——烘斤称量瓶或铝盒及样品质量(g)；

m_3——粕(虽瓶或铝盒恒质量(g)。

6. 注定事项

(1)烘干法测定水分含量可用不同温度利不同干燥时间。如粮食可在130%烘1h，其结果与105℃烘4h一致。

(2)蔬菜样品在购到后必须用水将泥沙洗净，再用蒸馏水冲一次，用纱布将蔬菜上的水吸去，再用风扇将附着的水吹去。然后用刀在玻璃板上切碎或用于撕碎，将茎叶混匀后取样。

(3)因蔬菜含水分多，所以应多取样品测定，如可采20~50g。

(4)在测定豆瓣酱、蜂蜜、油脂等黏稠样品时，可用1:1HCl浸后洗净的大粒砂子掺入样品中，并用玻璃棒在烘干的时候不时地搅拌，才能得到好的结果。

(5)测定水分的恒重是前后两次称得的质量之差不超过10mg。

7.2.2 减压干燥法

1. 目的定义

本法适用于不耐热的样品，即在100℃以上加热容易变质及含有不易除去结合水的食品。

高温易分解的食品以及水分较多挥发较慢的食品，其测定结果比较接近真正水分含量。

2. 原理

食品中水分在常压760mmHg下沸点为100℃。减压则沸点下降。采用比较低的温度，在减压下于燥以排除水分，样品中被减少的量为样品的水分。

3. 操作步骤

精确称取2.00~5.00g样品于已恒重的称量瓶或铝盒内，放置真空烘箱中，在温度700℃，真空度为93.3~98.6kPa(700~740mmHg)烘箱中烘烤5 h，取出放入干燥器中称至恒重。以下操作与计算均同直接干燥法。

4. 说明

一般在温度100℃以上容易变质、破坏或不易除去结合水的样品，如糖浆、味精、砂糖、糖果、蜂蜜、果酱和脱水蔬菜等样品都采用减压干燥法。

7.3 食物中总氮的测定(微量凯氏定氮法)

蛋白质为复杂的含氯有机化合物，是由各种氨基酸以肽键连接而成。所含元素主要为碳、氢、氧、氮及硫等。各类食物的蛋白质含量很不均衡，故含量测定为评价食物营养价值的重要指标。蛋白质测定方法很多，如总氮量法、福林—酚试剂法、双缩脲法、紫外吸收法等。近年来已有特用的蛋白质分析仪。但凯氏定氮法仍然是经典而较精确的方法。

7.3.1 目的意义

食物中蛋白质含量是计算人体蛋白质摄入量的基础资料。各类食物的蛋白质含量很不均衡，故蛋白质含量的测定可作为评价食物营养价值的重要指标。通过本方法的学习，要求掌握方法的原理、操作步骤和了解蛋白质系数在蛋白质含量计算中的应用。

7.3.2 原理

蛋白质是含氮的有机化合物，在强热和浓硫酸的作用下，可被消化生成$(NH_4)_2SO_4$。在凯氏蒸馏器中，$(NH_4)_2SO_4$与碱作用，通过蒸馏将氨放出，收集于硼酸溶液中，用已知的 HCl 消耗量计算出氮的含量，再乘以蛋白质系数即可得蛋白质含量。

7.3.3 仪器与试剂

1. 凯氏定氮瓶、小漏斗及消化架
2. 凯氏蒸馏装置(如图 1－1)
3. 容量瓶、锥形瓶
4. 微量滴定管(2mL)
5. 浓硫酸(分析纯)
6. 硫酸钾(固体)
7. 硫酸铜(固体)
8. 40% 氢氧化钠溶液 40g 氢氧化钠溶解于蒸馏水中，再稀释至 100ml。
9. 2% 硼酸溶液 称取 20g 硼酸溶解于少量蒸馏水中，再稀释至 1000ml。
10. 混合指示剂 1 份 0.1% 甲基红乙醇溶液与 5 份 0.1% 溴甲酚绿乙醇溶液临用时混合。
11. 0.05 mol/L 盐酸标准溶液。

7.3.4 操作步骤

1. 样品处理　精确称取 0.2～2.0g 固体样品或 2～5g 半固体样品或吸取 10～20mL。液体样品(相当于氮 30～40mg)，移入干燥的 100mL 或 500mL 凯氏定氮瓶中，加入 0.2g

硫铜3g硫酸钾及20mL浓硫酸，稍摇匀后于瓶口放一小漏斗，将瓶以45°角斜支于有小孔的石棉网上。小心加热，待内容物全部炭化，泡沫消失后加大火力，至液体呈蓝色澄清透明后。取下放冷。

小心加少量蒸馏水把样品反复数次洗涤移入100 mL容量瓶中，加蒸馏水至刻度，混匀备用。取相同量的硫酸铜、硫酸钾、浓硫酸按同一方法做试剂空白试验。

2. 蒸馏　按图7－1装好凯氏定氮装置，于水蒸气发生瓶内装水至约2/3处，加入数粒玻璃珠以防暴沸，用调压器控制温度，加热煮沸水蒸气发生瓶内的水。

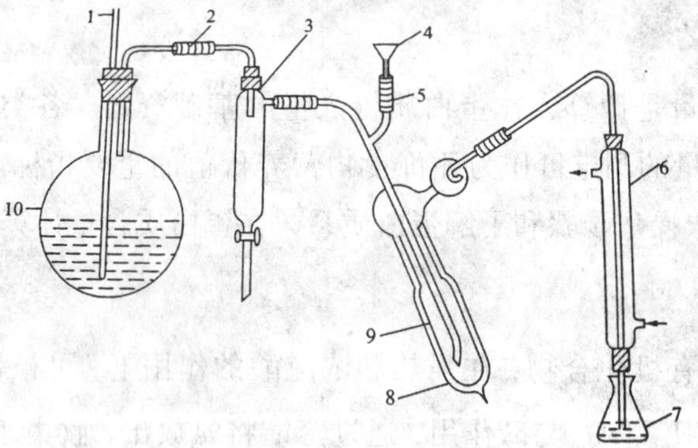

图7－1　微量凯氏定氮装置

1－安全管;2－导管;3－气水分离管;4－样品入口;5－玻璃珠;

6－冷凝管;7－吸收液;8－隔热液套;9－反应管;10－水蒸气发生瓶

向接收瓶(锥形瓶)内加入10 mL 2%硼酸溶液及指示剂1滴，并把接收瓶放置于冷凝管下端。吸取10.0mL样品消化液由小漏斗流入反应室，以10mL水洗涤小漏斗并使其流入反应室内，将10ml 40%氢氧化钠溶液倒入小漏斗，使其缓缓流入反应室，并加水于小漏斗以防漏气。

同时将冷凝管的下端插入接收瓶内的硼酸溶液液面下，开始蒸馏，立即计时。蒸气通入反应室使氨通过冷凝管进入接收瓶内，蒸馏5min。移动接收瓶使冷凝管下端离开液面，再蒸馏l rain，然后用少量水冲洗冷凝管下端外部。取下接收瓶。蒸馏以后，应反复清洗蒸馏器2~3次。

3. 滴定　以标定过的盐酸标准溶液滴定至灰色或蓝紫色为终点，记录用量。

试剂空白按上述2和3操作步骤操作。

7.3.5 计算

$$X = \frac{(V_1 - V_2) \times c \times 0.14kg/mol}{m \times 10/100} f \times 100$$

式中：X——样品中蛋白质的含量(g/100g)；

V_1——样品消耗盐酸标准溶液的体积(mL)；

V_2——试剂空白消耗盐酸标准溶液的体积(mL)；

c——盐酸标准溶液的摩尔浓度(mol/L)；

m——样品的质量(g)；

f——氮换算为蛋白质的系数；

0.014——1 mol/L 盐酸标准液 lmL。相当于氮的质量(kg/mol)的数值；

10/100——10 表示 10mL 样品消化液，100 表示定容体积(mL)。

蛋白质中的含氮量一般为 15% ~17.6%，按 16% 计算应乘以 100/16 等于 6.2g，即为蛋白质含量。各种食品的蛋白质系数稍有差别，如大米为 5.95，花生为 5.46，乳为 6.38，面粉为 5.70，玉米、高粱为 6.24，大豆及制品为 5.71，肉及制品为 6.25，大麦、小麦、燕麦、裸麦为 5.83，芝麻、向日葵为 5.30g。

7.3.6 注意事项

1. 消化要在通风橱内进行消化时要把附在管壁上的食物用硫酸冲下，使消化完全。蒸馏时要随时注意防止蒸馏器漏水、漏气等现象的发生。

2. 蒸馏时向反应室内加氢氧化钠动作要快，玻璃塞塞严并立即用少量的水密封，以免氨的逸出。

3. 加入硫酸钾的目的是提高硫酸的沸点，硫酸铜是催化剂，可加速其反应速率。

4. 测定前应先用标准硫酸铵做氮回收率的测定，借以验证所用仪器、试剂及操作等条件的可靠性。氮回收率应在 95% ~105%。

7.4 食物中脂肪的测定(索氏抽提法)

食品中脂肪的检验分析，一般采用经典的索氏抽提法。但由于食品种类不同，脂肪与样品中的其他组分的结合不同，因而采用的检验方法就不同，通常用酸或碱乙醚抽提法。但蛋白制品常用三氯甲烷冷浸法，乳制品采用哥特里法或乳脂肪分析仪法，蔬菜制品用折射仪物理方法等。

7.4.1 目的意义

脂肪是人体必需的营养成分，适宜摄入脂肪，可保证机体必需脂肪酸的摄入及能量的供给。通过本方法的学习掌握食物中脂肪的测定方法。

7.4.2 原理

食物样品用无水乙醇或石油醚等溶剂抽提后，蒸去抽提液中溶剂所得的物质，在食品分析上称为脂肪或粗脂肪，即总脂肪含量。

7.4.3 仪器与试剂

1. 索氏提取器

2. 分析天平

3. 恒温水浴锅

4. 干燥器

5. 乙醚脱过脂的滤纸、白色棉线及脱脂棉

6. 无水乙醚或石油醚

7. 海砂　取用水洗去泥土的海砂或河砂，先用6mol/L盐酸煮沸0.5h，用水洗至中性，再用6mol/L氢氧化钠溶液煮沸0.5h，用水洗至中性，经105℃干燥备用。

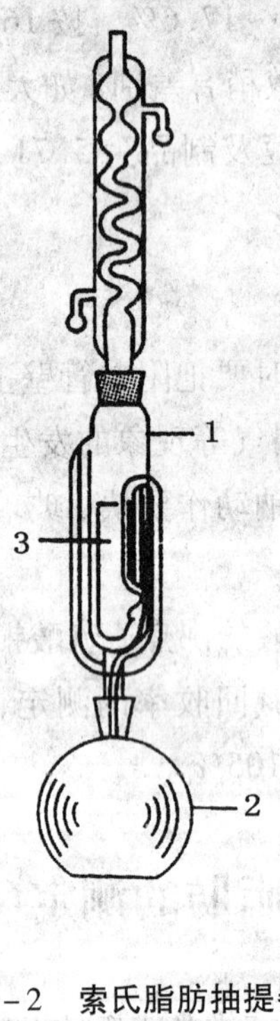

图7－2　索氏脂肪抽提器

1－抽提管；2－接收瓶；3－滤纸筒

7.4.4 操作步骤

1. 样品处理

(1) 固体样品：精确称取2～5g（可取测定水分的样品），必要时拌以海砂，全部移入滤纸筒内。

(2) 液体或半固体样品：称取5～10g，置于蒸发皿中，加入海砂约20g于沸水浴上蒸干后，再于95℃～105℃干燥，研细，全部移入滤纸筒内。蒸发皿及附有样品的玻璃棒均用蘸有乙醚的脱脂棉擦净，并将脱脂棉放入滤纸筒内。

2. 抽提　将滤纸筒放入脂肪抽提器的抽提筒内，连接已干燥至恒重的接收瓶，由抽提器冷凝管上端加入无水乙醚或石油醚至瓶内容积的2/3处，于水浴上加热，使乙醚或石油醚不断地回流提取，一般抽提6～12h。

3. 称量　取下接收瓶，回收乙醚或石油醚，待接收瓶内乙醚剩 1 ~2mL 时在水浴上蒸干，再于 95℃ ~105℃干燥 2h，放干燥器内冷却 0.5 h 后称重。

4. 计算

$$X = \frac{m_1 - m_0}{m_2}$$

式中：X——样品中脂肪的含量（g/100g）；

m_1——接收瓶脂肪的质量（g）；

m_0——接收瓶质量（g）；

m_2——样品的质量（如是测定水分后的样品，按测定水分前的质量计，g）。

7.4.5 说明

1. 本法所测的结果为粗脂肪，因为除脂肪外还有有色色素及挥发油、蜡、树脂等物质。

2. 本法抽提所得脂肪为游离脂肪，若测定游离及结合的脂肪总量可采取酸水解法。

7.5 食物中糖类的测定

糖类的测定方法主要有化学法、酶法和高效液相法（HPLC 法）。对常量含糖物质可选用比色法、滴定法，酶法以特异的糖类为底物，引发一系列反应，通过测定反应产物可以定量分析糖类的含量。HPLC 法根据待检物质的性质，选用不同的糖柱作为分离柱，用差示检测器进行定量分析，是近年来发展比较迅速的方法。

7.5.1 食物中葡萄糖的测定（葡萄糖氧化酶法）

1. 目的意义

葡萄糖的测定方法主要有化学法、酶法和 HPLC 法。葡萄糖具有还原性，可选择还原糖法的测定方法测定，但是还原糖法特异性较差，如果样品中混有其他还原糖可使结果偏高。酶法采用的酶可选择性地水解葡萄糖，方法的特异性较强，是测定葡萄糖常选用的方法。

2. 原理

葡萄糖在葡萄糖氧化酶的作用下产生葡萄糖酸和过氧化氢，过氧化氢在过氧化物酶的作用下使邻联甲苯胺生成蓝色物质，此有色物质在 625 nm 波长下与葡萄糖浓度成正比。通过测定蓝色物质的吸光度可计算样品中葡萄糖的含量。

3. 仪器与试剂

（1）722 型分光光度计

（2）恒温水浴箱

（3）无水乙醇

(4) 40%二氯乙酸　称取 40g 三氯乙酸,用水溶解并稀释至 100mL。

(5) 2mol/LNaOH 溶液　称取 8gNaOH, 用水溶解并稀释至 100mL。

(6) 1%邻联甲苯胺溶液　称取 0.1g 邻联甲苯胺溶解厂 10mL,无水乙醇中, 倒入棕色瓶中, 4℃冰箱保存。

(7) 乙酸缓冲液(pH5.0)　称取 14.28g 乙酸钠($CH_3COONa \cdot 3H_2O$)溶于水中, 加入 2.7mL 冰乙酸, 并调节 pH5.0, 用水定容至 1L。

(8) 葡萄糖氧化酶溶液　称取一定量的葡萄糖氧化酶(Sigma 公司), 用水溶解, 使酶含量为 l00U/mL。4℃冰箱保存一周。

(9) 过氧化物酶溶液　0.010g 辣根过氧化物酶溶于 10mL 水中, 4℃冰箱保存一周。

(10) 酶溶液　取 100mL 乙酸缓冲液, 分别加入邻联甲苯胺溶液、葡萄糖氧化酶溶液、过氧化物酶溶液各 1mL, 混匀。4℃冰箱可保存七周。

(11)酶空白液　取 100 mL 乙酸缓冲液, 分别加入邻联甲苯胺溶液、过氧化物酶溶液各 lmL, 混匀;4℃冰箱保存一周。(注意酶空白液巾不含葡萄糖氧化酶。)

(12) 葡萄糖标准液　将葡萄糖标准品(纯度大于 99%)于 80℃干燥至恒重。精确称取 0.050g, 用水移入 100mL。容量瓶中, 定容至刻度线。相当于浓度为 0.5Mg/ML。

4. 操作步骤

(1) 样品前处理

① 固体样品　称取 0.5 ~5g 已粉碎的样品于锥形瓶中, 加入 50 mL 水后沸水浴 15min 冷却后, 转移至 100mL 容量瓶巾并用水定容至刻度线。反复摇动混匀样品, 过滤, 弃初始儿滴滤液:收集滤液。如果滤液澄清, 可直接或经进一步稀释后用于测定。如果滤液浑浊, 吸取 20mL 滤液转移至另一容量瓶中, 加入无水乙醇至刻度线。混合后静置至少 30 min。过滤, 滤液用于测定。

② 液体样品　寡糖、淀粉等糖类水解液:吸取 2 ~10mL 样品或水解液。加入 4 倍量乙醇(乙醇终浓度为 80%), 混合。静置至少 30min, 过滤后滤液备用。(如果过滤后滤液仍浑浊,或样液体积过少, 可 3000r/min 离心 15min, 上清液备用。)

③ 新鲜牛乳等样品　吸取 0.5 ~2mL 样品, 用水稀释, 加入 3mL40%三氯乙酸溶液。用水定容至 100 mL, 过滤。吸取 5mL 滤液, 用 2mol/LNaOH 调节 pH 至中性, 用水定容至 10mL, 备用。

(注:样品处理中 80%乙醇的用途是沉淀不溶性多糖和部分蛋白质, 40%三氯乙酸用于沉淀蛋白。)

(2) 测定　标准管和样品测定管, 按表 7 -1 所列操作

表 7－1　　葡萄糖氧化酶法操作步骤(单位:mL)

试剂	标准空白管	葡萄糖标准管	样品空白管	样品测定管
葡萄糖标准液/mL	—	0.1～0.5	—	—
样品提取液/mL	—	—	0.5	0.5
水/mL	0.5	补至0.5	—	—
酶溶液/mL	5	—	—	5
酶空白液/mL	—		5	—

上述试剂混合后37℃水浴反应15min，625nm测定吸光度值。

(注意:葡萄糖与酶溶液的呈色反应与反应时间密切相关，如反应时间过长，溶液颜色会由蓝转变成灰色，并慢慢产生沉淀，所以反应时间应严格控制好。)

5. 计算

根据吸光度值求出葡萄糖标准曲线的回归方程，采用插入法求出样品测定管中葡萄糖含量，再根据稀释定容体积和称样量，计算出样品中葡萄糖含量。计算公式:

$$样品中的葡萄糖含量\ (g/100g) = \frac{A_s \times A_b \times V \times f}{V_s \times m}$$

式中:As——由标准回归方程求出的样品测定管中葡萄糖含量(mg);

A_b——由标准回归方程求出的样品空白管中葡萄糖含量(mg);

v——样品定容体积(mL);

f——稀释倍数;

Vs——测定时吸取样品提取液的体积(0.5mL);

m——样品质量(g);

0.1——将mg/g转换成g/100g的系数。

6. 注意事项

(1) 此方法中的酶溶液只能和葡萄糖反应，特异性强，灵敏度高。

(2) 如果样品提取液为无色，无需做样品空白。但是有些样品颜色很深，如饮料、菌藻类食物，或样品提取液浑浊，往往干扰测定结果，但又难以去除，所以测定这类样品时需做样品空白管以减少干扰。

7.5.2 食物中还原糖测定(直接滴定法)

1. 目的意义

本方法测定的是一类具有还原性质的糖，包括葡萄糖、果糖、乳糖、麦芽糖等。如果已知样品只含有某种还原糖，则应以该还原糖作标准品，结果为该还原糖的含量。

2. 原理

样品经除去蛋白质后，在加热条件下，直接滴定已标定过的费林试液，费林试液被还原析出氧化亚铜后，过量的还原糖立即将次甲基蓝还原，使蓝色褪色。根据样品消耗体积，计算还原糖量。

3. 仪器与试剂

(1) 酸式滴定管(25mL)。

(2)费林甲液　称取15 8 硫酸铜($CuSO_4 \cdot 5H_2O$)及0.05 H次甲基蓝，溶于水中并稀释至lL。

(3)费林乙液　称取50g 酒石酸钾钠与75g 氢氧化钠，溶于水中，再加入4g 铁氰化钾，完全溶解后，用水稀释至500mL，贮存于橡胶塞玻璃瓶内。

(4)乙酸锌溶液　称取21.9gL 酸锌，加3 mL 冰乙酸，加水溶解并稀释至100 mL。

(5)亚铁氰化钾溶液　称取10.6g 亚铁氰化钾，用水溶解并稀释至100mL。

(6)盐酸

(7)葡萄糖标准溶液　精确称取1.000g 经过80℃于燥至恒重的葡萄糖(纯度在99%以上)，加水溶解后加入5ml 盐酸，并以水稀释至lL。此溶液相当于1mg/mL 葡萄糖。(注:加盐酸的目的是防腐，标准溶液也可用饱和苯甲酸溶液配制。)

4. 操作方法

(1) 样品前处理

① 乳类、乳制品及含蛋白质的食品:称取约0.5～2g 固体样品(吸取2～10mL 液体样品)，置于100 mL 容量瓶中，加50mL 水，摇匀。边摇边慢慢加入5 mL 乙酸锌溶液及5 mL。亚铁氰化钾溶液，加水至刻度，混匀。静置30 min，用干燥滤纸过滤，弃去初滤液，滤液备用。(注意:乙酸锌可去除蛋白质、鞣质、树脂等，使它们形成沉淀，纤过滤除去。如果钙离子过多时，易与葡萄糖、果糖生成络合物，使滴定速率缓慢;从而结果偏低，可向样品中加入草酸粉，与钙结合，形成沉淀并过滤。)

② 酒精性饮料:吸取50mL 样品，置于蒸发皿中，用1mol/l 氢氧化钠溶液中和至中性，在水浴上蒸发至原体积1/4 后，移入100 mL 容量瓶中。加25 mL 水，混匀。以下按(1)自“加5mL 乙酸锌溶液”起依法操作。

③ 含多量淀粉的食品:称取2～5g 样品，置于100 mL 容量瓶中，加50 mL。水，在45℃水浴中加热1h，并不断振摇(注意:此步骤是使还原糖溶于水中，切忌温度过高，因为淀粉在高温条件下可糊化、水解，影响检测结果)。冷后加水至刻度，混匀，静置。吸取50mL 上清液于另一100mL 容量瓶中，以下按(1)自“加5 mL 乙酸锌溶液”起依法操作。

④ 汽水等含有二氧化碳的饮料:吸取50 mL 样品置于蒸发皿中，在水浴上除去二氧化碳后，移入100 mL。容量瓶中，并用水洗涤蒸发皿，洗液并入容量瓶中，再加水至刻度，混匀后，备用。

(注意:样品中稀释的还原糖最终浓度应接近于葡萄糖标准液的浓度。)

(2)标定费林试液溶液　吸取5.0 mL 费林甲液及5.0 mL 费林乙液，置于150 mL 锥形瓶中(注意:甲液与乙液混合可生成氧化亚铜沉淀，应将甲液加入乙液，使开始生成的氧化亚铜沉淀重溶），加水 10mL。加入玻璃珠 2 粒，从滴定管滴加约 9mL 葡萄糖标准溶液，控制在 2min 内加热至沸，趁沸以每 2 秒 1 滴的速度继续滴加葡萄糖标准溶液，直至溶液蓝色刚好褪去并出现淡黄色为终点，记录消耗的葡萄糖标准溶液总体积，平行操作 3 份，取其平均值，计算每 10mL。（甲、乙液各 5 mL）费林试液相当于葡萄糖的质量（mg）。（注意：还原的次甲基蓝易被空气中的氧氧化，恢复成原来的蓝色，所以滴定过程中必须保持溶液成沸腾状态，并且避免滴定时间过长。）

3. 样品溶液预测　吸取 5.0mL 费林甲液及 5.0 mL 费林乙液，置于 150mL 锥形瓶中，加水 10mL，加入玻璃珠 2 粒，控制在 2min 内加热至沸，趁沸以先快后慢的速度，从滴定管中滴加样品溶液，并保持溶液沸腾状态，待溶液颜色变浅时，以每秒 1 滴的速度滴定，直至溶液蓝色褪去，出现亮黄色为终点。如果样品液颜色较深，滴定终点则为蓝色褪去出现明亮颜色（如亮红），记录消耗样液的总体积。（注意：如果滴定液的颜色变浅后复又变深，说明滴定过量，需重新滴定。）

4. 样品溶液测定　吸取 5.0mL 费林甲液及 5.0 mL 费林乙液，置于 150mL 锥形瓶中，加水 10mL，加入玻璃珠 2 粒，在 2 mm 内加热至沸，快速从滴定管中滴加比预测体积少 1mL 的样品溶液，然后趁沸继续以每 2 秒 1 滴的速度滴定至终点。记录消耗样液的总体积，同法平行操作 2 ~3 份，得出平均消耗体积。

5. 计算

$$样品中还原糖的含量（以葡萄糖计）= \frac{(c \times V_1 \times V)}{m \times V_2 \times 1000} \times 100\%$$

式中：c——葡萄糖标准溶液的浓度（mg/mL）；

V_1——滴定 lomL 费林试液（甲、乙液各 5 mL）消耗葡萄糖标准溶液的体积（mL）；

V_2——测定时平均消耗样品溶液的体积（mL）；

V——样品定容体积（mL）

m——样品质量（g）。

6. 注意事项

（1）本方法测定的是一类具有还原性质的糖，包括葡萄糖、果糖、乳糖、麦芽糖等，只是结果用葡萄糖或其他转化糖的方式表示，所以不能误解为还原糖 = 葡萄糖或其他糖。但如果已知样品中只含有某一种糖，如乳制品中的乳糖，则可以认为还原糖 = 某糖。

（2）分别用葡萄糖、果糖、乳糖、麦芽糖标准品配制标准溶液，分别滴定等量已标定的费林试液，所消耗标准溶液的体积有所不同。证明即便同是还原糖，在物化性质上仍有所差别，所以还原糖的结果只是反映样品的整体情况，并不完全等于各还原糖含量之和。如果样品中还原糖的成分未知，或为多种还原糖的混合物，则以某种还原糖作标准品，结果以该还原糖计，但不代表该糖的真实含量。

7.6 食物中抗坏血酸的测定

用于食物中维生素 C 含量测定的主要方法有三种，即 2，6 - 二氯酚靛酚滴定法、2，4 - 二硝基苯肼比色法和荧光法。2，6 - 二氯酚靛酚滴定法只能测定食物中还原理抗坏血酸。由于脱氢型抗坏血酸在人体内与还原型抗坏血酸具有同样的生理功能。在一般情况下，测定食物中总抗坏血酸，采用 2，4 - 二硝基苯肼比色法和荧光法。

7.6.1 总抗坏血酸的测定（荧免法）

1. 目的意义

食品中的总抗坏血酸包括还原型和脱氢型两种形式。当食物放置时间较长或经过烹调处理后，其中有相当一部分抗坏血酸转变为脱氢型，脱氢型的抗坏血酸仍有 85% 左右的维生素 C 活性，因此对这类食物常常测定总抗坏血酸。

2. 原理

样品中还原型杭坏血酸经活性炭氧化为脱氢型抗坏血酸。脱氢型抗坏血酸与邻苯二胺反应生成有荧光的化合物喹啉（quinoline），其荧光强度与脱氢型抗坏血酸浓度在一定条件下成正比，以此测定食物中总抗坏血酸量。

3. 仪器与试剂

（1）荧光分光光度计或有 338nm 及 340nm 波长的荧光计

（2）捣碎机

（3）100mL 容量瓶，200mL 具塞锥形瓶，10mL 具塞试管

（4）偏磷酸 - 乙酸液　称取 30g 偏磷酸（HPO_3），溶于 80mL 冰乙酸中，加 500mL 蒸馏水混匀，稀释至 1000mL。于 4℃ 冰箱可保存 7 ~ 10 天。

（5）偏磷酸 - 乙酸 - 硫酸液　制法同 4，只是用 0.15mol/L 硫酸代替蒸馏水。

（6）醋酸钠溶液　溶解 500g 醋酸钠（$NaAC \cdot 3H_2O$）于蒸馏水中，稀释至 1000 mL

（7）硼酸 - 醋酸钠溶液　溶解 3g 硼酸于 100mL 醋酸钠溶液中，临用前配制。

（8）邻苯二胺溶液　称取 20mg 邻苯二胺，于临用前溶解至 100mL。

（9）0.04% 百里酚蓝指示剂溶液　称取 0.1g 百里酚蓝，加 0.02mol/L 氢氧化钠溶液在玻璃研钵中研磨至溶解，氢氧化钠的用量大约是 10.75 mL，研磨溶解后的溶液用水稀释至 250 mL。

（10）活性炭的活化　加 200g 炭粉与 1L 盐酸浓溶液（1 份盐酸 +9 份水），加热回流 1 ~ 2h，过滤，用水洗至滤液中无铁离子为止，置于 110 ~ 120℃ 供箱中干燥，备用。

（11）抗坏血酸标准溶液（1mg/mL）　精确称取 50mg 抗坏血酸，用偏磷酸 - 乙酸液溶至 50mL 容量瓶中，稀释至刻度（临用前配）。

(12)抗坏血酸标准应用液(100μg/mL) 取10mL抗坏血酸标准液，用偏磷酸－乙酸液稀释至100mL。定容前测定pH，如pH＞2.2，则选用偏磷酸－乙酸－硫酸液稀释，

4.操作步骤

(1)样品处理 称100g样品加100mL偏磷酸－乙酸溶液，倒入捣碎机内打成匀浆，用百里酚蓝指示剂调试匀浆酸碱度，若呈红色，立即用偏磷酸－乙酸溶液稀释，若呈黄色或蓝色则用偏磷酸－乙酸－硫酸溶液稀释。匀浆的取样量需根据样品中抗坏血酸的含量而定，当样品中含量在40～100μg/mL之间，一般取20g匀浆，用偏磷酸－乙酸或者偏磷酸－乙酸－硫酸液稀释至100mL过摅，滤液备用。

(2)氧化处理 分别取样品滤液和抗坏血酸标准应用液各80mL于200mL具塞锥形瓶中，加2g活性炭，用力振摇1min,过滤，弃去最初数毫升滤液，分别收集其余全部滤液，即样品氧化液和标准氧化液，待测定。

(3)各取10mL标准氧化液于2个100mL容量瓶中，分别标明“标准”及“标准空白”。

(4)各取10mL样品氧化液于2个100mL容量瓶中，分别标明“样品”及“样品空白”。

(5)于“标准空白”及“样品空白”溶液中各加入5mL硼酸－乙酸钠溶液，混合振摇15min,用蒸馏水稀释至100ml,在4℃冰箱中放置2～3 h，取出备用。

(6)于“样品”及“标准”溶液中各加入5mL50%醋酸钠溶液，用蒸馏水稀释至100mL，备用。

(7)标准曲线的制备 取步骤6中“标准”溶液(抗坏血酸含量10μg/mL)0.5mL、1.5mL和2.0mL分别置于10mL具塞试管中，再用蒸馏水补充至2.0mL。每 浓度分别作两个平行样对照。

(8)取“标准空白”溶液、“样品空白”溶液及“样品”溶液各2mL分别置于10mL具塞试管中。

(9)在暗室中迅速向各管中加入5mL邻苯二胺溶液，振摇均匀，在室温下反应35 min，于激发波长338 nm，发射波长420nm处测定荧光强度。

5.结果计算

$$抗血酸含量(10mg/100g) = \frac{C-D}{A-B} \times c \times \frac{f}{m} \times V \times \frac{1}{1000} \times 100$$

式中：A——标准管荧光读数；

B——标准空白管荧光读数；

C——样品管荧光读数；

D——样品空白管荧光读数；

c——标准管中抗坏血酸浓度(μg/mL)；

f——样品稀释倍数；

m——取样量(g)；

V——荧光反应所用式样体积(10mL)；

1/1000——将抗坏血酸的 μg 折算为 mg 系数。

6. 说明

(1)处理活性炭时，可取活性炭洗涤滤液少许，加数滴 5% 亚铁氰化钾，若不出现蓝色，即无 Fe^{3+} 存在，或滴加数滴 1% 硫氰化钾，若不出现红色，也证明没有 Fe^{3+} 存在，此时将活性炭滤干水分开置烘箱内烘干，冷却后置干燥箱中备用。

(2)生食物匀浆时会产生泡沫，为定容准确可加数滴异戊醇除去。

(3)百里酚蓝指示剂变色范围 pH 1.2，红色；pH 2.8，黄色；PH >4，蓝色。

7.6.2 总抗坏血酸曲测定(2，4—二硝基苯肼比色法)

1. 目的意义

同荧光法。

2. 原理

样品中还原型抗坏血酸经活性炭氧化为脱氢型抗坏血酸。在一定条件下，脱氢型抗坏血酸与2，4—二硝基苯肼作用生成红色的脎，脎的生成量与总抗坏血酸含量成正比，将脎溶解在硫酸中后可进行比色定量。

3. 仪器与试剂

(1)恒温水浴[(37 ±0.5)℃]

(2)可见紫外分光光度计或 72 型分光光度计

(3)捣碎机

(4)4.5mol/L 硫酸 250mL 浓硫酸(密度 1.84g/cm³)缓慢加入 700mL 蒸馏水中，冷却后用水稀释至 1000 mL。

(5)85% 硫酸 850 mL 浓硫酸(密度 1.84g/cm³)缓慢加入 150mL 蒸馏水中，放冷，备用。

(6)1% 草酸溶液、2% 草酸溶液

(7)2%2，4 - 二硝基苯肼 溶解 2 克 2，4 - 二硝基苯肼于 100mLl% 草酸中。

(8)1% 硫脲 称取 5g 疏脲溶解在 500mL1% 草酸溶液中。

(9)2% 硫脲 称取 20g 硫脲溶解在 1000mLl% 草酸溶液中。

(10)活性炭(同荧光法处理)

(11)抗坏血酸标准溶液(1mg/mL) 称取 100mg 纯抗坏血酸溶解在 100mL1% 草酸溶液中。

4. 操作步骤

(1)样品提取　均匀取样 100g，剪碎置捣碎机中，加 100mL2% 草酸，制成匀浆。取 10 ~40g 匀浆(含 1 ~2mg 抗坏血酸)倒入 100mL 容量瓶中，用 1% 草酸溶液稀释至刻度，混匀，过滤，虑液备用。

(2)氧化　取上述滤液25mL加入2g活性炭，振摇1 min，过滤，弃去最初数毫升滤液，加入10mL2%硫脲溶液，混匀，备用。

(3)脎的形成　取3个试管，A为空白管，B、C为样品管，按表7－2操作。

混匀置37℃恒温水浴保温3h。取出置室温下。A管加2%2，4－二硝基苯肼1.0mL放置10～15 min。

(4)脎的溶解　各管置冰水浴中缓慢加入85%硫酸5mL，滴加时间至少需要1 min，边加边摇动试管。取出试管，室温下放置30min后比色。

表7－2　　脎的形成操作步骤

加入物	A	B	C
样品氧化后滤液/mL	4.0	4.0	4.0
2% 2，4－二硝基苯阱/mL	0.0	1.0	1.0

(5)比色　用1cm比色杯，以空白液凋零点，于540 nm波长测吸光度。

(6)标准曲线绘制　取50 mL抗坏血酸标准液于100 mL锥形瓶中，加2g活性炭，振摇1min，过滤，取滤液10mL于500mL容量瓶中，加5.0g硫脲，用1%草酸溶液稀释至刻度，抗坏血酸浓度为20μg/mL。取7个100mL容量瓶，按表7－3操作。

混匀置37℃恒温水浴保温3 h。取出置室温下。各管置冰水浴中缓慢加入85%硫酸5mL，滴加时间至少需要1 min，边加边摇动试管。取出试管，室温下放置30min后比色。血酸浓度(μg/mL)为横坐标绘制标准曲线。

表7－3　　抗坏血酸标准曲线绘制

加入物	0	1	2	3	4	5	6	7
抗坏血酸标准液(20μg/mL)/mL	0	5	10	20	25	40	50	60
1%l硫脲/mL	100	95	90	80	75	60	50	40
稀释后抗坏血酸含量/μg	0	1	2	4	5	8	10	12
取上述坏血酸标准氧化液/mL	4.0	4.0	4.0	4.0	4.0	4.0	4.0	4.0
2% 2，4/mL	1.0	1.0	1.0	1.0	1.0	1.0	1.0	1.0

5.结果计算

$$抗血酸含量(10mg/100g) = \frac{c \times V}{m} \times f \times \frac{100}{1000}$$

式中：c——由标准曲线查得或由回归方程计算得出的“样品氧化液”中抗坏血酸浓度(μg/mL)；

V——样品用1%草酸溶液定容后的体积(mL)；

f——样品氧化过程中的稀释倍数；

m——样品质量(g)。

6. 说明

(1)加85%的硫酸溶解形成脎时，应边加边振摇试管，防止样品中糖类成分炭化而使溶液变黑。

(2)加入硫酸30 min后必须立刻比色，因为颜色会继续加深。

(3)硫脲可防止抗坏血酸被氧化，并有助于脎的形成。

7.6.3 速原型抗坏血酸曲测定(2，6－二氯酚靛酚滴定法)

1. 目的意义

新鲜食品中的抗坏血酸主要以还原型的形式存在，测定还原型抗坏血酸可粗略了解该食品中抗坏血酸浓度的高低。

2. 原理

还原型抗坏血酸可将染料2，6－二氯酚靛靛酚还原。用标准碘酸钾溶液标定抗坏血酸溶液，然后以标定的抗坏血酸溶液标定2，6－二氯酚靛酚染料溶液，再用此染料滴定样品中的抗坏血酸。2，6－二氯酚靛酚在酸性溶液中呈红色，被还原后红色褪去。当被测溶液过量1滴染料时即红色，以示终点。在无杂质干扰时，被测溶液还原染料的量与其中所含抗坏血酸浓度成正比。

3. 仪器与试剂

(1)组织捣碎机

(2)微量滴定管，锥形烧瓶

(3)100ml具塞量筒

(4)1%草酸、2%草酸

(5)白陶土

(6)0.0100mol/L碘酸钾标准储备液　精确称取干燥的碘酸钾(GR或AR级)0.2140g，用蒸馏水溶解于100mL容量瓶中并定容至刻度。

(7)0.0010mol/L碘酸钾标准应用液　取碘酸钾标准储备液10mL稀释至100mL。此液1.0mL相当于抗坏血酸0.528mg。

(8)1%淀粉溶液　称取可溶性淀粉0.5g加水1滴，搅拌成糊状以后倒入50mL沸水中，混匀，冷藏待用。

(9)6%碘酸钾溶液　称取碘酸钾0.6g溶解于10mL蒸馏水中。临用前配制。

(10)抗坏血酸溶液　称取纯抗坏血酸粉末20mg，用1%草酸溶解于100mL容量瓶中并稀释至刻度，摇匀。冷藏保存。

(11)碳酸氢钠溶液　称取碳酸氢钠40.2g，溶解于200mL沸水中。

(12)2，6-二氯酚靛酚　称取2，6-二氯酚靛酚50mg溶解于上述碳酸氢钠热溶液中，冷后放冰箱中，过夜，次日过滤于250mL容量瓶中，用蒸馏水稀释至刻度，摇匀。贮于棕色瓶中，冷藏保存。

4. 操作步骤

(1) 2，6-二氯酚靛酚溶液的标定

① 抗坏血酸标准溶液的标定：吸取抗坏血酸溶液2mL于锥形瓶中，再加入1%草酸5mL、6%碘化钾溶液0.5 mL、1%淀粉溶液2滴，再以0.0010mol/L碘酸钾标准液滴定至终点(为淡蓝色)。

计算方法：

$$抗坏血酸浓度(mg/mL)=\frac{消耗碘酸钾体积(mL)\times 0.528mg/mL}{所取抗坏血酸体积(mL)}$$

② 2，6-二氯酚靛酚溶液的标定：吸取已标定过的抗坏血酸溶液5 mL及1%草酸溶液5mL于锥形瓶中，以待标定的2，6-二氯酚靛酚溶液滴定至溶液呈淡红色，在15s内不褪色为止。

$$每毫升染料相当于抗坏血酸的质量(mg/mL)=\frac{抗坏血酸浓度(mg/mL)\times 抗坏血酸溶液的体积(mL)}{滴定消耗染料的体积(mL)}$$

(2)样品测定

① 取样品100g稍加切碎后置捣碎机中，加入等量的2%草酸溶液，制成匀浆。

② 称取10g匀浆于小烧杯中，小心地以1%草酸将样品洗入100mL量筒内，稀释至刻度，摇匀，静止。

③ 取上层液过滤。吸取滤液5mL于锥形瓶中，以标定过的2，6-二氯酚靛酚溶液滴定至溶液呈淡红色，15s内不褪色为止。

④ 用蒸馏水作空白滴定，如染料浓度过高，应适当稀释。

5. 结果计算

$$还原型坏换血酸含量(mg/100g)=\frac{(V_1-V_2)\times T}{m}\times 100$$

式中：V_1——样品滴定时所用染料体积(mL)；

V_2——空白滴定时所用的染料体积(mL)；

m——滴定时所用样品稀释液中含样品的质量(g)；

T——每毫升染料相当于抗坏血酸的质量(mg/mL)。

6. 说明

(1)操作过程要迅速，因还原型抗坏血酸易被氧化，一般不超过2 min。

(2)主食物匀浆在量筒内振摇可能会产生泡沫，加数滴异戊醇可除去。

(3) 如样品有色应把样品上层液20mL导入锥形瓶中，加入一勺白陶土，振摇数次，使充分脱色。静止后再取上层液测定。同时，取一锥形瓶，加入1%草酸20 mL，加入一勺白陶土，振摇数次，作为空白。

(4) 应选择脱色力强、不吸附抗坏血酸的白陶土，每批新的白陶土要测定回收率。

(5) 样品如不易过滤，可离心取上层清液测定。

(6) 样品中可能有其他杂质也能还原2，6－二氯酚靛酚，但还原染料的速度较抗坏血酸慢，所以滴定时以15s粉红色不褪去为止。

7.7 食物中维生素B_2的测定(硅镁吸附剂净化荧光法)

核黄素在生物组织中分布很广，而且大部分和蛋白质结合在一起，参与体内酶的催化氧化作用。故在测定前，应将核黄索分离出来。核黄素在酸性和中性溶液中稳定，游离核黄索对光敏感，只有当核黄素与磷酸蛋白质结合成复合物，对光才比较稳定。测定核黄素常用荧光分析法。

7.7.1 目的意义

核黄素是机体的物质代谢和能量代谢中不可缺少的物质。通过测定食物中核黄素含量可了解人体核黄素摄入情况。

7.7.2 原理

核黄素在440～500nm波长光照射下产生黄绿色荧光。在稀溶液中其荧光强度与核黄素的浓度成正比。利用硅镁吸附剂对核黄素的吸附作用去除样品中的干扰荧光测定的杂质，然后洗脱核黄素，测定其荧光强度。试液再加入低亚硫酸钠($Na_2S_2O_4$)，将核黄素还原为无荧光的物质，再测定试液中残余荧光杂质的荧光强度，两者之差即为食品中核黄素所产生的荧光强度。

7.7.3 仪器与试剂

1. 高压消毒锅

2. 电热恒温培养箱

3. 核黄素吸附柱

4. 荧光分光光度计

5. 硅镁吸附剂:60～100目，Sigma公司产品。

6. 2.5mol/L 无水乙酸钠溶液

7. 10% 木瓜蛋山酶　用 2.5mol/L 乙酸钠溶液配制。使用时现配制。

8. 10% 淀粉酶　用 2.5mol 儿乙酸钠溶液配制。使用时现配制。

9. 0.1mol/L 盐酸　吸取分析纯浓盐酸 83.3mL 于 1L 容量瓶中，加蒸馏水稀释至刻度。

10. 1 mol/L 氢氧化钠

11. 0.1 mol/L 氢氧化钠

12. 20% 低亚硫酸钠溶液　此液用时现配，保存在冰水浴中，4 h 内有效。

13. 洗脱液 丙酮: 冰醋酸: 水(5: 2: 9)

14. 0.04% 溴甲酚绿指示剂　称取 0.1g 溴甲酚绿于小研钵中，加 1.4mL0.1mol/L 氢氧化钠溶液研磨，加少许水继续研磨直至完全溶解，加水稀释至 250mL。

15. 3% 高锰酸钾溶液

16. 3% 过氧化氢溶液

17. 核黄素标准液的配制(纯度 >98%，Sigma 公司)

① 核黄素标准储备液(25μg/mL)：将标准品核黄素粉状结晶置于真空干燥器或盛有硫酸的干燥器中。经过 24 h 后，准确称取 25mg，置于 1L 容量瓶中，加入 2.4mL 冰乙酸和 500 mL 水。将容量瓶置于温水中摇动，待其溶解，冷却至室温，稀释至刻度，移至棕色瓶中，加少许甲苯覆盖于溶液表面，避光于冰箱中保存备用。

② 核黄素标准应用液(0.1μg/mL)：吸取 1.00 mL 核黄素标准储备液，置于 250mL 棕色容量瓶中，用水稀释至刻度。避光，贮于 4℃ 冰箱，可保存 1 周。

7.7.4 操作步骤

整个操作过程需避光进行。

1. 样品前处理　称取 2 ~ 10g 样品(约含 10 ~ 200μg 核黄素)于 100mL 三角瓶中，加入 50mL0.1 mol/L 盐酸，搅拌直至颗粒物分散均匀。用 40 mL 瓷坩埚为盖扣住瓶口，置于高压锅内，在 6.8kg(15 磅)高压下水解样品 30min。水解液冷却后，滴加 1mol/L 氢氧化钠调 pH 为 4.5(取少许水解液用 0.04% 溴甲酚绿检验呈草绿色，pH 为 4.5)。

2. 酶解

(1) 含有淀粉的水解液：加入 3 mL10% 淀粉酶溶液，于 37 ~ 40℃ 保温约 16 h。

(2) 含高蛋白的水解液：加 3mL10% 木瓜蛋白酶溶液，于 37 ~ 40℃ 保温约 16h。

上述酶解液定容至 100.0mL，用干滤纸过滤。此提取液在 4℃ 冰箱中可保存 1 周。

3. 氧化去杂质　取 20mL 的带盖刻度试管 2 支，编号为 A 和 B，按表 7 - 4 操作：

表 7-4　氧化去杂质操作步骤

加入物	A(样品管)	B(标准管)
滤液/mL	10.0	—
核黄素标准应用液/mL	—	1.0
蒸馏水/mL	1.0	10.0
冰醋酸/mL	1.0	1.0
混匀		
3%高锰酸钾液	0.5	0.5

混匀，放置2min，使氧化去杂质与色素。滴加3%过氧化氢溶液数滴，直至高锰酸钾的颜色褪去。剧烈振摇此管，使多余的氧气逸出。

4. 核黄素的吸附和洗脱

(1)核黄素吸附:吸附柱下端用一团脱脂棉垫上，然后称取硅镁吸附剂约1g用湿法装入柱，占柱长1/2~2/3(约5cm高)为宜。勿使柱内产生气泡，调节流速约为每分钟60滴。

(2)过柱与洗脱:将A和B管全部氧化后的样品液及标准液通过吸附柱后，用约20mL热水洗去样品液中的杂质。然后用5.00mL洗脱液将样品中核黄素洗脱，并收集于一带盖10mL刻度试管中，再用水洗吸附柱，收集洗出液体并定容至10mL，混匀后待测荧光。

5. 测定荧光强度

(1)激发光波长420 nm，发射光波长520nm测量样品管及标准管的荧光强度。

(2)样品及标准的荧光值测量后，在各管的剩余液(约5~7mL)中加0.1 mL 20%低亚硫酸钠溶液，立即混匀，在20s内测出各管的荧光值，作为各自的空白值。

6. 计算

$$样品中核黄素的含量(mg/100g) = \frac{(A-B)\times S}{(C-D)\times m}\times f\times\frac{100}{1000}$$

式中:A——样品管荧光值;

B——样品管空白荧光值;

C——标准管荧光值;

D——标准管空白荧光值;

f——稀释倍数;

m——样品的质量(g);

S——标准管中的核黄素含量(μg);

100/1000——将样品中核黄素量由μg/g折算成mg/100g的系数。

7. 注意事项

1. 所有操作需在暗室内进行。

2. 标准曲线由 0.01μg 至 20μg 间，呈良好的线性关系，所以每次测定样品的同时，测定与样品含量相近的标准即可。

3. 氧化去杂质，加入高锰酸钾的量不宜过多，以避免加入双氧水的量大，产生气泡，影响核黄素的吸附及洗脱。

4. 加入低亚硫酸钠的量不能过多以免影响荧光强度，加入后必须立刻读数，否则核黄素又会被空气氧化为荧光型。

5. 不能用皂粉洗涤玻璃器材，应用硫酸—重铬酸钾洗液浸洗，以清水洗净，再以蒸馏水冲洗。

7.8 高效液相色谱(HPLC)法测定食物中维生素 A、E

高效液相色谱(HPLC)法是在经典液相色谱法的基础上发展起来的一种新型分离分析技术。采用高效固定相、高压输液泵、高灵敏检测器等新技术的方法成为色谱法中应用最为广泛的一个分支。在食品分析领域，可测定食品中营养成分、添加剂、药物以及污染成分等。本法是一个快速准确、灵敏度高的测定方法。一次可以同时测定食物中维生素 A、E 和其他脂溶性维生素。

7.8.1 目的意义

熟悉 HPLC 法的原理，掌握样品处理的方法。

7.8.2 原理

食物中的维生素 A 及维生素正经皂化提取以后，将其不可皂化的部分用 HPLC 法测定维生素 A 及维生素 E 的含量。

7.8.3 仪器与试剂

1. 高压液相色谱仪(带紫外检测器)

2. 六孔恒温水浴锅

3. 旋转蒸发器

4. 高纯氮气

5. 高速离心机

6. 无水乙醇　重蒸，不含有醛类物质。

(1)检查方法:取 2mL 银氨溶液于试管中，加入少量乙醇，摇匀，再加入 10% 氢氧化钠溶液，加热，放置冷却后若有银镜反应则表示乙醇中有醛。

(2)脱醛方法:取 2g 目酸银溶于少量水中，取 4g 氢氧化钠溶于温乙醇中。将两者倾入 1L 乙醇中，振摇后，放置暗处 2 天(不时摇动，促进反应)，经过滤，置蒸馏瓶蒸馏，弃去初蒸出的50mL。当乙醇中含醛多时，硝酸银用量适当增加。

7. 100g/L 抗坏血酸溶罐 临用前配制

8. 氢氧化钾溶液(1∶1)

9. 无水乙醚 重蒸，不含过氧化物。

(1)过氧化物检查方法：用5mL乙醚加1mL10%碘化钾溶液，振摇1min，如有过氧化物则释放出游离碘，水层呈黄色，或加4滴0.5%淀粉液，水层呈蓝色。该乙醚需处理后使用。

(2)去除过氧化物的方法：重蒸乙醚时，瓶中放入铁丝或铁末少许。弃去10%初馏液和10%残馏液。

10. pH1 ~14 试纸

11. 无水硫酸钠(Na_2SO_4)

12. 甲醇 色谱纯或分析纯重蒸后使用。

13. 重蒸水 蒸馏水中加入少量高锰酸钾重蒸后使用。

14. 苯并[α]芘标准液 称取苯并[α]芘(纯度98%)，用脱醛乙醇配制成1mL相当于5μg苯并[α]芘内标溶液。

15. 维生素A标准液 视黄醇(纯度85%，Sigma公司)用脱醛乙醇溶解维生素A标准品，使其浓度大约为1mL相当于1mg视黄醇。临用前用紫外分光光度法标定其准确浓度。

16. 维生素E标准液 α－生育酚(纯度95%，Sigma公司)，γ－生育酚(纯度95%，Sigma公司)，δ－生育酚(纯度95%，Sigma公司)。用脱醛乙醇分别溶解以上三种维生素E标准品，使其浓度大约为1mL相当于1mg。临用前用紫外分光光度法分别标定此三种维生隶E的准确浓度。

7.8.4 操作步骤(本实验需避光操作)

1. 样品皂化 称取样品于三角瓶中，加30mL无水乙醇，振摇三角瓶，使样品分散均匀。加入5mLl00g/L抗坏血酸和苯并[α]芘标准液2mL，混匀。最后加入10mL(1∶1)氢氧化钾边加边振摇。于沸水浴上回流扣30min使样品皂化完全。皂化后立即放入冰水中冷却。

2. 样品萃取 将皂化后的样品移入分液漏斗中，用50mL水分2次洗皂化瓶，洗液并入分液漏斗中。用100mL无水乙醚分2次洗皂化瓶及残渣，乙醚液并入分液漏斗中。轻轻振摇分液漏斗2min，静置分层，弃去水层。然后每次用约100 mL水将乙醚液洗至中性，约4 ~5次。

3. 浓缩 将乙醚提取液经无水硫酸钠(约5g)滤入150mL旋转蒸发瓶内，用约15mL乙醚冲洗分液漏斗及无水硫酸钠2次，并入蒸发瓶内，并将其接在旋转蒸发器上，于55℃水浴中减压蒸馏并回收乙醚，待瓶中乙醚剩下约2 mL时，取下蒸发瓶，立即用氮气将乙醚吹干。加入 2mL 乙醇溶液，充分混合，溶解提取物。将乙醇液移入塑料离心管中，于离心机上以 3000 r/min 离心 5 min。上层清液供色谱分析。

4. 标准曲线的制备 将维生素 A 和维生素 E 标准品配制成标准溶液(约 1mg/mL)，制备标准曲线前用紫外分光光度法标定其准确浓度。

标准浓度的标定方法：取维生素 A 和维生素 E 标准液若干微升，分别稀释至 10.00mL 乙醇中，并分别按给定波长测定各维生素的吸光值。用吸光系数计算该维生素的浓度。测定条件如表 7－5 所示：

表 7－5 维生素 A 和维生素 E 标准浓度标定的测定条件

标准	吸光系数 $E_{cm}^{1\%}$	波长 λ/nm
视黄醇	1835	325
α－生育酚	71	294
γ－生育酚	92.8	298
δ－生育酚	91.2	298

浓度计算：

$$某维生素浓度(mg/mL) = \frac{A}{E} \times \frac{1}{100} \times \frac{10.00}{S \times 10^{-3}}$$

式中：A——维生素的平均紫外吸光度；

E——某种维生素 1% 吸光系数；

S——加入标准液的体积(μL)；

$\frac{10.00}{S \times 10^{-3}}$——标准液稀释倍数。

5. 液相色谱分析

仪器所需条件：

预柱 ODS 10μm，4mm×4.5cm。

分析柱 ODS 5μm，4.6min×25cm。

流动相 甲醇∶水=98∶2。混匀，临用前脱气。

紫外检测器波长 300 nm。量程 0.02。

进样量 20μL 进样定量环。

流速 1.65～1.70mL/min。

7.8.5 计算

某种维生素的含量(mg/100g) = c/m×V×100/1000

式中：c——由标准曲线上查到某种维生素含量(μg/mL)；

V——样品浓缩定容体积(mL)；

m——样品质量(g)。

用微处理机两点内标法进行计算时，按计算公式计算或由钳处理机直接给出结果。

7.8.6 注童事项

1. 维生素 A 极易被破坏，实验操作应在微弱光线下进行，或用棕色玻璃仪器。

2. 在皂化过程中，应每 5min 摇一下皂化瓶，使样品皂化完全。

3. 提取过程中，振摇不应太剧烈，避免溶液乳化而不易分层。

4. 洗涤时，最初水洗轻摇，逐次振摇强度可增加。

5. 无水硫酸钠如有结块，应烘干后使用。

6. 在旋转蒸发时，乙醚溶液不应蒸干，以免被测样品含量有损失。

7. 用高纯氮吹干时，氮气不能开得太大，避免样品吹出瓶外结果偏低。

7.9 食物中钙、铁、锌的测定

7.9.1 食物中钙的测定

1. 目的

通过对本节的学习，掌握用湿法消化技术制备食品中钙的分析试样及火焰原子吸收法测定食品中的钙含量。

2. 原理

样品经湿法消化后，导入原子吸收分光光度计中，经火焰原子化后，吸收 422.7nm 的共振线，其吸收量与含量成正比，可与标准系列比较定量。

3. 仪器与试剂

(1) 原子吸收分光光度计

(2) 盐酸、硝酸、高氯酸(均为优级纯)

(3) 混合酸消化液　硝酸与高氨酸比为 4:1。

(4) 0.5mol/L 硝酸溶液　量取 45mL 硝酸，加去离子水稀释至 l000mL。

(5) 2% 氧化镧溶液　称取 20g 氧化镧(纯度大于 99.99%)，加 75mL 盐酸于 1000ml 容量瓶中，加去离子水稀释至刻度。

(6) 钙标准溶液　精确称取 1.2486g 碳酸钙(纯度大于 99.99%)，加 50 mL 去离子水，加盐酸溶解，移入 1000mL 容量瓶中，加 2% 氧化镧稀释至刻度，贮存于聚乙烯瓶内，4℃保存，此溶液每毫升相当于 500μg 钙。

(7) 钙标准应用液　取钙标准液 5 mL 于 100mL 容量瓶中，用 2% 氧化镧稀释至刻度，贮存于聚乙烯瓶中，4℃保存，此溶液每毫升相当于 25μg 钙。

4. 操作步骤

(1) 样品制备　参照“食品样品的采集与制备”中的方法，所用设备必须是不锈钢制品，所用水必须是去离子水，以防各种污染。

① 湿样(如蔬菜、水果、鲜鱼、鲜肉等)用水清洗干净后，要用去离子水充分洗净。

② 干粉类样品(如面粉、奶粉等)取样后立即装容器密封保存，防止空气中的灰尘和水分污染。

(2) 样品消化　精确称取均匀样品干样0.5~1.5g(湿样2.0~4.0g，饮料等液体样品5.0~10.0g)于250 mL高型烧杯内，加混合酸消化液20~30ml。上盖表面皿。置于电热板或电沙浴上加热消化。如未消化好而酸液过少时，再补加几毫升混合酸消化液，继续加热消化，直至无色透明为至。加几毫升去离子水，加热以除去多余的硝酸。待烧杯中的液体接近2~3 mL时，取下冷却。用去离子水洗并转移至10 mL刻度试管中，加2%氧化镧溶液定容至刻度。

取相同量的混合酸消化液，按上述操作做试剂空白试验测定。

(3) 测定

① 标准曲线制备：分别取钙标准应用液lmL、2mL、3mL、4mL、6mL，用2%氧化镧溶液定容于50mL容量瓶内至刻度，即相当于钙标准浓度0.5μg/mL、1ug/mL、1.5μg/mL、2μg/ml、3μg/mL。

② 测定条件：波长为422.7 nm，仪器狭缝、空气及乙炔的流量、灯头高度、元素灯电流等均按使用的仪器说明调至最佳状态。

③ 将消化好的样品液、试剂空白液和钙的系列标准浓度液分别导入火焰进行测定。

5. 计算

以各浓度标准溶液与对应的吸光度绘制标准曲线，测定用样品液及试剂空白液由标准曲线查出浓度值(c及c_0)，再按下式计算：

$$X = \frac{(c - c_0) \times V \times f \times 100}{m \times 1000}$$

式中：X——样品中钙的含量(mg/100g)；

c——测定用样品中钙的浓度(由标准曲线查出，μg/mL)；

c_0——试剂空白液中钙的浓度(由标准曲线查出，μg/mL)；

V——样品定容体积(mL)；

f——稀释倍数；

m——样品质量(g)；

100/1000——折算成每百克样品中钙的含量(以mg计)。

6. 注意事项

(1) 所用玻璃仪器均以硫酸-重铬酸钾洗液浸泡数小时，再用洗衣粉充分洗刷后用水反复冲洗，最后用去离子水冲洗晒干或烘干，方可使用。

(2)干燥样品再加浓H_2SO_4(在消化前先加少量水湿润，防止浓H_2SO_4加入后立即炭化结块而延长消化时间)。

7.9.2 食物中铁、锌的测定

1. 目的

掌握湿法消化技术从用火焰原子吸收法测定食品中的铁、锌含量。

2. 原理

样品经湿法消化处理后、导入原子吸收分光光度计中，经火焰原子化后，锌、铁分别吸收248.3nm、213.5nm的共振线，其吸收量与它们的含量成正比，可与标准系列比较定量。

3. 仪器与试剂

（1）原子吸收分光光度计

（2）硝酸、高氨酸（要求使用去离子水，优级纯或高级纯试剂）

（3）混合酸消化液　硝酸与高氨酸比为4∶1。

（4）0.5mol/L硝酸溶液　量取45mL硝酸，加去离子水并稀释至1000mL。

（5）标准溶液　精确称取金属铁、金属锌（纯度大干99.9%）各1.000g或食1.000g纯金属的氧化物，分别加硝酸溶解，移入两只1000mL容量瓶中，加0.5 mol/L硝酸溶液稀释至刻度，贮存于聚乙烯瓶内，4℃保存，此溶液每毫升相当于100μg铁或锌。

（6）标准应用液　分别取铁、锌标准溶液各10mL，置于100mL容量瓶中，用0.5 mol/L硝酸溶液定容至刻度，贮存于聚乙烯瓶内，4℃保存，此溶液每毫升相当于100μg铁或锌。

4. 操作步骤

（1）样品制备 参照“食品样品的采集与制备”中的方法，所用设备必须是不锈钢制品，所用水必须是去离子水，以防止各种污染。

① 湿样（如蔬菜、水果、鲜鱼、鲜肉等）用水冲洗干净后，要用去离子水充分洗净。

② 干粉类样品（如面粉，奶粉等）取样后立即装容器密封保存，防止空气中灰尘和水分污染。

（2）样品消化　精确称取均匀样品干样0.5～1.5g（湿样2.0～4.0g，饮料等液体样品5.0～10.0）于250mL锥形瓶中，加混合酸消化液20mL，上放一小漏斗，置于电沙浴上加热消化。如未消化好而酸液过少时，再补加5～10mL混合酸消化液，继续加热消化，直至无色透明为止，加几毫升去离子水，加热以除去多余的硝酸，待锥形瓶中的液体接近2～3 mL时取下冷却，用去离子水洗并移入10mL刻度试管中，加去离子水定容至刻度。

取相同量混合酸消化液，按上述操作做试剂空白试验测定。

（3）测定

① 铁、锌标准曲线制备：分别取铁、锌标准应用液0.5mL、1mL、2mL、2mL、4mL置于100ml容量瓶中，用0.5mol/L硝酸溶液定容至刻度，其铁、锌浓度分别相当于0.5μg/mL、1μg/mL、2μg/mL、3μg/mL、4μg/mL。

② 测定条件：仪器狭缝、空气及乙烯的流量、灯头高度、元素灯电流等均按使用的仪器说明调至最佳状态。

③ 将消化好的样品液、试剂空白液和铁、锌的标准浓度系列分别导入火焰进行测定。

5. 结果计算

以各浓度系列标准溶液与对应的吸光度绘制标准曲线，测定用样品液及试剂空白液由标准曲线查出浓度值（c 及 c_0）按下式计算：

$$X = \frac{(c - c_0) \times V \times f \times 100}{m \times 1000}$$

式中：X——样品中铁或锌的含量（mg/100g）；

c——测定用样品中铁或锌的浓度（由标准曲线查出，μg/mL）；

c_0——试剂空白液中铁或锌的浓度（由标准曲线查出，μg/mL）；

V——样品定容体积（mL）；

m——样品质量（g）；

f——稀释倍数；

100/1000——折算成每百克样品铁或锌的含量（以 mg 计）。

6. 注意事项

（1）样品制备过程中应特别注意防止各种污染。所用设备，如电磨、绞肉机、匀浆器、打碎机等必须是不锈钢制品，所有容器必须使用玻璃或聚乙烯制品。

（2）所用玻璃仪器均以硫酸－重铬酸钾洗液浸泡数小时，再用洗衣粉充分洗刷，后用水反复冲洗，最后用去离子水冲洗晒干或烘干，方可使用。

（3）避免使用橡皮膏等含锌的用品，注意避免外环境的污染。

7.10 膳食调查结果计算与评价

膳食调查是营养调查的组成部分，是营养工作的基本手段。膳食调查的目的是了解在一定时间内调查对象通过膳食所摄取的各种营养素的数量和质量，并借此评定膳食满足营养需要的程度。膳食调查的方法包括称量法、查账法、回顾法和化学法等。

7.10.1 膳食目的意义

进一步巩固已学习的膳食调查的目的、意义和方法，学习膳食计算的一般步骤和方法等，通过食谱计算了解膳食中平均每日摄取的各种营养素是否符合我国制定的营养素参考摄入量标准。以了解居民健康状况，或根据患者的病情为临床营养治疗提供依据。

7.10.2 膳食调查

1. 和学生一道回顾膳食调查的方法，其中包括称量法、查账法、回顾法和化学法等。这些方法的特点、优缺点和应用范围。

2. 每个实习学生用回顾法，记录过去 24h 内摄取的各种食物的种类、性质和数量。

3. 在计算时，应以 5 ~7 日的膳食，算出每人每日平均摄取量，因为每日的膳食都能达到标准要求是困难的。

7.10.3 膳食计算与评价

1. 计算能量和营养素的膳食供给量

(1)食物摄入量:

① 学生自己回顾24h 食物摄入。

② 给定的下列食谱。

早餐　鲜牛奶一杯(150mL),馒头(面粉 100g)。

中餐　大米饭(大米 200g)。猪肉炒芹菜;猪肉(瘦肉 50g),芹菜 250g)酱油 10g,植物油 6g,盐 2g。

晚餐　大米饭(大米 200g);菠菜豆腐汤:菠菜 50g,豆腐 50g,虾皮 50g。鱼片:草鱼 150g,葱 5g,淀粉 5g,糖 2g,酱油 3g,醋 3g,姜末 1g。

③ 以糖尿病患者一日食谱,膳食实例计算:患者张三,男,45 岁,身高 170cm,体重 71kg,办公室工作。

早餐　馒头,粥,炒牛肉。标二籼米 50g,富强面粉 75g,瘦牛肉 50g,豆油 5g。

午餐　面条,炒肉丝,猪肉焖扁豆。富强面粉 15g,瘦猪肉 9g,扁豆 120g,豆油 10g。

晚餐　米饭,肉丝炒芹菜,菠菜豆腐汤。标二籼米 150g,瘦猪肉 50g,芹菜 150g,菠菜 100g,豆腐 200g,豆油 100g。(以上食物均为可食部分)

三种任选一种或由老师指定的食谱进行计算,学会食谱计算的方法:

(2)计算和评价的内容:

① 计算各种食物中营养素的含量(表 5-15);

② 三餐热能分配(表 7-6);

③ 蛋白质来源百分比(表 5-16);

④ 热能来源及百分比(表 5-16);

⑤ 根据计算结果,评价膳食中热能及各种营养素的摄取量与参考摄入量标准相比,能否满足需要。

2. 建议 指出膳食供给存在的主要问题,并具体提出改善膳食供给的有效措施。

表 7-6　三餐热能分配

餐别	摄入量/g	产热量/kcal	热能分配/%
早餐			
中餐			
晚餐			
合计			

7.11 食谱编制及营养配餐

食谱编制及营养配餐是社会营养的重要工作内容。对正常人来说是保证其合理营养的具体措施，对营养性疾病或其他疾病患者来说是一种基本的治疗措施。同时也是炊管人员营养配餐的依据。

根据人体对各种营养素的需要，结合当地食物的品种、生产供应情况、经济条件和个人饮食习惯等合理选择各类食物，编制符合营养原则与要求的食谱，然后按编制的食谱进行配餐。用有限的经济开支来取得最佳的营养效果，节约食物资源，提高人民生活质量。

7.11.1 食谱编制及营养配餐的目的

根据合理膳食的原则，把一天或一周各餐中主、副食的品种、数量、烹调方式、进餐时间作详细计划并编排成表格形式，称为食谱编制。食谱编制后，交营养配餐人员或炊管人员按主、副食的品种、数量和烹调方法进行配餐。

编制食谱及营养配餐是为了把“膳食营养素参考摄入量”（即 DRIs）和膳食指南的原则与要求具体化，并落实到用膳食的一日三餐，使其按照人体的生理需要摄入适宜的热能和各种营养素，以达到合理营养、促进健康的目的。

7.11.2 食谱编制原则

总的原则是满足平衡膳食及合理营养要求，并同时满足膳食多样化的原则和尽可能照顾进餐者的饮食习惯和经济能力。

1. 满足营养素及热能的供给量　根据用膳者的年龄、性别、劳动强度、生理状况和营养素摄入量标准，计算各种食物用量。使平均每天的热能及营养素摄入能满足人体需要。

2. 各种营养素之间比例适当　除了全面达到热能和各种营养素的需要量外，还要考虑到各种营养素之间适宜比例和平衡，充分利用不同食物中的各种营养素之间的互补作用，使其发挥最佳协同作用。

3. 食物多样化　《中国居民膳食指南》中将食物分为谷类、豆类、蔬菜、水果、肉类、乳类、蛋类、水产品、油脂类等 9 类。每天应从每类食物中选用 1～3 种适量食物，组成平衡膳食。对同一类食物可更换不同品种和烹调方法。尽量做到主食粗细搭配，粮豆混杂，有米有面，副食荤素兼备，有菜有汤，还应注意菜肴的色、香、味、形。

4. 食物安全无害　选用新鲜和卫生的食物。

5. 减少营养素的损失　尽量多选择营养素损失较少的烹调和加工方法。

6. 其他因素　考虑用膳者饮食习惯、进餐环境、用膳目的和经济能力，结合季节情况、食堂或家庭的设备条件和炊事人员的技术等因素，编制切实可行的食谱及配餐。

7. 及时更换调整食谱　每 1～2 周可调整和更换一次食谱。食谱执行一段时间后应对其效果进行评价，不断调整食谱。

7.11.3 食谱编制方法

编制食谱的方法有营养成分计算法和食品交换份法。

1. 营养成分计算法　计算实例为一位20岁的男大学生食谱编制。

(1)查出热能供给量:从“膳食营养素参考摄入量”中找出20岁轻体力劳动成年男性热能供给量为2400kcal(10.03MJ)。

(2)计算蛋白质、脂肪、糖类供给量:以蛋白质供热比为12%，脂肪供热比为25%，糖类供热比为63%计。

$$蛋白质 = 2400 \times 12\% \div 4 = 72(g)$$

$$脂\quad肪 = 2400 \times 25\% \div 9 \approx 67(g)$$

$$糖\quad类 = 2400 \times 63\% \div 4 = 378(g)$$

(3)计算主食用量　主食以粮谷类为主，一般每100g米、面等主食产热350 kcal左右，故可根据所需的糖类量大致计算出主食量为:2400 × 63% ÷ 3.5 = 432(g)。可暂定为400g膳食中糖类除大米、面粉外还有别的来源，如薯类、豆类及其他杂粮等，故主食约为400~450g。

(4)计算副食用量　先确定每日牛奶、鸡蛋、肉类等主要副食的用量，牛奶250mL鸡蛋1~2个(每个50g左右)，肉类(或鱼类)100g左右，豆类、豆制品或硬果类50g左右，用每日蛋白质、脂肪和能量的推荐摄入量(RNI)减去主食及以上几种主要副食提供的相应数量，即可得到其他食物提供的蛋白质、脂肪和能量。通过查阅食物成分表中蔬菜，水果、蛋类、油脂的营养素和能量含量，可粗略计算其他食物的适宜用量。

(5)以下步骤按(3)、(4)计算出来的主副食为基础，粗配一日食谱，见表7-7。

(6)调整食谱　根据粗配食谱中各种食物及其用量，通过查阅食物成分表，计算该食谱所提供的各种营养素的量，并与食用者的营养素推荐摄入量标准进行比较，如果某种或某些营养素的量与推荐摄入量偏离(不足或超过)较大，则应进行调整，直至基本符合要求。

经计算，该食谱可提供热能2447.8kcal、蛋白质81.4g(其中优质蛋占40%以上)，脂肪68.7g，糖类376.3g，视黄醇760.7μg，维生素B_1 1.3mg,维生素B_2 1.6mg，尼克酸15.8g,维生素C111.8mg，维生素E15.5mg，铁20.4mg，锌13.0mg，钙806.8mg。除维生素C，维生素E和铁的供给量较高外，热能和其他营养素基本满足推荐摄入量要求。

一般而言，三餐供能比为3:4:3较为适宜，该食谱三餐热能比为2.6:3.9:3.5，基本符合要求。

表 7－7　　20 岁男大学生一日食谱

餐次	饭菜名称	食物名称	质量/g	蛋白质/g	脂肪/g	糖类/g	热能/kcal
早餐	馒头	小麦标准粉	100	11.2	1.5	71.5	344.0
	牛奶	纯鲜牛奶	250	7.5	8.0	8.5	135.0
	白糖	白糖	10	—	—	9.9	39.6
	鸡蛋	鸡蛋	50	5.6	4.9	0.6	68.6
	水果	苹果	100	0.2	0.2	9.3	39.5
	小计		510	24.5	14.6	99.8	626.7
午餐	米饭	大米	150	11.1	1.2	115.8	519
	青椒肉丝	青椒	100	0.8	0.2	3.3	18.0
		猪肉	50	6.6	18.5	1.2	197.5
		色拉油	5	—	5.0	—	44.9
	番茄蛋花汤	番茄	100	0.9	0.2	3.4	18.4
		鸡蛋	50	5.6	4.9	0.6	68.6
		色拉油	5	—	5.0	—	44.9
	水果	梨	150	0.5	0.1	8.2	36.0
	小计		610	25.5	35.1	132.5	947.3
晚餐	米饭	大米	150	11.1	1.2	115.8	519.0
	青笋炒鸡丁	莴笋	100	0.6	0.1	1.4	8.7
		鸡肉	50	9.7	4.7	0.7	84.0
		色拉油	5	—	5.0	—	44.9
	小白菜豆腐汤	小白菜	100	1.2	0.2	1.3	12.2
	豆腐	豆腐	50	2.5	1.0	1.5	25.0
	零食	酸奶	250	6.3	6.8	23.3	180.0
	小计		705	31.4	19.0	144.0	873.8
合计			1825	81.4	68.7	376.3	2447.8

（7）编排一周的食谱　一日食谱确定后，可根据使用者饮食习惯、食物供应情况等因素在同类食物中更换品种和烹调方法，编排一周食谱后，有营养配餐员进行配餐。

2. 食品交换份法　食品交换份法是一种较为粗略的膳食计算方法，将常用食品分为四个组，共九类（见表 7－2），每类食品交换份法的食品所含热能相似（一般定为 90kcal，即 377kJ），每个交换份的同类食品中蛋白质、脂肪、糖类等营养素含量相似。因此在制定食谱时同类的各种食品可以相互交换（见表 7－8 ~ 表 7－15）。

食品交换法编制食谱举例：同样为 20 岁男大学生编制食谱，其每天所需热能为 2400kcal。从表 7－16 可知，2400kcal 供需 27 个交换份，其中谷薯类 19 份，蔬果类 2 份，肉蛋类 3 份，供热食品 3 份。具体到每类食品中则应吃谷薯类食品 475g，蔬果可安排蔬菜 500g、水果 200g，肉蛋类可选择鸡蛋 1 个、瘦肉 50g，牛奶 250g，供热食品可用植物油 20g、糖类 20g。将这些食品安排到一日三餐中，即可制成食谱并由配餐人员进行配餐。

表 7-8　各类食品交换份的营养价值

组别	类别	每份质量/g	热量/kcal	蛋白质/g	脂肪/g	糖类/g	主要营养素
谷薯组	谷薯类	25	90	2.0	—	20.0	糖类 膳食纤维
蔬果组	蔬菜类	500	90	5.0	—	17.0	无机盐
	水果类	200	90	1.0	—	21.0	维生素膳食纤维
肉蛋组	大豆类	25	90	9.0	4.0	4.0	蛋白质
	奶制类	160	90	5.0	5.0	6.0	脂肪
	肉蛋类	50	90	9.0	6.0	—	
供热组	硬果类	15	90	4.0	7.0	2.0	脂肪
	油脂类	10	90	—	10.0	—	糖类
	纯糖类	20	90	—	—	20.0	

表 7-9　等值谷薯食品交换份表(每交换份热量 90kcal)

食物	质量/g	食物	质量/g
大米、小米、糯米	25	绿豆、红豆、云豆、干豌豆	25
高粱米、玉米渣、薏米	25	干莲子、干粉条	25
面粉、米粉、玉米粉	25	烧饼、烙饼、馒头	35
混合面、燕麦片	25	咸面包、窝头、切面	35
莜麦面、荞麦面、苦荞	25	土豆	100
各种挂面、通心粉	25	湿粉皮、凉粉	150
油条、油饼、苏打饼干	25	鲜玉米(中等大，含棒心)	200

表 7-10　等值肉类食品交换份表(每交换份热量 90 kcal)

食物	质量/g	食物	质量/g
熟火腿、香肠	20	鸡蛋粉	15
肥瘦猪肉	25	鸡蛋(带壳、大)	60
熟叉烧肉(无糖)、午餐肉	35	鸭蛋、松花蛋	60
熟酱牛肉、酱鸭、肉肠	35	鹌鹑蛋(6 个)	60
瘦猪、牛、羊肉	50	鸡蛋清	150
带骨排骨	50	带鱼、草鱼、鲤鱼、甲鱼	80
鸭肉、鹅肉	50	比目鱼、大黄鱼、鳝鱼	80
兔肉、蟹肉、水浸鱿鱼	100	黑鲢鱼、鲫鱼	80
水浸海带	350	对虾、青虾、鲜贝	80

表 7－11　　等值奶类食品交换表(每交换份热量 90 kcal)

食物	质量/g	食物	质量/g
奶粉	20	牛奶、羊奶	160
脱脂奶粉	25	无糖酸奶	130
奶酪	25		

表 7－12　　等值大豆食品交换表(每交换份热量 90 kcal)

食物	质量/g	食物	质量/g
腐竹	20	豆腐	100
大豆(干)	25	嫩豆腐	150
豆粉	25	豆浆(1 份豆，8 份水)	250
豆腐丝(豆腐干)	50		

表 7－13　　等值水果类交换表(每交换份热量 90 kcal)

食物	质量/g	食物	质量/g
柿、香蕉、鲜荔枝(带皮)	150	李子、杏	200
梨、桃、苹果(带皮)	200	葡萄	200
橘子、橙子、柚子	200	草莓	300
猕猴桃	200	西瓜、芒果	500

表 7－14　　等值供热类食品交换表(每交换份热量 90 kcal、脂肪 10g)

食物	质量/g	食物	质量/g
植物油、芝麻油(1 汤匙)	10	猪、牛、羊油	10
红花油(1 汤匙)	10	黄油	10
核桃、杏仁、花生仁	15	葵花籽(带壳)	25
白糖、红糖	20	西瓜籽(带壳)	40

表 7－15　　等值蔬菜类食品交换表(每交换份热量 90 kcal、蛋白质 5g、糖类 17g)

食物	质量/g	食物	质量/g
大白菜、圆白菜、菠菜、油菜	500	白萝卜、青椒、茭白、冬笋	400
韭菜、茴香、圆蒿、芹菜	500	倭瓜、南瓜、菜花	350
苤蓝、莴笋、油菜苔、西葫芦	500	鲜豇豆、扁豆、洋葱、蒜苗	250
番茄、冬瓜、苦瓜、黄瓜	500	胡萝卜	200
茄子、丝瓜、芥蓝、飘儿菜	500	山药、荸荠、藕、凉薯	150
蕹菜、苋菜、龙须菜、绿豆菜	500	茨菇、百合、芋头	100
鲜蘑、水浸海带	500	毛豆、鲜豌豆、蚕豆	75

表 7－16　　不同热能所需的各组食品交换份数

热能/kcal	交换份	谷薯类	蔬果类	肉蛋类	供热组
1200	13.5	8	2	1.5	2
1400	16	10	2	2	2
1600	18	12	2	2	2
1800	20.5	14	2	2.5	2
2000	22.5	15	2	2.5	3
2200	25	17	2	3	3
2400	27	19	2	3	3
2600	29.5	20	2	4	3.5
2800	32	22	2	4.5	3.5
3000	34	24	2	4.5	3.5

等热能的食品可以进行交换，一般是同类食品进行交换。在四组食品内部亦可互换，但若跨组进行交换将影响平衡膳食原则。水果一般不和蔬菜交换，因水果含糖量高，故不能用水果代替蔬菜。硬果类脂肪含量高，如果食用少量硬果可减少烹调油食用量。

应用食品交换份方法计划全天食谱，应注意以下事项：

(1)仍要遵守平衡饮食原则，合理搭配。

(2)每餐应包括粮食类、副食类、蔬菜类和烹调油。

(3)控制脂肪，忌荤油、肥肉、煎炸和甜食，应少盐。

(4)根据血糖调整食物种类和量。

举例说明：

李某，每天需要热能 1600kcal，折合食物是谷薯类 250g(10 份)、肉蛋豆类 150g(5 份)、奶类 250g(1.5 份)、菜果类 500g(1 份)、油脂类 20g(2 份)。

一日三餐按 5 分制为 1/5、2/5、2/5。

早餐：主食 50g(2 份)、肉蛋豆类 30g(0.6 份)、菜果类 100g(1/5 份)；

午餐：主食 100g(4 份)、肉蛋豆类 60g(1.2 份)、菜果类 200g(2/5 份)；

晚餐：主食 100g(4 份)、肉蛋豆类 60g(1.2 份)、菜果类 200g(2/5 份)。

附录1　中国食物与营养发展纲要(2014－2020年)

近年来，我国农产品综合生产能力稳步提高，食物供需基本平衡，食品安全状况总体稳定向好，居民营养健康状况明显改善，食物与营养发展成效显著。但是，我国食物生产还不能适应营养需求，居民营养不足与过剩并存，营养与健康知识缺乏，必须引起高度重视。为保障食物有效供给，优化食物结构，强化居民营养改善，特制定本纲要。

一、总体要求

(一)指导思想

以邓小平理论、"三个代表"重要思想、科学发展观为指导，顺应各族人民过上更好生活的新期待，把保障食物有效供给、促进营养均衡发展、统筹协调生产与消费作为主要任务，把重点产品、重点区域、重点人群作为突破口，着力推动食物与营养发展方式转变，着力营造厉行节约、反对浪费的良好社会风尚，着力提升人民健康水平，为全面建成小康社会提供重要支撑。

(二)基本原则

坚持食物数量与质量并重。实施与我为主、立足国内、确保产能、适度进口、科技支撑的国家粮食安全战略。在重视食物数量的同时，更加注重品质和质量安全，加强优质专用新品种的研发与推广，提高优质食物比重，实现食物生产数量与结构、质量与效益相统一。坚持生产与消费协调发展。充分发挥市场机制的作用，以现代营养理念引导食物合理消费，逐步形成以营养需求为导向的现代食物产业体系，促进生产、消费、营养、健康协调发展。

坚持传承与创新有机统一。传承以植物性食物为主、动物性食物为辅的优良膳食传统，保护具有地域特色的膳食方式，创新繁荣中华饮食文化，合理汲取国外膳食结构的优点，全面提升膳食营养科技支撑水平。

坚持引导与干预有效结合。普及公众营养知识，引导科学合理膳食，预防和控制营养性疾病；针对不同区域、不同人群的食物与营养需求，采取差别化的干预措施，改善食物与营养结构。

(三)发展目标

食物生产量目标。确保谷物基本自给、口粮绝对安全，全面提升食物质量，优化品种结构，稳步增强食物供给能力。到2020年，全国粮食产量稳定在5.5亿吨以上，油料、肉类、蛋类、奶类、水产品等生产稳定发展。食品工业发展目标。加快建设产业特色明显、集群优势突出、结构局部合理的现代食品加工产业体系，形成一批品牌信誉好、产品质量高、核心竞争力强的大中型食品加工及配送企业。到2020年，传统食品加工程度大幅提高，食品加工技术水平明显提升，全国食品工业增加值年均增长速度保持在10%以上。

食物消费量目标。推广膳食结构多样化的健康消费模式，控制食用油和盐的消费量。到2020年,全国人均全年口粮消费135公斤、食用植物油12公斤、豆类13公斤、肉类29公斤、蛋类16公斤、奶类36公斤、水产品18公斤、蔬菜140公斤、水果60公斤。

营养素摄入量目标。保障充足的能量和蛋白质摄入量，控制脂肪摄入量，保持适量的维生素和矿物质摄入量。到2020年，全国人均每日摄入能量2200－2300千卡，其中,谷类食物供能比不低于50%，脂肪供能比不高于30%;人均每日蛋白质摄入量78克，其中，优质蛋白质比例占45%以上;维生素和矿物质等微量营养素摄入量基本达到居民健康要求。

营养性疾病控制目标。基本消除营养不良现象，控制营养性疾病增长。到2020年，全国5岁以下儿童生长迟缓率控制在7%以下;全人群贫血率控制在10%以下，其中，孕产妇贫血率控制在17%以下，老年人贫血率控制在15%以下,5岁以下儿童贫血率控制在12%以下;居民超重、肥胖、和血脂异常率的增长速度明显下降。

二、主要任务

（一）构建供给稳定、运转高效、监控有力的食物数量保障体系。稳定耕地面积，加快高标准农田建设，积极调整农业结构，提高粮食等重要农产品综合生产能力。大力发展畜牧业，提高牛肉、羊肉、禽肉供给比重。大力发展海洋经济，保障水产品供应。广辟食物资源，因地制宜发展杂粮、木本粮油等生产。大力发展农产品储藏、保鲜等产地初加工。积极推进物联网等信息技术应用，加强市场网络和配送服务体系建设，加快形成安全卫生、布局合理的现代食物市场流通体系。加强农产品数量安全智能分析与检测预警，健全中央、地方和企业三级食用农产品收储体系，增强宏观调控能力。更加积极地利用国际农产品市场和农业资源，有效调剂和补充国内食物供给。

（二）构建标准健全、体系完备、监管到位的食物质量保障体系。建立最严格的覆盖全过程的食物安全监管制度，健全各类食物标准，落实地方政府属地管理和生产经营主体责任，规范食物生产、加工和销售行为。加快推进原料标准化基地建设，集中创建一批园艺作物标准园、畜禽养殖标准化示范场、水产标准化健康养殖示范场和农业标准化示范县。完善投入品管理制度，加强农产品质量安全监制，加大对失信企业惩处力度，增强企业诚信经营意识。加强食物安全信息共享与公共管理体系建设,健全快速反应机制，加强应急处置，强化舆论监督和引导。辅食喂养与营养补充，加强母乳代用品和婴幼儿食品质量监管。

2. 儿童青少年。着力降低农村儿童青少年生长迟缓、缺铁性贫血的发生率，做好农村留守儿童营养保障工作。遏制城镇儿童青少年超重、肥胖增长态势。将食物与营养知识纳入中小学课程，加强对教师、家长的营养教育和对学生食堂及学生营养配餐单位的指导，引导学生养成科学的饮食习惯。强化营养干预，加大蛋奶供应，保障食物与营养需求。

3. 老年人。研究开发适合老年人身体健康需要的食物产品，重点发展营养强化食品和低盐、低脂食物。开展老年人营养监测与膳食引导，科学指导老年人补充营养、合理饮食，提高老年人生活质量和健康水平。

三、政策措施

（一）全面普及膳食营养和健康知识。加强对居民食物与营养的指导，提高全民营养意识，提倡健康生活方式，树立科学饮食理念。研究设立公众“营养日”。开展食物与营养知识进村（社区）入户活动，加强营养和健康教育。发布适宜不同人群特点的膳食指南，定期在商场、超市、车站、机场等人流集中地发放。发挥主要媒体对食物与营养知识进行公益宣传的主渠道作用，增强营养知识传播的科学性。加大对食物与营养事业发展的投入，加强流通、餐饮服务等基础设施建设。

（二）加强食物生产与供给。全面落实“米袋子”省长负责制和“菜篮子”市长负责制，强化地方人民政府的食物安全责任。加大对食用农产品生产的支持力度，保护农民发展生产的积极性。加大对食物加工、流通领域的扶持力度，鼓励主产区发展食物加工业，支持大中城市食品加工配送中心建设，发展共同配送、统一配送、加强农业生态环境保护，有效治理面源污染。支持到境外特别是与周边国家开展互利共赢的农业生产和进出口合作。

（三）加大营养监测与干预。开展全国居民营养与基本健康监测工作，进行食物消费调查，定期发布中国居民食物消费与营养健康状况报告，引导居民改善食物与营养状况。加大财政投入，改善老少边穷地区的中小学校和幼儿园就餐环境。

（四）推进食物与营养法制化管理。抓紧进行食物与营养相关法律法规的研究工作，适时开展营养改善条例的立法工作。针对食物与营养的突出问题，依法规范食物生产经营活动，开展专向治理整顿，营造安全、诚信、公平的市场环境。创新食物与营养执法监督，提高行政建管效能。弘扬勤俭节约的传统美德，形成厉行节约、反对浪费的良好社会风尚。

（五）加快食物与营养科技创新。针对食物、营养和健康领域的重大需求，引导企业加大食物与营养科技投入，加强对食物与营养重点领域和关键环节的研究。加强对新食物资源开发和食物安全风险分析的研究，在科技创新中提高食物安全水平。加强食物安全监测预警技术研究，促进食物安全信息监测预警系统建设。深入研究食物、营养和健康。

（六）构建定期监测、分类指导、引导消费的居民营养改善体系。建立健全居民食物与营养监测管理制度，加强监测和信息分析。对重点区域、重点人群实施营养干预，重视解决微量营养素缺乏、部分人群油脂摄入过多等问题。开展多种形式的营养教育，引导居民形成科学的膳食习惯，推进健康饮食文化建设。

四、发展重点

（一）重点产品

1. 优质食用农产品。全面推行食用农产品标准化生产，提升“米袋子”和“菜篮子”产品质量。大力发展无公害农产品和绿色食品生产、经营，因地制宜发展有机食品，做好农产品地理标志工作。积极培育具有地域特色的农产品品牌，严格保护产地环境。

2. 方便营养加工食品、加快发展符合营养科学要求和食品安全标准的方便食品、营养早餐、快餐食品、调理食品等新型加工食品，不断增加膳食制品供应种类。强化对主食类加工产品的营养科学指导，加强营养早餐及快餐食品集中生产、配送、销售体系建设，推进主食工业化、规模化发展。发展营养强化食品和保健食品，促进居民营养改善。加快传统食品生产的工业化改造，推进农产品综合开发与利用。

3. 奶类与大豆食品。扶持奶源基地建设，强化奶业市场监管，培育乳品消费市场，加强奶业各环节衔接，推进现代奶业建设。充分发挥我国传统大豆资源优势，加强大豆种质的资源研究和新品种培育，扶持国内大豆产业发展，强化大豆生产与精深加工的科学研究，实施传统大豆制品的工艺改造，开发新型大豆食品，推进大豆制品规模化生产。

（二）重点区域

1. 贫困地区。采取扶持与开发相结合的方式，提高贫困地区居民的食物消费水平。创新营养改善方式，合理开发利用当地食物资源。动员社会各界参与扶贫开发，采取营养干预措施，实现贫困人口食物与营养的基本保障和逐步改善。

2. 农村地区。加快农村经济社会发展，增加农民收入。加强农村商贸与流通基础设施建设，将城镇现代流通业向广大农村地区延伸，推进“万村千乡”市场工程，开拓农村食物市场，方便农村居民购买食物。

3. 流动人群集中及新型城镇化地区。改善外来务工人员的饮食条件，加强对在外就餐人员及新型城镇化地区居民膳食指导，倡导文明生活方式和合理膳食模式，控制高能量、高脂肪、高盐饮食，降低营养性疾病发病率。

（三）重点人群

孕产妇与婴幼儿。做好孕产妇营养均衡调配，重点改善低收入人群孕妇膳食中钙、铁、锌和维生素 A 摄入不足的状况，预防中高收入人群孕妇因膳食不合理而导致的肥胖、巨大儿等营养性疾病。大力倡导母乳喂养，重视农村地区 6 个月龄至 24 个月龄婴幼儿的关系，及时修订居民膳食营养素参考摄入量标准。

（四）加强组织领导和咨询指导

由农业部、卫生计生委牵头，发展改革委、教育部、科技部、工业和信息化部、财政部、商务部、食品药品监督管理局等部门参加，建立部际协调机制，做好本纲要实施工作。继续发挥国家食物与营养咨询委员会的议事咨询作用，及时向政府提供决策咨询意见。省级人民政府要根据本纲要确立的目标、任务和重点，结合本地区实际，制定当地食物与营养发展实施计划。

附录2　　食物营养成分表(食部100g)

类别	名称	食部 %	蛋白质 g	脂肪 g	糖类 g	热能 kcal	粗纤维 mg	钙 mg	磷 mg	铁 mg	胡萝卜素 mg	硫氨酸 mg	核氨酸 mg	尼克酸 mg	抗坏血酸 mg
粮食类	籼稻米	100	7.8	1.3	76.6	349	0.4	9	203	2.4	—	0.19	0.06	1.6	—
	粳米	100	6.8	1.3	76.8	346	0.3	8	164	2.3	—	0.22	0.06	1.5	—
	特粳米	100	6.7	0.7	77.9	345	0.2	10	120	1.3	—	0.13	0.05	1.0	—
	标准粉	100	9.9	1.8	74.6	354	0.6	38	268	4.2	—	0.46	0.06	2.5	—
	富强粉	100	9.4	1.4	75.0	350	0.4	25	162	2.6	—	0.24	0.07	2.0	—
	小米	100	9.7	3.5	72.8	362	1.6	29	240	4.7	0.19	0.59	0.12	1.6	—
	高粱米	100	8.4	2.7	75.6	360	0.6	7	180	4.1	0.01	0.26	0.09	1.5	—
	玉米面	100	8.4	4.3	70.2	353	1.5	34	367	3.5	0.13	0.31	0.10	2.0	—
	莜麦面	100	15.0	8.5	64.8	396	2.1	58	398	9.6	—	0.29	0.17	0.8	—
	甜薯	87	1.8	0.2	29.5	127	0.5	18	20	0.4	1.31	0.12	0.04	0.5	30
	甜薯干	100	3.9	0.8	80.3	344	1.4	128	—	—	—	0.28	0.12	0.8	—
豆及豆制品类	黄豆	100	36.5	18.4	35.3	412	4.8	367	571	11.0	0.40	0.79	0.25	2.1	—
	绿豆	100	22.7	1.2	56.8	329	4.1	111	363	5.6	0.12	0.53	0.11	2.0	—
	赤豆	100	21.7	0.8	60.7	339	4.6	76	386	4.5	—	0.43	0.16	2.1	—
	豇豆	100	22.0	2.0	55.5	328	4.1	100	456	7.6	0.05	0.35	0.11	2.4	—
	蚕豆	100	29.4	1.8	47.5	324	2.1	93	225	6.2	—	0.39	0.27	2.6	—
	黄豆芽	100	11.5	2.0	7.1	92	1.0	68	102	1.8	0.03	0.17	0.11	0.8	4
	绿豆芽	100	3.2	0.1	3.7	29	0.7	23	51	0.9	0.04	0.07	0.06	0.7	6
	蚕豆芽	100	13.0	0.8	19.6	138	0.6	109	382	8.2	0.03	0.17	0.14	2.0	7
	豆浆	100	4.4	1.8	1.5	40	—	25	45	2.5	—	0.03	0.01	0.1	—
	豆腐	100	7.4	3.5	2.7	72	0.1	277	87	2.1	—	0.03	0.03	0.2	—
	豆腐干	100	19.2	6.7	6.7	164	0.2	117	204	4.6	—	0.05	0.05	0.1	—
	油豆腐(泡)	100	39.6	37.7	11.8	545	—	191	574	9.4	—	0.06	0.04	0.2	
	豆腐乳	100	14.6	5.7	5.8	133	0.6	167	200	12.0	—	0.04	0.16	0.5	—
	粉条	100	0.3	—	84.4	339	—	27	24	0.8	—	—	—	—	—
	粉皮(干)	100	0.6	0.2	87.5	354	0.1	—	—	—	—	—	—	—	—
	毛豆	42	13.6	5.7	7.1	134	2.1	100	219	6.4	0.28	0.33	6.10	1.7	25
	扁豆	93	2.8	0.2	5.4	35	1.4	116	63	1.5	0.32	0.05	0.07	0.7	13
	蚕豆	23	9.0	0.7	12.7	89	0.3	15	217	1.7	0.15	0.33	0.18	2.9	12
	四季豆	94	1.5	0.2	4.7	27	0.8	44	39	1.1	0.24	0.68	0.12	0.6	9
	豆角	95	2.4	0.2	4.7	30	1.4	5	63	1.0	0.89	0.09	0.08	1.0	19

续表

类别	名称	食部 %	蛋白质 g	脂肪 g	糖类 g	热能 kcal	粗纤维 mg	钙 mg	磷 mg	铁 mg	胡萝卜素 mg	硫氨酸 mg	核氨酸 mg	尼克酸 mg	抗坏血酸 mg
根茎类	马铃薯	88	2.3	0.1	16.6	77	0.7	11	64	1.2	0.01	0.10	0.03	0.4	16
	芋头	70	2.2	0.1	19.5	80	0.6	19	51	0.6	0.02	0.06	0.03	0.07	4
	白萝卜	78	0.6	—	5.7	25	0.8	49	34	0.5	0.02	0.02	0.04	0.05	30
	小红萝卜	63	0.9	0.2	3.8	21	0.5	23	24	0.6	0.01	0.03	0.03	0.4	27
	青萝卜	94	1.1	0.1	6.6	32	0.6	58	27	0.4	0.32	0.02	0.03	0.3	31
	凉薯	91	1.4	0.2	11.9	55	0.9	29	28	1.6	—	0.03	0.02	0.5	2
	胡萝卜	89	0.1	0.3	7.6	35	0.7	32	30	0.6	3.62	0.02	0.05	0.3	13
	圆洋葱	79	1.8	—	8.0	39	1.1	40	50	1.8	—	0.03	0.02	0.2	8
	大葱	71	1.0	0.3	6.0	31	0.5	12	46	0.6	1.20	0.08	0.05	0.5	14
	姜	100	1.4	0.7	8.5	46	1.0	20	45	7.0	0.18	0.01	0.04	0.4	4
	茭白	45	1.5	0.7	4	23	0.6	4	43	0.3	0.02	0.04	0.05	0.6	2
	冬笋	39	4.1	0.1	5.7	40	0.8	22	56	0.1	0.08	0.08	0.08	0.6	1
	蒜头	29	4.4	0.2	23.0	111	0.7	5	44	0.4	—	0.24	0.03	0.9	3
茎叶苔花类	藕	85	1.0	0.1	19.8	85	0.7	19	51	0.5	0.02	0.11	0.04	0.4	25
	大白菜	68	1.1	0.2	2.1	15	0.4	61	37	0.5	0.01	0.02	0.04	0.3	20
	鸡毛菜	100	2.0	0.4	1.3	17	0.6	75	55	5.0	1.3	0.02	0.08	0.6	46
	太古菜	81	2.7	0.1	3.0	24	0.8	160	51	4.4	2.63	0.08	0.15	0.6	58
	油菜	96	1.1	0.3	1.9	15	0.5	108	30	1.0	1.7	0.02	0.11	0.6	40
	卷心菜	86	1.3	0.3	4.0	24	0.9	62	28	0.7	0.01	0.04	0.04	0.3	39
	菠菜	89	2.4	0.5	3.1	27	0.7	72	53	1.8	3.87	0.04	0.13	0.6	39
	韭菜	93	2.1	0.6	3.2	27	1.1	48	46	1.7	3.21	0.03	0.09	0.9	39
	芹菜	74	2.2	0.3	1.9	19	0.6	160	61	8.5	0.11	0.03	0.04	0.3	6
	雪里蕻	85	2.8	0.6	2.9	28	1.0	235	64	3.4	1.46	0.07	0.14	0.8	85
	蕹菜	75	2.3	0.3	4.5	30	1.0	100	37	1.4	2.14	0.06	0.16	0.7	28
	苋菜	55	2.5	0.4	5	34	1.1	200	46	4.8	1.92	0.04	0.14	1.3	35
	莴菜	49	0.6	0.1	1.9	11	0.4	7	31	2.0	0.02	0.03	0.02	0.5	1
	菜花	53	2.4	0.4	3.0	25	0.8	18	53	0.7	0.08	0.06	0.08	0.8	88
瓜果类	西葫芦	73	0.7	—	2.4	12	0.7	22	6	0.2	0.01	0.02	0.02	0.3	1
	西红柿	97	0.8	0.3	2.2	15	0.4	8	24	0.8	0.37	0.03	0.02	0.6	8
	茄子	96	2.3	0.1	3.1	23	0.8	22	31	0.4	0.04	0.03	0.04	0.5	3
	青椒	71	0.7	0.2	3.9	20	0.8	10	33	0.7	0.60	0.06	0.04	0.8	52
	柿子椒	86	0.9	0.2	3.8	21	0.8	11	27	0.7	0.36	0.04	0.04	0.7	89
	丝瓜	93	1.5	0.1	4.5	25	0.5	28	45	0.8	0.32	0.04	0.06	0.5	8
	冬瓜	76	0.4	—	2.4	11	0.4	19	12	0.3	0.01	0.01	0.02	0.3	16
	黄瓜	86	0.9	0.2	1.6	11	0.3	19	29	0.3	0.13	0.04	0.04	0.3	6
	南瓜	81	0.3	—	1.3	6	0.3	11	9	0.1	2.40	0.05	0.06	0.3	4
	西瓜	54	1.2	—	4.2	22	0.3	6	10	0.2	0.17	0.02	0.02	0.2	3
	甜瓜	72	0.7	—	2.3	12	0.3	20	8	0.3	0.28	0.02	0.02	0.4	7

续表

类别	名称	食部 %	蛋白质 g	脂肪 g	糖类 g	热能 kcal	粗纤维 mg	钙 mg	磷 mg	铁 mg	胡萝卜素 mg	硫氨酸 mg	核氨酸 mg	尼克酸 mg	抗坏血酸 mg
咸菜类	榨菜	100	4.1	0.2	9.2	55	2.2	280	130	6.7	0.04	0.04	0.09	0.7	—
	腌萝卜	96	0.8	1.4	5.4	37	0.9	118	31	1.1	0.02	0.03	0.04	0.4	—
	腌芥菜头	100	4.0	—	23.5	110	1.7	351	123	5.4	—	0.03	0.15	1.4	—
	腌雪里红	96	2.0	0.1	3.3	22	1.0	250	31	3.1	1.55	0.04	0.11	0.5	—
	酱黄瓜	90	4.9	0.1	13.5	75	0.9	79	165	8.4	—	—	—	—	—
	酱小菜	100	4.7	1.0	16.8	95	2.8	57	96	14.1	—	—	—	—	—
鲜果及干果类	橘	80	0.7	0.1	10.0	44	0.4	41	14	0.8	0.55	0.08	0.03	0.3	34
	苹果	81	0.4	0.5	13.0	58	1.2	11	9	0.3	0.08	0.01	0.01	0.1	—
	葡萄	87	0.4	0.6	8.2	40	2.6	4	7	0.8	0.04	0.05	0.01	0.2	—
	桃	73	0.8	0.1	10.7	47	0.4	8	20	1.2	0.06	0.01	0.02	0.7	6
	杏	90	1.2	—	11.1	49	1.9	26	24	0.8	1.79	0.02	0.03	0.6	7
	柿	70	0.7	0.1	10.8	47	3.1	10	19	0.2	0.15	0.01	0.02	0.3	11
	枣	91	1.2	0.2	23.2	99	1.6	14	23	0.5	0.01	0.06	0.04	0.6	540
	红果	69	0.7	0.2	22.1	93	2.0	68	20	2.1	0.82	0.02	0.05	0.4	89
	香蕉	56	1.2	0.6	19.5	88	0.9	9	31	0.6	0.25	0.02	0.05	0.7	6
	菠萝	53	0.4	0.3	9.3	42	0.4	18	28	0.5	0.08	0.08	0.02	0.2	24
	红枣(干)	85	3.3	0.4	72.8	308	3.1	61	55	1.6	0.01	0.06	0.15	1.2	12
	西瓜籽(炒)	40	31.8	39.1	19.1	556	1.8	237	751	8.3	0.18	0.03	0.14	2.7	—
	葵花籽(炒)	46	24.6	54.4	9.9	628	4.9	45	354	4.3	0.10	0.88	0.20	5.1	—
菌藻类	蘑菇(鲜)	97	2.9	0.2	2.4	23	0.6	8	66	1.3	—	0.11	0.16	3.3	4
	香菇	72	13.0	1.8	54.0	284	7.8	124	415	25.3	—	0.07	1.13	18.9	—
	海带	100	8.2	0.1	56.2	258	9.7	1177	216	150	0.57	0.09	0.36	1.6	—
	紫菜	100	28.2	0.2	48.5	309	4.8	343	457	33.2	1.23	0.44	2.07	5.1	1
油脂及调味品类	猪油(炼)	100	—	99.0	—	891	—	—	—	—	—	—	0.01	0.1	—
	植物油	100		100	—	900	—	—	—	—	0.03	—	0.04	—	—
	芝麻酱	100	20.0	52.9	15.0	6.6	6.9	870	530	58.0	0.03	0.24	0.20	6.7	—
	酱油	100	2.0	—	17.2	77	0.8	97	31	5.0	—	0.01	0.13	1.5	—
	红糖	100	0.4	—	93.5	376	—	90	—	4.0	—	—	0.09	0.6	—
	白糖	100	0.3	—	99.0	397	—	82	—	1.9	—	—	—	—	—
	甜面酱	100	7.3	2.1	27.3	157	2.5	51	127	4.5	—	0.08	0.17	3.4	—
	豆瓣酱	100	10.7	9.0	12.9	175	1.6	99	165	7.9	—	0.06	0.24	1.5	—
	醋	100	—	—	0.9	4	—	65	135	1.1	—	0.03	0.05	0.7	—
	精盐	100	—	—	—	—	—	62	—	1.6	—	—	—	—	—

续表

类别	名称	食部 %	蛋白质 g	脂肪 g	糖类 g	热能 kcal	粗纤维 mg	钙 mg	磷 mg	铁 mg	胡萝卜素 mg	硫氨酸 mg	核氨酸 mg	尼克酸 mg	抗坏血酸 mg
肉及禽类	肥瘦猪肉	100	9.5	59.8	0.9	580	—	6	101	1.4	—	0.53	0.12	4.2	—
	咸肉	100	14.4	21.8	3.3	267	—	31	109	2.3	—	—	0.24	0.3	—
	猪舌	96	16.5	12.7	1.8	188	—	20	118	2.4	—	0.08	0.23	3.0	—
	猪心	78	19.1	6.3	—	133	—	45	102	2.5	—	0.34	0.52	5.7	1
	猪肝	100	21.3	4.5	1.4	131	—	11	270	25.0	8700	0.40	2.11	16.2	18
	猪肾	89	15.5	4.8	0.7	108	—	—	228	7.1	—	0.38	1.12	4.5	22
	猪肚	92	14.6	2.9	1.4	90	—	8	144	1.4	—	0.05	0.18	2.5	—
	猪血	100	18.9	0.4	0.6	82	—	—	—	—	—	—	—	—	—
	肥瘦牛肉	100	20.1	10.2	—	172	—	7	170	0.9	—	0.07	0.15	6.0	—
	牛肝	100	21.8	4.8	2.6	141	—	13	400	9.0	18300	0.39	2.30	16.2	18
	肥瘦羊肉	100	11.1	28.8	0.8	307	—	11	129	2.0	—	0.07	0.13	4.8	—
	养肝	100	18.5	7.2	3.9	154	—	9	414	6.6	29900	0.42	3.57	18.9	17
	鸡	34	21.5	2.5	0.7	111	—	11	190	1.5	—	0.03	0.09	8.0	—
	鸡肝	100	18.2	3.4	1.9	111	—	21	260	8.2	50900	0.38	1.63	10.4	7
	鸭	24	16.5	7.5	0.5	136	—	11	145	4.1	—	0.07	0.15	4.7	—
	鹅	66	10.8	11.2	—	144	—	13	23	3.7	—	—	—	—	—
蛋类	鸡蛋	85	14.7	11.6	1.6	170	—	55	210	2.7	1440	0.16	0.31	0.1	—
	鸭蛋	87	8.7	9.8	10.3	164	—	71	210	3.2	1380	0.15	0.37	—	—
水产类	黄花鱼	57	17.6	0.8	—	78	—	33	135	1.0	—	0.01	0.10	0.8	—
	带鱼	72	18.1	7.4	—	139	—	24	160	1.1	—	0.01	0.09	1.9	—
	鲳鱼	64	15.6	6.6	0.2	123	—	19	240	0.3	—	—	0.13	2.7	—
	鲢鱼	46	15.3	0.9	—	69	—	36	187	0.6	—	0.02	0.15	2.7	—
	鲤鱼	62	17.3	5.1	—	115	—	25	175	1.6	—	—	0.10	3.1	—
	青鱼	68	19.5	5.2	—	125	—	25	171	0.8	—	0.13	0.12	1.7	—
	鲫鱼	40	13.0	1.1	0.1	62	—	95	242	0.5	—	—	0.06	2.3	—
	咸带鱼	68	24.4	11.5	0.2	202	—	132	113	1.0	—	0.01	0.18	1.6	—
	墨鱼	73	13.0	0.7	—	64	—	14	150	0.6	—	0.01	0.06	1.0	—
	河虾	26	17.5	0.6	1.4	76	—	221	23	0.1	—	0.02	0.08	1.9	—
	对虾	70	20.6	0.7	—	90	—	35	150	0.1	360	0.01	0.11	1.7	—
	虾米	100	47.6	0.5	0.2	195	—	880	695	6.7	—	0.03	0.06	4.1	—
	虾皮	100	39.3	3.0	8.6	219	—	2000	1005	5.5	—	0.03	0.07	2.5	—
	哈蜊	20	10.8	1.6	4.6	76	—	37	82	14.2	400	0.03	0.15	1.7	—
乳及代乳品	人乳	100	1.5	3.7	6.9	67	—	34	15	0.1	250	0.01	0.04	0.1	6
	牛乳	100	3.3	4.0	5.0	69	—	120	93	0.2	140	0.04	0.13	0.2	1
	羊乳	100	3.8	4.1	4.3	69	—	140	106	0.1	80	0.05	0.13	0.3	—
	代乳粉	100	17.1	10.2	62.9	412	0.7	653	338	4.8	0.20	0.47	0.76	1.4	—

主要参考文献

1. 中华人民共和国农业部.中国菜篮子工程.北京:中国农业出版社,1995

2. 中国食物与营养发展纲要(2001～2010年).中国食物营养,2001(6):5～10

3. 武汉医学院.营养与食品卫生学.北京:人民卫生出版社,1977

4. 刘至诚,于守洋.营养与食品卫生学.第2版.北京:人民卫生出版社,1981

5. 陈炳卿.营养与食品卫生学.第3版.北京:人民卫生出版社,1999

6. 吴 坤.营养与食品卫生学.第5版.北京:人民卫生出版社,2003

7. 陈学存.应用营养学.北京:人民卫生出版社,1997

8. 杨断远,袁 仲,侯雪梅主编.我国人口的缺钙现状及改善措施.郑州轻工业学院学报(自然科学版),2001,16 (1):71～73

9. 王俊东,李敬玺.食品营养学.北京:中国农业科技出版社,1999

10. 王 昕,李建桥,吕自珍.饮食健康与食品文化.北京:化学工业出版社,2003

11. 冯 磊.烹饪营养学.北京:高等教育出版社,2003

12. 刘 铭.烹饪营养学.北京:中国商业出版杜,1989

13. 彭 景.烹饪营养学.北京:中国轻工业出版社,2000

14. 王光慧.食品营养学.北京:中国农业出版社,2001

15. 刘志皋.食品营养学.北京:中国农业出版社,1996

16. 杨月欣,王光亚.实用食物营养成分分析手册.北京:中国轻工业出版社,2002

17. 张意静.食品分析.北京:中国轻工业出版社,1999

18. 无锡轻工业学院,天津轻工业学院.食品分析.北京:中国轻工业出版社,1990

19. 王银瑞.食品营养学.北京:中国农业科技出版社,1993

20. 张爱珍.医学营养学.北京:人民卫生出版社,1998

21. 恩斯明格·A.H.食物与营养百科全书.北京:中国农业出版社,1983

22. 凌 强,田客勤.食品营养与卫生.大连:东北财经大学出版社,2008

23. 左天觉,段志煌.中国农业.北京:中国农业大学出版社,1998

24. 王尔茂.食品营养与卫生.北京:中国轻工业出版社,2003

25. 国家旅游局人事劳动教育司.营养与食品卫生.北京:旅游教育出版社,1999

26. 陈春明,葛可佑.中国膳食营养指导.北京:华夏出版社,2003

27. 于守洋,崔鸿宾,石 华.中国营养保健食品指南.哈尔滨:黑龙江科学技术出版社,1996

28. 劳动部培训司.饮食营养与卫生.北京:中国劳动出版社,1997

29. 陈炳卿,孙长颢.营养与健康.北京:化学工业出版社,2004
30. 冯维棋,王端云.猪鸡优良品种.北京:中国农业出版社,1993
31. 姜培珍等.营养失衡与健康.北京:化学工业出版社,2004
32. 中国营养学会.中国居民膳食营养素参考摄入量(Chinese DRIs).北京:中国轻工业出版社,2000
33. 中国居民膳食指南专家委员会.中国居民膳食指南文集.北京:中国监察出版社,1999
34. 中国营养学会.中国居民膳食营养素参考摄入量.饭店现代化,2000(6):46~49
35. 廖晓寰,张羽,粱少萍等.广东省高校大学生膳食调查及营养配餐推荐.广东微量元素科学,2003,10(8):24~41
36. 申茂向.中国农村科技辉煌50年.北京:中国农业出版社,1999
37. 刘连馥.绿色食品导论.北京:企业管理出版社,1998
38. 闻芝梅,陈君石(译).现代营养学.第7版.北京:人民卫生出版社,1998
39. 吴逸明.预防医学.第2版.郑州:郑州大学出版社,2003
40. 王泉良.临床流行病学.上海:上海科技出版社,1984
41. 葛可佑.中国营养科学全书(下).北京:人民卫生出版社,2004
42. 李立明.流行病学.第5版.北京:人民卫生出版社.2003
43. 吴坤.营养与食品卫生学实习指导.第2版.北京:人民卫生出版社,2003
44. 陈炳卿.营养与食品卫生学学习指导.北京:人民卫生出版社,2000
45. 黄伟坤.食品检验与分析.北京:中国轻工业出版社,1993
46. 中华人民共和国国家标准.食品卫生检验方法(理化部分).北京:中国标准出版社,2004
47. 王亚伟,吕全军.食品营养检测.北京:高等教育出版社,2005
48. 刘江.21世纪初中国农业发展战略.北京:中国农业出版社,2000
49. 于守洋,刘志诚.营养与食品卫生监督检验方法指南.北京:人民卫生出版社,1989
50. 孙明远,余群力.食品营养学.北京:中国农业大学出版社,2002
51. 杨月欣,王光亚.实用食物营养成分分析手册.北京:中国轻工业出版社,2002
52. 中国预防医学科学院营养与食品卫生研究所.食物营养成分测定法.北京:人民卫生出版社,1991
53. 鲁长豪.食品检验.成都:四川科学技术出版社,1987
54. 付敏.饮食营养学.哈尔滨:黑龙江科技出版社,1993
55. 中国营养学会.中国居民膳食营养素参考摄入量.北京:中国轻工业出版社,2000
56. 史建民,靳相木.农村政策与法规概论.北京:中国农业出版社,2000
57. 庄小辈.农业政策学.北京:气象出版社,2000
58. 金龙飞.食品与营养学.北京:中国轻工业出版社,1999